KB196490

인간은
개를
모른다

· Meaning of Life 시리즈 ·

인간은 개를 모른다

스티븐 코틀러 지음
서민아 옮김

P 필로소픽

일러두기

본문 중 괄호 안 설명은 모두 옮긴이 주이며, 원문의 괄호는 각괄호([ ])로 표기했다.

| 목차 |

서문

나는 추운 밤 어두운 하늘 아래, 뉴멕시코 주 북부의 산맥에 있는 작은 어도비 벽돌집 뒷베란다에 놓인 낡은 흔들의자에 앉아, 다 쓰러져가는 헛간 슬레이트 지붕 위로 떠오른 달을 바라보며, 죽음을 맞는다는 건 어떤 것일까 곰곰 생각에 잠긴다. 집 안에서는 아내가 잠을 자고 있고 개들도 대부분 자고 있다. 사람들은 우리가 키우는 개들이 몇 마리나 되는지 자주 묻는데, 나는 여러 대답들 가운데 약간 부풀려서 말하는 편이 낫다는 걸 깨닫고는 이렇게 말하곤 했다. "637마리요. 뭐, 얼추 그럴 겁니다." 보통은 이렇게 말하지만, 실제 수는 아마 열여덟 마리쯤 될 것 같다. 하지만 이것도 사실 정황적 증거를 바탕으로 한 — 밤에 잠자리에 들 때 개들이 침대에 차지하는 공간과, 이웃 사람들이 자기네 말을 풀밭에 데리고 갈 때 들리는 우리 집 개 짖는 소리, 너무 어리거나 너무 나이 들어 다음 날 아침까지 참기 어려운 이들을 위해 전날 저녁 깔아놓은 애완견 용변 패드에 쌓인 똥 무더기들 — 대략적인 추정일 뿐이다. 대략적인 추정. 그렇다. 개의 임종이 시작되고 나면 남은 개들의 수를 세고 싶은 마음이 싹 달아나버리니까.

시간 감각도 완전히 사라졌다. 오늘이 2008년 4월이 아닐까 짐작해보지만 짐작이 그럴 뿐이다. 나중에 시간이 지나면 이것이 유대교 전통이 요구하는 7일의 애도 기간인 시바(shivah, 망자를 애도하며 가족들이 한집에서 7일 동안 함께 보내는 장례 의식)의 장점 가운데 하나라는 걸 깨닫게 되겠지. 동물들을 위해 이와 유사한 아무런 의식이 없다면 슬픔은 한계를 모른 채 끝도 없이 계속될 테니까. 이 슬픔은 일주일, 한 달, 아니 어쩌면 평생을 가도 끝나지 않을 것이다. 나에게 식사를 챙겨주러 멀리서 날아올 친척 하나 없고, 장례식에 참석하기 위해 밤새 차를 몰고 달려와줄 친구 하나 없다. 위스키 텀블러에 한 잔 가득 위스키를 따라줄 사람도, 내가 술이 지나쳤다 싶으면 조용히 일러줄 사람 하나 없다. 그렇다고 아내 주변에 그런 사람이 있는 것도 아니다. 우리가 처음 만났을 때 그녀는, 방 안에 우리 둘만 있을 때 어른이라고는 아무도 없는 게 문제라고 이야기하곤 했다. 그땐 그게 참 재미있었는데. 요즘은 그 시절이 그립다.

최근에 이른바 '반려동물과의 사별'을 연구하는 과학자들은 애완동물의 죽음 이후 겪는 슬픔이 아무리 가까운 친구나 가족이라 할지라도 인간의 죽음 이후 겪는 슬픔보다 훨씬 크다고 자주 언급한다. 《사랑하는 애완동물과 작별하기 *Saying Good-bye to the Pet You Love*》의 저자이자 샌디에이고 지역 애완동물 사별 프로그램의 공동 창립자이며, 관련 문제에 대해 세계적으로 인정을 받고 있는 심리학자 로리 그린Lorri Greene은 수의사들의 자살률이 상당히 높은 이유도 그 때문이라고 언젠가 내게 말한 적이 있다. 그 외에 애완동물의 죽음이 주로 안락사에 의해 이루어진다는 사실과 그로 인해 종종 찾아오는 죄책감도 자살의 원인이다. 개인적으로 나는 돌보는 개들에 둘러싸여 지내는 특이한 환경 덕분에 크게 회한을 느끼지는 않지만, 블루스 가수 캔자스 매코이Kansas Joe McCoy가 1929년에 불렀던 노래 가사의 느낌은 여전히 가슴에서 떠나지 않는다. 이렇게 계속 비가 내리면 둑이 무너져버리겠네If it keeps on rainin', levee's goin' to break.

아마 이쯤 되면 내가 무슨 말을 하려는지 다들 이해했을 것이다. 여러분은 지금 감당 못 할 일에 내기를 건 한 남자를 만나고 있다. 모함母艦으로부터 너무 멀리 떨어진 나머지 제시간에 돌아가지 못해 마지막 비행기도 끝내 놓치게 될 한 남자를. 나는 철학자들이 '더 이상 추론할 수 없는 원리'라고 정의하는 '제1원리first principles'라는 것에 대해 의심하기 시작했다. 제1원리는 근본이 되는 가정이요 선험적 진리이며 수학의 공리이다. **최초의** 제1원리, 즉 A=A를 뜻하는 항진명제(tautology, 항상 진리인 명제)를 정식화한 사람은 아리스토텔레스였다. 나는 늘 낙천주의와 공상을 좀처럼 구분하기 힘들었으며, 내가 옳은 일을 하고 있으니 모든 일이 잘 풀릴 거라는 형이상학적 확실성을 나의 제1원리로 삼았다. 물론 이런 문제에 대해 나보다 훨씬 많은 경험을 쌓은 내 아내는 그렇지 않다고 말했다. 물론 나는 그 말을 귀담아 듣지 않았다.

일 년 전, 아내와 나는 개 보호소를 운영하기 위해 이 산악 지대로 이사했다. 우리는 사람 손이 특히 필요한 개들, 즉 나이가 아주 많다든지, 큰 병에 걸렸다든지, 심한 지적장애가 있는 개들을 전문적으로 다룬다. 우리 보호소에 들어온 많은 동물들이 다른 집에 입양될 정도로 상태가 호전되려면 몇 년간 보살핌이 필요하다. 우리는 동물이 어떻게 죽음을 맞는지가 중요하다고 믿기 때문에, 수개월간 물심양면으로 돌보아 동물이 편안히 눈을 감을 수 있도록 한다. 대부분의 유기견 구호자들은 이런 호스피스 간호가 상당히 힘든 일이라는 걸 알기 때문에 이런 일을 하는 구호자는 많지 않다. 내 아내는 워낙 강한 사람이어서 이 일을 충분히 감당할 수 있다. 그리고 내가 이 일을 하는 이유를 대자면, 나는 위험을 굉장히 좋아하는 데다 운이 좀 좋은 사람이기 때문이다 — 운에 대해서라면 어느 정도 예측치를 가지고 있다고나 할까. 흐음, 이 경우에는 A가 A와 같지 않은 것 같다.

내가 예측치를 가질 정도로 행운이라고 여긴 일들 가운데 하나는, 처음 이 활동을 시작한 지 1년 6개월 동안 개들의 사망률이 현저하게 감소했다는 것이다. 개들은 생존 기간이 3주, 잘해야 한 달이라는 무시무시한 경고와 함께 끔찍한 몰골을 하고 우리 품에 찾아오곤 했다. 하지만 개의 예상 생존 기간과 그 개가 실제 생존하는 기간은 분명히 다르고, 아주 많은 경우 그 차이를 좌우하는 중심에 아내가 있다. 이번에도 아내는 내게 그렇지 않다고 말하려 했고, 이번에도 나는 아내의 말을 듣지 않았다. 2008년 2월까지만 해도 나는 어떤 확신을, 그러니까 때가 되면 이 우주가 그들의 잃어버린 시간을 만회할 기회를 주리라는 그릇된 자신감을 키워왔다.

우리 집 뒷마당에는 작은 애완동물 묘지가 있다. 무덤은 한 줄로 나란히 배치되어 있다. 그 무덤들 한가운데에 서면 왼쪽에는 내가 가장 아끼는 친구의 무덤 두 개가, 오른쪽에는 아내가 가장 아끼는 친구의 무덤 두 개가 있다. 그해 겨울 우리는 사랑하는 이들을 너무 많이 떠나보냈다. 모두 일곱 마리의 개가 저세상으로 갔다. 7주 동안 일곱 마리의 개가 죽었다. 그들 가운데 비니도 있었다. 비니는 아담한 슈나우저로 나이가 많아서 추우면 몸을 오들오들 떨곤 했다. 겨울이 오자 우리는 이불이며 스웨터며, 비니의 체온을 따뜻하게 유지시킬 만한 것이면 무엇이든 동원해서 비니의 몸을 감쌌다. 비니를 땅에 묻은 후에도 나는 비니가 추위에 떨지 않을까 하는 걱정을 떨칠 수가 없었다. 이틀 전 한밤중에, 아내는 내가 한 손에는 담요를 다른 한 손에는 삽을 들고서 비니의 무덤 위에 서 있는 걸 발견했다. 아내가 내게 거기에서 뭐 하는 거냐고 물었을 때 나는 가장 진실에 가까운 대답을 했다. 사실 나도 내가 뭘 하고 있는지 몰랐으니까. 외관상 판단해볼 때 아마 나는 비니의 시체를 파내 그의 몸에 담요를 더 친친 둘러줄 요량이었던 것 같다.

"비니는 죽었어. 알지?" 잠시 후 아내가 말했다.

"어, 응. 비니가 추울까 봐 걱정이 돼서." 내가 말했다.

우리 집 묘지에는 그늘을 드리우는 작은 체리 나무 한 그루가 있다. 그 나무를 심을 때 우리가 얼마나 큰 희망에 부풀었는지 기억한다. 그 당시만 해도 우리의 세계는 온통 반짝반짝 새로웠다. 무엇이든 돌이킬 수 있었고, 모든 것이 가능했다. 내가 감당할 수 없는 내기가 나 자신의 행복과 관련이 있는 줄 아직 알지 못했다. 그도 그럴 것이, 내가 살고 있는 삶이 정말로 진짜라는 걸 아직 이해하지 못했으니까. 아내는 체리 나무 아래에 삽을 내려놓고 내 손을 잡고서 나를 집으로 끌고 들어왔다. "늦었어. 다시 잠자리에 드는 게 좋을 것 같은데." 나는 아내가 아침이면 모든 일이 더 나아질 거라고 말하려다 이내 말을 삼키는 걸 보았다. 아내는 현실주의자다. 조금이라도 상황이 나아진 아침을 맞아본 지가 언제인지 까마득하다.

1

취미요

물 위를 걷는 건
하루아침에 되는 일이 아니었다.

- 잭 케루악(Jack Kerouac)

얼마 전 나는 있는 돈 없는 돈 탈탈 털어서 뉴멕시코 주 치마요 Chimayo의 손바닥만 한 농장을 구입했다. 충동구매였다. 나는 시골 생활에 대해 별로 아는 바가 없었고, 은밀한 전원생활 따위에 환상을 가져본 적도 없었다. 그랬던 인간이 한순간 무슨 생각에선지 악착같이 돈을 긁어모으더니만, 이내 당나귀 가격을 놓고 흥정까지 하고 있다. 정말이지 내가 과거에 상상했던 인생과 현재 살고 있는 인생 사이에 공통점이라고는 눈곱만큼도 남아 있지 않다는 게 최근에 내린 결론이었다. 그렇다고 가축들이 이런 문제를 해결해주기라도 했으면 또 몰라.

큰 문제는 아니었다. 다만 2007년 초봄에 또 한 번 존재의 위기를 겪었으며, 그해에는 그런 게 유행이었다. 어디에도 숨을 데가 없는 시기였다. 경제는 엉망이었고, 만년설은 녹아내리고 있었다. 물 전쟁이 임박했고, 오일 전쟁은 진행 중이었으며, 벌들은 계속해서 죽어가고 있었다. 전 세계에 다시 유행병이 돌 태세였다. 식량 부족이 기형적으로 이루어졌다. 그리고 이런 현상들은, 과학자들 말로는 시작에 불과했다. 과학자들은 최근 이 행성의 생물 멸종 현상에 대해 '지구의 여섯 번째 대멸종'이라는 신조어를 만들었다. 생각해보면 어느 하루 피로하지 않은 날이 없었다. 모르긴 몰라도 우리가 쫄딱 망해서 사방팔방 전화를 해대며 주변 사람들을 들들 볶던 시기도 분명 있었을 거다.

다른 사람들처럼 나 역시 생활에 필요한 연출법을 배웠다. 깨어 있는 동안, 필요한 일들에 한해 이런저런 일들을 아주 능숙하게 해냈다. 직업인 기자 일도 잘 해냈다. 원고를 받고, 각종 모임에 참석하고, 처방전이 필요 없는 약들을 적정량 복용했다. 집 안의 화초에 물도 주었다. 대부분의 칼붙이들을 기가 막히게 잘 다룰 줄 알았다. 필요할 때면 연기에 대한 스펜서 트레이시(Spencer Tracy, 1900~1967, 미국 영화배우)의 충고를 상기할 줄도 알았다. "자신의 대사를 잘 기억하고 가구에 부딪치지 마세요." 그럼에도 불구하고 마흔에 접어든 그해에 나는 대부분의 시간을 힘들게 보냈다.

마흔 해를 살고 보니 몇몇 확실한 정보들은 어찌어찌 늘어났지만, 진정한 지혜는 거의 쌓지 못했다. 지구의 다섯 번째 대멸종이 공룡의 멸종이란 건 조금의 의심 없이 똑똑히 말할 수 있으면서도, 치마요로 이사하기 전에 누군가에게 치마요가 어떤 곳인지 물어볼 생각조차 하지 못했다. 새로 이사할 집이 에스파뇰라 밸리Española Valley 한가운데에 자리 잡고 있는지도 알지 못했고 《리오 그란데 선*Rio Grande Sun*》 지가 이 산골짝에서 발행하는 신문인지도 알지 못했으며, 이 신문에서 주말마다 보도하는 경찰 사건 기록부가 최근 전국적으로 엄청난 재미를 주고 있다는 사실도 알지 못했다. 제이 레노(Jay Leno, 미국 NBC 방송국 TV 토크쇼의 MC)는 부리토(burrito, 토르티야에 콩, 고기 등을 싸서 먹는 스페인 음식)에 헤로인을 넣어 감옥에 있는 남자 친구에게 몰래 가져다준 여자 이야기를 신이 나서 이야기했다. NPR(National Public Radio, 미국 전역에 송출되는 공영방송)은 '흰색 닷지 승용차를 몰면서 칼을 들고 사람들을 뒤쫓는' 한 남자와 '청색 스웨터에 청색 바지를 입고 채소 가게 앞에서 말 모양의 로봇과 대화를 나누는' 한 사내와 '온 가족에게 싸움을 걸더니 급기야 어머니에게 폭행을 가한' 어떤 인간을 흥미롭게 보도했다.

치마요가 전국에서 마약중독 비율이 가장 높은 지역이며, 오퍼레이션 타르 핏(Operation Tar Pit, 마약 불법 밀매 및 유통을 감시하기 위해 미국 전역에서 행해진 수사 작업)이 마을 전역을 휩쓸던 1999년 9월에는 지역 인구의 상당수가 경찰에 체포되었다는 사실도 나는 전혀 알지 못했다. 깨끗한 지역사회 만들기의 활동가, 페르난도 바이야르도 박사Dr. Fernando Bayardo가, 이처럼 심각한 마약 남용은 지난 50여 년 동안 이 지역 깊숙이 뿌리박힌 병폐라고 논평한 2005년 8월 18일 NPR 방송도 듣지 못했다. "할머니가 손자하고 마주 앉아 마약을 주사합니다. 가족들이 다 함께 둘러앉아 마약을 주사해요. 십대 아들이 마약을 복용하는 건 다른 가족들에게 굳이 숨길 일도 아닙니다. 어떻게 해야 이런 불건전한 생활방식과 습관들을 바꾸어 새로운 규범을 만들 수 있겠습니까?"

나는 어떻게 해야 새로운 규범을 만들 수 있는지 알지 못했다. 분명한 건, 여자 친구와 나는 무모한 꿈만 있을 뿐 아무런 대책도 없이 로스앤젤레스의 집에서 쫓겨났다는 사실이다. 우리에게 무모한 꿈이란, 여러 마리의 개들과 우리 소유의 농장을 갖겠다는 그림의 떡 같은 소망을 위해서라면 무슨 일이든 하겠다는 결심이었다. 우리는 조만간 개들을 돌보는 일을 할 수 있으리라는 꿈에 부풀었다. 집에서 쫓겨나게 됐다는 사실을 알게 된 날 밤, 우리는 절망감에 젖어 법석을 떨면서 일종의 소망 목록을 정리했다. 그러나 정리한 항목들 대부분이 과연 제대로 지켜질 수 있을지 위태위태한 것들이었다. 내 여자 친구는 루푸스(lupus, 면역 체계의 이상으로 만성 염증이 일어나고 면역력이 떨어지는 난치성 전신질환)를 앓았다. 나는 라임병(lyme, 진드기가 옮기는 세균에 의한 전염병)을 앓았다. 우리 둘 다 다발성 경화증만 안 걸렸다 뿐이지 자가면역질환의 주요 종목을 꿰차고 있었다. 따라서 우리는 둘 다 걷기가 필수인 사람들이라, 해가 길고 햇볕이 짱짱한 지역이 중요했다. 또한 규제 사항이 거의 없는 지역이어야 하고, 넓은 공간도 중요한 요소였는데, 우리에게는 많은 동물들과 그 동물들을 위한 여러 가지 계획이 있었기 때문이다. 그러나 결정적으로, 유감스럽게도 우리에게는 이 모든 소원을 이루어줄 큰돈이 없었다.

미국에서 우리의 소망을 모두 충족시켜줄 지역은 딱 한군데, 뉴멕시코 주의 샌타페이뿐이었지만, 샌타페이는 집값이 거의 로스앤젤레스만큼이나 비쌌다. 외곽 지역은 건축 붐에서 벗어났을 거라는 짐작은 한낱 몽상에 지나지 않았다. 하긴 우리가 관심을 갖고 지켜본 유일한 외곽 지역에 오프라 윈프리가 천만 달러 상당의 대저택을 가지고 있다고 하니, 우리의 꿈이 야무져도 너무 야무졌는지도 몰랐다. 우리의 소망 목록에는 마흔 가지 항목이 있었다. 우리가 가진 예산으로는 열 가지 정도를 이룰 수 있었다. 치마요에 대한 소망만 채워도 서른아홉 가지 소망을 채울 수 있었다. 치마요를 선택할 아주 그럴싸한 이유가 있다는 걸 진작 알았어야 했다. 하지만 이 문제로 골머리를 앓을 무렵엔 차라리 채소 가게 앞에서 말 모양의 로봇과 대화를 주고받는 일이 내 머리에서 짜낸 그 어떤 해결책보다 합리적으로 보였다.

농장을 구입하기 6주쯤 전에 나는 내 살림살이가 지나치게 많다는 생각을 하게 됐다. 그래서 3천 권의 책, 쓰레기봉투 여섯 개에 가득 채운 옷가지, 책장 네 개, 의자 세 개, 배낭 세 개, 탁자 두 개, 스키

두 걸레, 서핑보드 두 개, 컴퓨터 두 대, 낡은 스케이트보드 한 개, 찢어진 텐트 한 개, 빽빽이 채워진 서류 보관 캐비닛 한 개, 만화책 전집 한 질, 한창 곤충 채집에 열중하던 시기에 사용하고 놔둔 곤충 채집 장비 하나, 포르노물 일부 — 막판에는 전체 포르노물 가운데 3분의 2 — 를 내다 버렸다. 그리고 여자 친구 집에 들어가 살기로 결정했다. 여자 친구는 당시 아주 작은 집에 살았다.

내 여자 친구 이름은 조이다. 조이의 작은 집은 샌타모니카 산맥 서쪽과 할리우드 정북쪽, 로스 펠리스Los Feliz — 스페인어이며 '행복'이라고 번역할 수 있다 — 에 위치했다. 근처에는 그리피스 공원과 천문대, 그리스식 원형극장인 그릭 시어터the Greek Theater, 그리고 전체 그리피스 공원을 이루는 3천 에이커의 부지가 있다. 공원은 이름도 그럴듯한 그리피스 그리피스Griffith J. Griffith가 1896년 12월에 일종의 크리스마스 선물로 로스앤젤레스 시에 기증했다. 그는 이 큰 선물을 제공하면서 딱 한 가지 조건을 제시했다. "이곳은 일반인들의 오락과 휴식을 위한 장소, 평범한 서민들, 보통 사람들을 위한 행락지로 만들어져야 합니다." 우리는 평범한 서민이었고, 잠깐 동안 이곳 '행복'에 살았다.

우리는 귀신이 나올 것 같은 흉가에 싸게 세를 얻었다. 집 크기를 측정해봤더니 정확히 666제곱피트(약 62제곱미터)였다. 집은 비탈진 절벽 제일 꼭대기에 얹혀 있었고, 키가 큰 나무들이 울창한 잡목 숲에 둘러싸여 있었다. 집 안 내부는 작은 침실과 그 못지않게 작은 거실로 이루어져 있었고, 주방 크기는 배에 딸린 조리실만 했다. 페인트는 죄다 벗겨져 있고 배관도 멀쩡한 게 없었다. 벽은 쩍쩍 갈라졌고 바닥은 여기저기 구멍이 뚫렸으며 제대로 닫히는 문이 하나도 없었다. 절벽 위로 올라가는 계단조차 썩은 나무를 이용해 임시변통으로 만든 사다리에 불과했지만, 절벽 꼭대기 생활은 조용하고 고요했으며 거실 한쪽 벽이 창문으로 이루어졌다. 우리는 이 창문 밖으로 '행복'의 경관을 바라보는 재미에 푹 빠졌다.

마하트마 간디는 이런 말을 한 적이 있다. "인생에는 서두르는 것 말고도 더 많은 것이 있다"라고. 나는 그의 말에 전적으로 동의하지만, 조이와 내가 함께 이사 온 지 2주 만에 우리는 다시 이사를 나가야 했다. 달리 방법이 없었다. 집주인은 경제 사정이 좋아지자 부동산을 마구 되사들였다. 우리가 세든 집을 마지막으로 더 이상 부동산을 늘릴 계획이 없다고 우리한테 직접 말해놓고서. "최소한 2년은 지낼 수 있어요. 혹시라도 집을 비우셔야 할 경우 6개월 전에 미리 말씀을 드리겠습니다." 집주인은 분명히 이렇게 말했었다. 이런 내용이 서류에는 전혀 언급되지 않았지만 우리는 집주인 말을 철썩같이 믿고 괜찮으려니 안심했다. 하지만 서류상으로는 매월 임대 기간이 만료될 때마다 다달이 계약을 하도록 되어 있었다. 계약에 따르면 우리는 30일 후에 집을 비워야 했고 이에 대해 법적으로 호소할 데가 아무 데도 없었다. 우리가 변호사를 부르겠다고 하자 집주인은 그렇다면 미국 동물학대방지협회ASPCA에 우리를 신고하겠다고 대응했다. 이 말은 그러니까, 이제 정말로 집을 비워야 한다는 뜻이었다.

우리에게는 문제가 한두 가지가 아니었다. 무엇보다 가장 큰 문제는 재정 상태였다. 우리는 그야말로 빈털터리였다. 나에게 뉴멕시코주의 그 집을 살 정도 돈은 있었지만, 그 돈이 내 예금계좌에 들어 있는 전 재산이었고, 우리는 지난 1년 동안 이 돈을 야금야금 빼 먹으면서 살아왔다. 우리는 둘 다 글을 써서 먹고살았다. 그러나 잡지사 일은 영 신통치 않았고 출판사 일이라고 해서 그다지 나을 것도 없었다. 가뜩이나 어려운 시기에 글로 먹고살려 하다니 어리석기 그지없었지만, 그 당시 나는 전반적으로 무모하고 어리석었다.

우리가 비탈진 절벽 꼭대기의 다 쓰러져가는 집에 살았던 이유는 그 집 마당이 굉장히 넓었고, 주위에 이웃이 거의 없었으며, 로스앤젤레스에 있는 일곱 개의 동물보호소와 그 일대 지역사회에 있는 수십 개 이상의 동물보호소가 모두 필요했기 때문이다. 큰 보호소들은 약 200마리의 동물을 수용하며, 거의 항상 그 정도 수용력을 유지한다. 이런 보호소에서 공간을 넓히는 방법은 한 가지뿐이다. 개들은 인간의 가장 좋은 친구일지 모르지만 대부분 동물보호소들의 살생률은 여전히 90퍼센트에 달한다. 천사의 도시 로스앤젤레스의 동물보호소들은 매달 천 마리 이상의 개를 안락사시키는데, 조이는 이 수를 반으로 줄이기 위해 대부분의 시간을 보냈다.

개 구호 활동이란 마침내 개에게 집을 찾아줄 수 있으리라는 희망을 갖고, 사형을 기다리는 개들 가운데 한 마리를 구조하는 작업이다. 이런 동물들 대부분이 처음엔 아주 처참한 몰골로 동물보호소에 도착한다. 몇 달간 힘들게 애를 쓴 후에야 이들의 재활이 가능하다. 보통 병원 치료에 수천 달러의 비용이 드는데, 대부분이 구호자의 주머니에서 나온다. 그렇게 치료를 다 했는데도 간혹 어떤 개들은 병이 너무 심하거나 다루기가 몹시 힘들어 결국 입양이 불가능한 경우도 있다. 개 구호자들은 이런 개들을 '무기수'라고 부른다. 내가 20대 후반에 사귀던 한 여자 친구는 아침에 일어나더니 뜬금없니 이제 그만 헤어지자고 통보했다. "나는 아이를 여덟은 낳고 싶은데 넌 아이를 원하지 않잖아." 이게 그녀의 이유였다. 나는 그녀의 논리에 반박할 수 없었지만, 어쨌든 내가 아이라면 질색한다는 건 그녀도 오래전부터 알고 있는 사실이었다. 하지만 그녀는 일 년이 지나서야 비로소 내 마음이 바뀌지 않는다는 걸 깨달았다. 얼마 후 나는 내 결심을 전달하기 위해 티셔츠에 '개는 아이가 아니다'라는 문구를 프린트했다. 지금도 그 생각은 변함이 없지만, 무기수들은 이 공식을 완전히 다른 차원으로 바꾸었다.

조이는 불테리어를 구조하는 것으로 몇 년 전부터 구조 활동을 시작했다. 불테리어를 잘 모르는 사람들을 위해 설명하자면, 불테리어는 18세기에 어떤 미친놈이 블도그와 핏불, 달마티안을 교배해 탄생시킨 흰색의 땅딸막한 개의 종류다. 이들은 황소 괴롭히기bull baiting를 위해 사육되었는데, 황소 괴롭히기란 불테리어들이 황소의 아랫부분을 덮쳐 턱으로 고환을 꽉 물고 제곱인치당 1600파운드에 달하는 압력을 가하는 영국의 잔인한 놀이였다. 마침내 황소가 쓰러지면 개들은 황소의 고환을 떼고 목구멍을 찢었다. 1835년에 법으로 금지되기 전까지 영국에서 오락으로 허용되어왔다.

이후 불테리어는 투견이 되었는데, 다시 말해 여전히 공격을 위해 사육되었던 것이다. 불테리어의 흰색 가죽은 대단히 귀하게 평가되지만, 이런 색깔을 내려면 근친교배를 해야 하고 그로 인해 면역 체계가 약화되며 사교성이 떨어진다. 또한 장관腸管이 굉장히 짧아서 소화력이 좋지 않고 툭하면 배에 가스가 찬다. 그 결과 공격적이고, 쉽게 동요되며, 고집이 세고, 쉴 새 없이 방귀를 뿡뿡 뀌어대는 방귀대장이자, 아무도 못 말리는 꼴마초가 되기 쉽다. 따라서 조이가 기르는 불테리어가 차마 직접 공격하지 못하는 견종은 오직 치와와뿐이었으며, 그래서 조이는 치와와를 다섯 마리 데리고 있었다.

이 밖에도 닥스훈트와 비글이 섞인 일종의 잡종견이 한 마리 더 있고, 여기에 내가 기르던 허스키와 로트와일러 잡종견이 합류했다. 이렇게 우리가 보호하는 개들은 총 여덟 마리였고 모두 무기수들이었다. 로스앤젤레스에서는 가구당 기를 수 있는 개의 수를 법적으로 세 마리로 제한했기 때문에 여덟 마리를 데리고 있는 건 곤란했다. 그러니 아무리 최상의 여건이라 할지라도 이 규칙을 기꺼이 변칙적으로 적용시켜줄 집주인을 찾기란 어려운 일이었다. 게다가 부동산 시장은 얼어붙었고 월세는 하늘 높은 줄 모르고 치솟았다. 그리고 로스앤젤레스의 거주율은 96퍼센트에 달했다. 사정이 이렇다 보니, 여덟 마리 개를 데리고 살 수 있는 아파트를 구하기란 세계 평화가 이루어진다거나, 우리의 소망 목록 가운데 당장은 전혀 가능성이 없는, 비행기 일반석의 넓은 좌석에 두 다리 쭉 뻗고 앉아보기 같은 것과 일이등을 다툴 만큼 힘든 일이었다.

집이 팔렸다는 사실을 알게 된 건 일요일이었다. 볼일을 보고 집에 돌아왔더니 조이가 소파에 앉아 울고 있었다. 조이는 집주인이 이사 날짜를 못 박았다고 말한 다음, 자신은 이미 마음의 결정을 내렸다고 덧붙였다. 조이는 물가도 싸고 한 집에서 개를 몇 마리를 기르든 상관하지 않는 멕시코로 이사를 갈 거라고 말했다. 하지만 멕시코에서는 내 경력을 회복할 기회가 없었다. 이건 짚고 넘어가는 것이 좋겠는데, 사실 이 선택은 조이가 가장 원하지 않는 선택이었다. 그러니까 조이로서는 최후의 선택인 것이다. 조이는 내가 자기와 함께 멕시코에 갈 수 없으리라는 걸 잘 알았지만, 이 코딱지만 한 집도 2년 넘게 사방팔방 알아봐서 간신히 구했는데, 지금은 2년은커녕 두 달도 시간이 없었다. 우리에게 허용된 시간은 한 달도 채 안 됐고, 더구나 남은 돈도 거의 없었다. 조이는 자신이 짐이 된다는 생각을 참을 수 없었다. "넌 도시 생활과 사회적인 성공을 원하니까 나랑 개들과 함께 이사할 생각은 없겠지."

어쩌면 다 맞는 말인지도 몰랐다. 그렇지만 내가 그런 것들을 더 이상 원하지 않는다는 것 또한 사실이었다. 내가 원한 건, 비록 그런 생각을 해본 지가 상당히 오랜만이긴 했지만, 이 세상에서 뭔가 가치 있는 일을 하고 싶다는 것이었다. 그리고 솔직히 말하면, 우리가 처음 만난 날 이후로 나는 조이를 위해서라면 바보가 될 준비가 되어 있었다. 조이의 집으로 이사를 오기 위해 상당히 많은 짐들을 내다 버렸으며, 솔직히 죄다 처분해도 하나도 아깝지 않았다. 대부분의 날들 속에서 유일하게 곁에 둘 가치가 있는 것은 내 여자와 그 여자의 개들뿐이었다. 그러므로 나는 가지 않을 터였다. 모두 다 함께 어디 다른 지역으로 갈지언정 어느 한 사람도 멕시코에는 가지 않을 터였다. 진짜, 진짜로.

T.S. 엘리엇은 "나는 내 인생을 커피 스푼으로 측정했다"(커피 스푼으로 지나온 인생을 재는 행위를 통해 무료하고 무의미한 인생을 표현)라는 말을 남겼다. 내가 지금 이야기하고 있는 그 시기 동안 나는 무언가를… 음, 정확히 그게 뭔지는 모르겠지만 하여튼 무언가를 피하기 위한 의도로, 엘리엇이 남긴 이 말을 마치 일종의 주문처럼 혼자 속으로 외우고 다녔다. 차가 막혀 꼼짝 못 할 때나, 30미터 높이의 광고판들과 천 달러를 들인 헤어스타일들, 손에 손에 쇼핑백을 든 사람들, 끝도 없이 이어지는 쇼핑센터들, 스트립쇼를 하는 클럽들, 햇볕에 그을린 피부들 — 사람들을 미치도록 열광시키는 로스앤젤레스의 모든 것들 — 속에 갇혀 있을 때면 엘리엇의 이 말이 머릿속에 맴돌았다. 이 말을 되뇌는 건 오래전부터 느껴온 내 감정을 멀찌감치 바라보게 하는 나만의 방식이었다. 나는 이제 마흔이었고 인생에 대단한 의미가 있

다는 걸 더 이상 확신할 수 없었다.

나는 살다 보면 차츰 나아질 거라는 지극히 낭만적인 착각을 품고 어른이 되었다. 그런데 나아지기는커녕 점점 더 어렵고 꼬이기만 했다. 나는 차츰 선택을 하기 시작했다. 요리를 그만두고 전자레인지에 30초간 음식을 돌렸다. 책을 썼지만 독서는 중단했다. 마약이 효과가 있던 시절이 그리웠다. 불행하다기보다 확신이 없었다. 어디 다른 곳에 진실이 있을지 모른다는, 끊임없이 찾아오는 뭐라 말할 수 없는 느낌. 내가 주문한 건 결코 이런 게 아니었는데.

그 당시 삶의 방식에 의문을 가진 사람이 나 혼자만은 아니었다. 조이와 나는 철학적 견해가 달랐다. 우리는 서로를 배려해서 말할 땐 이 견해 차이를 '예술 대 이타주의'라고 불렀다. 그러나 우리가 늘 서로를 배려하는 건 아니었다. 나는 창조력, 다시 말해 무無로부터 무언가를 만드는 행위, 영감의 고매한 변환, 그와 같은 여타의 무용한 행위들을 믿었다. 조이는 예술을 만드는 행위는 본질적으로 이기적이라고 생각했고, 세상의 모든 축복받은 피조물을 위해 모든 것들을 희생하는 것이야말로 조용한 관용이라고 열렬히 강조했다. 옆에서 보면 별로 크게 싸우는 것 같지 않지만, 사실 우리는 이 문제로 정말 치열하게 싸웠다.

세상을 잘 사는 가장 좋은 방법은 위태로움을 느끼는 것이며, 함께 잘 사는 가장 좋은 방법은 실제로 위기를 겪는 것이다. 개 구호 활동은 종종 감정적으로 진을 빼고 물리적으로 시간을 많이 잡아먹는 일인데, 프리랜서 작가라는 직업도 이와 다르지 않다. 이런 상황에서 사랑은 언제나 뒷전이 되기 마련이다. 조이의 경우 전 남자 친구들과 전 남편들 모두가 조이의 개들에게 점점 질투를 느꼈다면 — 그러니 모든 이름 앞에 '전'이라는 글자가 붙을 수밖에 — 나는 수십 년 동안 누구하고 장기간 관계를 가져본 적이 없었다.

이윽고 우리는 재정에 대해서도 입장이 엇갈렸다. 조이나 내가 싸워가며 펼친 주장들은 수입과는 하등 관계가 없었으며, 이런 불리한 상황에 대해서 나는 **좋아하는 일을 하면 나머지는 저절로 따라온다**는 전통적인 형이상학을 무기로 맞섰다. 하지만 우리가 둘 다 좋아하는 일을 하고 있었지만, 정말로 나머지도 따라와주었을까? 둘 중 한 사람이라도 제대로 된 직업을 가졌어야 하지 않았을까? 조이의 소명이 피조물을 살리는 일과 관련이 있고 나의 소명이 단어와 단어를 이용해 올바른 문장을 만드는 것과 관계가 있다는 이유로, 일반적인 상식을 가진 사람들은 희생을 해야 할 사람은 바로 내가 되어야 한다고 이구동성으로 말했다. 하지만 내 경험상 애석하게도 상식과 소명은 이율배반적이다.

이런 논쟁에 한창 불이 붙었을 때 데이미언이라는 이름의 개가 도착했다. 데이미언은 체중이 기껏해야 4.5킬로그램 정도였고, 벼룩에 물린 자국이 있었으며, 척추가 부러져 있었다. 평생을 라디에이터에 묶여 살았고, 딱딱한 흙바닥 위 지름 60센티미터 남짓이 활동 범위의 전부였으며, 가느다란 금속 체인으로 만들어진 개 목걸이가 살 속으로 아주 깊숙이 박혀 있어 제거하려면 수술이 필요한 상황이었다. 집 안에는 덮을 수 있는 이불들이 곳곳에 꽤 많이 펼쳐져 있었는데도 데이미언은 이불이 펼쳐진 곳을 본 척도 하지 않았다. 우리와 함께 지내는 처음 3개월 동안 데이미언은 지하실에 머물렀는데, 낡은 트럭 타이어 안에서 지내면서 가까이 오는 건 무엇이든 닥치는 대로 죽이려 들었다. 그리고 나는 점점 더 그의 관점에 동조하고 있었다.

지금 생각해보면 확실히 그때가 변화가 이루어진 시점이었다. 조이는 자신이 동물 구조 활동가일 뿐만 아니라 작가이기도 하다는 결정적인 사실을 내세워 논쟁을 펼쳤다. 하긴, 조이는 자기 이름으로 낸 책이 두 권이나 있었고 그쪽으로 나보다 훨씬 잘나갔다. 조이는 그야말로 생활이 예술이었고 이타적인 행위를 선택하며 살았다. 조이의 말에 따르면, 조이는 내가 자기처럼 이타적인 행동을 보이기 전까지 줄곧 내 의견을 미심쩍게 여겼다고 한다.

"아니, 뭐야. 이거 왜 이래." 내가 반박하며 말했다. "이래 봬도 이타적인 행동이라면 나도 경험 좀 있는 사람이야."

"무슨 경험?"

"대학 졸업하고 아시아로 배낭여행 가는 사람들처럼, 나도 평화봉사단(Peace Corps, 청년 봉사자들을 개발도상국에 파견하는 미국 단체) 자원봉사자와 섹스를 해봤다고."

"아, 그러셔." 조이가 말했다. "네네, 그것도 쳐드리지요."

지난 40년 동안 그럭저럭 평범하게 살던 내가 사방이 개들 천지인 세상으로 들어오게 됐을 때, 나는 조이가 틀리다는 걸, 혹은 내가 옳다는 걸, 혹은 둘 다 아닌 완전히 다른 무언가를 증명하려고 기를 썼다고 말해도 틀리지 않을 것 같다. 결국 이 문제는 누가 옳고 누가 그르냐가 아닌, 그것과 완전히 다른 무언가임이 밝혀지지만.

하지만 그 무언가가 무엇인지는… 다소 긴 이야기가 될 것이다.

치마요는 혼란스럽고 절망스러울 때 찾아오게 되는 장소이긴 하지만, 이곳에 오는 사람들이 반드시 제 발로 치마요를 찾는 건 아니었다. 초창기 거주자들은 처벌의 형태로 이 산간벽지에 쫓겨난 범법자

들이었다. 치마요 시는 1680년에 스페인 제국의 죄수 유배지로 설립되었고, 이후 단 한 번도 이 과거에서 벗어난 적이 없다. 샌타페이 북쪽으로 약 48킬로미터 지점, 상그레 데 크리스토 산맥Sangre de Cristo Mountains의 가운데, 현지에서는 타오스Taos로 가는 '윗길high road'로 부르는 곳에 위치한다. '윗길'이라는 말 역시 결국엔 제법 그럴듯한 별명이 되는데, 나중에 치마요가 미국 여러 도시 가운데 검은 헤로인 과다 투여 도시이자 기적의 도시로 유명해지기 때문이다.

얼마나 많은 양의 헤로인을 과다 투여하느냐면 국가 전체 평균의 네 배에 달할 정도다. '미국의 루르드'로 알려진 작은 교회, 엘 산투아리오El Santuario에서는 기적도 일어난다. 루르드는 1858년에 성모 마리아가 성 베르나데트St. Bernadette에게 발현한 프랑스 남서쪽에 위치한 도시이다. 이후 몇 년이 지나면서 루르드의 샘물은 치유의 기적 같은 것이 되었다. 1810년 무렵, 뉴멕시코 주에는 아직 성모 마리아가 발현하지는 않았지만, 돈 베르나르도 아베이타Don Bernardo Abeita라는 사람이 근처 산비탈에서 빛이 번쩍이는 걸 보았다. 아베이타가 자기 밭을 일구던 농부인지 고행을 하던 그 지역 수사인지 기록에는 정확하게 나타나지 않지만, 그가 빛이 번쩍이는 장소를 파 내려가 기이한 형태의 십자가상, 즉 '검은 그리스도'라고 알려진 누에스트로 세뇨르 데 에스키풀라스(Nuestro Señor de Esquipulas, 에스키풀라스의 우리 주님)를 발굴했다는 건 분명한 사실이다.

검은 그리스도는 과테말라 고유의 종교적 상징물이다. 이것이 왜 뉴멕시코 주 북부에 묻혀 있었는지는 모르겠지만, 아베이타는 그 지역 사제인 세바스티안 알바레스 수사Friar Sebastián Álvarez에게 이 사실을 알렸고, 수사는 이 십자가를 15킬로미터 아래 떨어진 인근 샌타크루즈에 있는 한 성당으로 가져가 제대에 놓았다. 그런데 그날 밤 제대에 있던 십자가가 갑자기 사라져 원래 있던 구덩이 안에 다시 나타났다. 다음 날, 알바레즈 수사는 십자가를 다시 샌타크루즈에 가지고 왔지만 십자가는 또다시 치마요로 돌아왔다. 같은 일이 세 번째 반복되자, 마을 사람들은 십자가를 그냥 구덩이에 놓아두기로 결정했다. 그렇게 해서 산비탈 근처에 작은 교회가 지어졌고 검은 그리스도는 그곳 제대에 놓이게 되었다.

그로부터 얼마 후 기적 같은 치유가 시작됐다. 1813년 11월 16일, 알바레스 수사는 두랑고Durango 주교 관할구에 보내는 한 편지에서 "병을 치료하기 위해" 수백 킬로미터를 순례하는 사람들에 대해 언급했다. 무수히 많은 치유가 이루어지자, 1816년에는 작은 성당을 대신하기 위해 어도비 벽돌을 이용해 좀 더 큰 선교 시설을 지어야 했다. 이후 이 선교 시설은 국립 역사 유적지가 되어 지금도 순례자들이 구름같이 몰려들고 있다. 매년 약 30만 명의 순례자들이 길고 고된 여행을 하고 있으며, 앨버커키에서부터 걸어오는 사람들도 있다. 최근에는 문제의 장소El Posito, 즉 신성한 모래 구덩이로 인해 치유 능력이 빛을 잃었지만, 검은 그리스도 십자가는 여전히 성당의 제대 위에 놓여 있다.

모래 구덩이는 처음 십자가가 발굴된 구멍으로, 이 흙에서 치유의 힘이 나온다고 한다. 엘산투아리오 성당은 미국의 가장 신성한 가톨릭 성지 가운데 하나인데, 이 부지는 옛날부터 어느 정도 신성한 기운이 어려 있었다. 테와 족 인디언이 근처에 살았을 때, 그들은 이 장소를 치마조포키Tsimajopokwi라고 불렀는데, 전문적으로는 '물웅덩이'라는 의미이며 보통은 '치유력이 있는 온천'이라는 의미로 통한다. 테와 족은 스페인 정복자들에 의해 대량 학살을 당했고, 온천들은 오랫동안 바싹 말라있었다. 스페인 사람들은 이곳의 이름을 지을 때, 이 지역에 흑요석이 풍부하다는 데 착안해 '잘 쪼개지는 돌'이라는 뜻으로 치마요라고 불렀다. 그건 그렇고, 대성당 바로 옆에 '치유의 방'이라고 알려진 작은 벽감에는 버리고 간 목발들이 아무렇게나 흩어져 있고, 이 신성한 진흙으로 행해진 기적에 감사하는 수천 통의 쪽지들이 어지럽게 붙어 있다.

캘리포니아에서 뉴멕시코까지는 장장 열세 시간이라는 긴 시간이 걸려, 뉴멕시코 주에 도착할 무렵에 나는 완전히 지치다 못해 삭신이 다 쑤셨다. 이럴 줄 알았으면 이 마법의 진흙을 발라보는 건데. 더 최악은, 로스앤젤레스에서 급하게 출발하느라 눈에 띄는 대로 아무거나 챙겨 트럭에 던져 넣었더니만, 나중에 보니 영 도움 안 되는 물건들만 잔뜩 쌓여 있었다. 아차 싶었을 땐 이미 출발해서 몇 시간을 달린 상태였고, 벌써 늦은 저녁인 데다 비까지 쏟아지고 있었다. 나는 샌타페이 시내에 도착해 잠깐 차를 세워두고 커피를 살 만한 데가 있나 찾으러 갔다. 내가 주유소 주차장을 건너는데, 어디선가 나를 부르는 목소리가 들렸다. 멈춰 서서 돌아봤더니 연석 한쪽에 웬 노숙자 한 사람이 앉아 있었다. 사내는 지저분하고 바싹 마른 데다 이도 거의 다 빠지고 신발도 신고 있지 않았는데, 나를 한번 흘끔 보더니 이렇게 말하는 것이었다. "이런 세상에, 잠잘 곳은 찾았수?"

나는 아직 모텔을 정하지 않은 터라 고개를 가로저었다.

"여기서 위로 두 블록 갔다가 왼쪽으로 한 블록 더 가면 노숙자 쉼터가 있수다." 사내는 이렇게 말한 다음 다시 한 번 나를 죽 훑어보더니 한마디 더 덧붙였다. "무례하게 굴려는 건 아닌데, 형씨한테 맞을 만한 깨끗한 바지가 있는데 말이오."

바지 같은 건 필요 없었다. 나한테 필요한 건 술이었다. 나는 주유소에서 우리가 마실 여섯 개들이 맥주 한 팩을 샀다. 주변에 마른 땅

이 보이지 않아, 우리는 늙은 나무의 말라 죽은 가지들이 쌓인 곳에서 맥주를 마시기 위해 공원으로 향했다. 가는 길에 사내는 최근 멕시코 북서부 도시 티후아나Tijuana에서 각성제를 진탕 먹어댄 이야기를 했다. 그는 미국 원주민이었는데, 보아하니 멕시코 사람들하고는 별로 상대를 하지 않는 것 같았다.

"염병할, 썅, 니미럴." 사내가 하는 말끝마다 이런 욕이 들어갔는데 별 의미는 없었다. "그런데, 그거 아시유." 그가 계속해서 말을 이었다. "빌어먹을 멕시코 놈들이 결국엔 메스암페타민(각성제의 일종) 만드는 방법을 직접 알아냈지 뭐요."

나는 그의 말에 뭐라고 대꾸를 해야 할지 몰랐고, 그 바람에 우리는 한동안 잠자코 앉아 있었다. 마침내 그가 맥주 한 캔을 더 따서 벌컥벌컥 들이켠 다음 샌타페이는 뭐 하러 왔느냐고 물었다. 나는 이번 질문에도 뭐라고 대답을 해야 할지 몰랐다. 샌타페이에는 우리가 죽여야 할 악마들과 우리를 죽이려는 악마들이 있고, 시간이 지나면 누가 누굴 죽이려는 건지 구분하기 어려울 거라고 말해줄까? 나는 이런 대답 대신 그냥 사실대로 말하기로 했다.

"개들 때문에 왔어요."

"그럼 그렇지." 그가 말했다. "이 동네에 그런 여자들 널렸수(dog는 속어로 '못생긴 여자'라는 뜻도 있다)."

이틀 후 집을 구입했지만, 은행들과 거래를 트고 서류에 서명을 한 다음 장시간 차를 몰아 다시 로스앤젤레스로 돌아갔을 때 우리에게

남은 시간은 2주도 채 안 되었다. 열흘 동안 살림살이를 전부 들어내고 이삿짐을 꾸리고 작별 인사를 하면서 나도 조이도, 심지어 개들조차 제대로 잠을 이루지 못했다. 전화는 끊임없이 울려댔다. 누가 물어볼 때마다 조이는 '진짜 구조 활동'을 하기 위해 캘리포니아를 떠나 뉴멕시코로 간다고 답했다. 많은 사람들이 물었다. 결국 나도 묻지 않을 수 없었다.

"개 여덟 마리, 사람 둘, 집 안에서 신을 신발 한 상자를 챙기긴 했어. 그런데 이게 무슨 진짜 구조냐?"

"뭐, 도보 여행이라도 가는 줄 아냐?" 조이가 말했다.

우리가 이런 대화를 나눈 때는 떠나기로 한 날이 닷새쯤 남았을 무렵이었다. 솔직히 내가 도보 여행을 상상한 건 아니지만, 그렇다고 진짜 구조 활동을 상상한 게 아니라 해도 조금도 이상할 게 없었다. 나는 이미 치마요에 한 번 다녀왔기 때문에 그곳에서는 뭐라도 하나 찾으려면 시간이 오래 걸릴 거라는 걸 알고 있었다. 우리가 그 집을 선택한 건 그 집이 문명사회와 멀리 떨어져 있기 때문에, 적어도 문명사회와 근접하지는 않기 때문이었다. 나는 이제 막 이 여자와 진지한 관계를 맺기 시작했고 이 여자의 꿈을 알 것 같았기에 다른 건 안중에도 없었다. 나는 옷을 챙겨 입었다. '진짜 구조 활동'을 하려면 뭐가 필요한지 알아보기로 결심했다.

캘리포니아의 센트럴 밸리에는 제대로 된 동물보호소가 여섯 개 분포되어 있으며, 그 가운데 여배우 티피 헤드런Tippi Hedren이 운영하는 샴발라 보호구역Shambala Preserve이 가장 유명하다. 샴발라는 산스크리트어로 '평화' '조화'라는 의미로, 헤드런의 경우 '사자'와 '호랑이'를 보호했다. 나는 링링 브라더스 서커스에 대한 즐거운 추억이 있는 터라, 대형 고양잇과 동물 보호구역이라는 말이 어쩐지 근사하게 들렸다. 조이는 서커스를 잔인하다고 생각했고, 우리가 이사해서 개들을 구조하기 시작하면 갯과 동물들에게서 중요한 가치를 보게 될 거라고 믿었다.

"게다가…" 조이가 말했다. "티피는 부자야."

"그래서?"

"우리는 아니라는 거지."

조이는 늑대들과 실제로 '상호작용'할 수 있는 몇 안 되는 보호구역 중 하나라는 이유로 울프 마운틴 보호구역Wolf Mountain Sanctuary을 선택했다. 뭘 어떻게 상호작용한다는 건지 모르겠지만, 알고 보니 이 보호구역은 먼지 풀풀 날리는 모하비 사막 변두리에 작은 집 한 채와 커다란 우리 몇 개가 놓여 있는 게 전부였다. 보호구역은 캘리포니아의 루선 밸리Lucerne Valley에 위치했는데, 1912년 시의회에서 매년 7월 4일 독립기념일 행사를 더 안전하고 시원한 가을에 개최하기로 만장일치로 결의할 정도로 굉장히 뜨거운 내륙 지역이다. 우리가 고속도로를 벗어나 처음 이 지역을 지나가게 됐을 때 나는 '우리는 부자가 아니'라고 한 조이의 말이 무슨 뜻인지 대번에 알아차렸다.

돈 많은 구호자들은 부유한 지역 부지에 넓은 공간을 제공할 수 있다. 하지만 실제로 구호자들은 그럴 형편이 못 된다. 루선 밸리는 구호자들이 마지막으로 찾아가는 지역이다. 그리고 모든 여건이 힘들고 고된 지역이다. 이곳은 한때 젊은 사내들이 몰려들던 서부 개척지였지만, 오늘날 이 전통은 주로 메스암페타민 조제를 위해 신기술을 개발하러 몰려드는 마약쟁이들에 의해서나 그 명맥이 유지되는 실정이다. 사막은 그들이 버린 쓰레기로 가득하고 술집은 그들을 찾는 고객들로 넘쳐난다. 이곳은 방울뱀들조차 불안에 떠는 지역이다. 어쨌든 이 보호구역은 늑대 말고는 딱히 볼 게 없었다.

하지만 늑대들은, 그들은 뭔가 달랐다. 우리는 대체로 동물을 기준으로 묘사를 하기 때문에 동물과 처음 맞닥뜨린 순간을 기술하기가 쉽지 않을 때가 많다. 가령 내가 저먼 셰퍼드가 늑대만큼 크다고 말하면, 사람들은 내가 말하는 의미를 정확하게 이해할 것이다. 그러나 생전 처음 우리 안에서 진짜 늑대와 마주섰을 때 내 반응은 이랬다. "허걱, 이거 진짜 늑대만 하잖아." 그래서 도대체 크기가 얼마만 하냐고?

내가 마주친 늑대는 체중이 대략 40킬로그램 정도 나갔고, 나하고 몇 센티미터 떨어진 곳에 서 있었다. 이 늑대 바로 뒤에 한 마리가 더 있었다. 조이와 내가 '상호작용'을 위해 우리 안으로 들어섰을 때 늑대들은 구석에 처박혀서 눈에 띄지 않았다. 우리는 동물들이 스스로 다가와 자신을 소개할 수 있도록 다른 쪽 구석에 놓인 높은 나무 단 위에 가까이 다가가라는 당부를 들었다. 그러나 그런 당부를 한 사람들이 전혀 언급하지 않은 말이 있었는데, 나무 단의 높이와 늑대들의 크기 때문에 우리가 만나더라도 서로 얼굴을 마주하기는 어렵다는 사실이었다.

덩치 큰 개들을 상대할 땐 한 번도 신경이 쓰인 적이 없었다. 나는 핏불테리어든 로트와일러든 어떤 종류가 됐든 과감하게 성큼성큼 다가갈 수 있었다. 늑대들에게도 똑같이 행동하면 될 줄 알았다. 하지만 늑대들에게는 이 방법이 통하지 않았다. 늑대들이 우리를 가로질러 걸어와 나무 단 위로 뛰어올랐을 때, 나는 극도의 두려움이란 결코 편안한 감정이 아님을 다시 한 번 상기했다. 우리는 간혹 늑대가 방문객을 자기들 무리 안에 끌어들이려 할 수도 있으니 조심하라는 경고를 듣기도 했다. 이 의례儀禮에서 늑대는 자기 코와 주둥이 부분을 인간의 목에 문질러 페로몬을 전달함으로써 우리가 그들의 적이 아닌 친구임을 표시할 것이다. 그러나 내 앞의 늑대가 나를 자기들 무리에 끌어들일 가치가 있는 인간으로 판단하고 이 의례를 시작하기 위해 그의 턱과 내 목 사이의 간격을 좁혔을 때, 내가 절절하게 느낀 감정은 죽을 것 같은 공포였다.

스티븐 제이 굴드(Stephen Jay Gould, 1941~2002. 미국의 진화생물학자)는 "왕의 코에서부터 쭉 뻗은 손끝까지의 거리로 마당의 크기를 재던 영국의 옛 측정 방식을 기준으로 지구의 역사를 생각해보자. 왕의 가운데 손가락에 손톱 다듬는 줄을 한 번만 살짝 건드려도 인류의 역사는 완전히 지워진다"라고 언급하면서, 과학에서 말하는 소위 **심원한 시간**deep time이라는 개념을 이해시키고자 했다. 이 말은 지질학적 역사에 대한 개념을 이해시키는 동시에 지질학적 역사와 마주할 때 인류의 역사가 얼마나 보잘 것 없는지 깨닫게 한다. 예전에 유타 주 남부의 200만 년 된 협곡을 하이킹할 때 딱 한 번 이런 기분을 느낀 적이 있었지만, 그때의 심원한 시간은 나하고 어느 정도 동떨어진 느낌이었지 이렇게 내 목을 바싹 조여오는 느낌은 아니었다. 늑대가 나에게 다가오는 순간, 나는 태곳적 번개를 얻어맞는 기분이 들었다. 적어도 그 순간은 번개를 맞은 것만 같았다. 엄청난 양의 전기가 내 엉덩이를 뚫고 지나가 머리 위로 빠져나가는 기분이랄까. 나는 헉헉대며 숨을 쉬고 싶었지만 너무 무서워서 손가락 하나 까딱하지 못했다. 내가 바지에 오줌을 지리지 않았던 이유는 단 하나, 너무 무서운 나머지 오줌이 마려운지 어떤지 느낄 겨를조차 없었기 때문이다. 진짜 구조 활동이 이런 거라면, 제기랄, 조금이라도 젊을 때 시작했어야 했다.

우리는 늑대 우리를 나와 선물 가게로 향했다. 말이 선물 가게지, 사실은 혼잡한 뒷베란다 한쪽 구석에 낡은 카드 게임용 탁자를 기대

놓고 그 위에 싸구려 천 조각이며 부족의 장신구 따위를 올려놓은 것이었다. 탁자 뒤에는 인디언 소녀 한 명이 앉아 있었고, 소녀의 옆에는 나이 많은 백인 여자가 서 있었다. 내가 장신구를 살펴보는 동안 조이는 대화를 트기 시작했다. 백인 여자는 이 보호구역의 주인이고 소녀는 여자의 딸이었다. 주인은 우리에게 이 사업에 대해 이야기하면서, 여름 한철은 꽤 괜찮지만 다른 계절은 별로 재미를 보지 못한다고 말했다. 늑대들은 다른 할 일도 많지만, 이따금 할리우드에 즉석 캐스팅되어 캐빈 코스트너와 춤을 추기도 했다.

"그렇지만 보통은…."

조이는 여자가 생각을 마저 끝내길 기다렸다. 나는 조이가 생각을 정리하길 기다렸다. 여자는 작은 은팔찌를 집어 들고 자기 손가락에 끼우며 빙글빙글 돌렸다.

"보통은, 늑대 열여섯 마리를 먹이려면 장신구를 많이 팔아야 해요."

조이는 모든 일을 모녀 단둘이 해내고 있느냐고 물었다. 엄마와 딸은 동시에 웃음을 터뜨렸다.

"당연히 도움을 받지요." 여자가 말했다.

"그럼요." 딸이 말했다. "우리 집 애들이 전부 서른여섯 명인걸요."

나중에 알게 된 사실인데, 여자가 입양한 늑대들이 다루기 힘든 이들만 있는 건 아니었다.

"이 근방에서는 딱히 할 수 있는 일이 많지 않아요." 여자가 말했다. "그저 메스암피타민만 널렸지요. 그러니 상황이 뻔하지 않겠어요. 아빠는 감옥에 갇히거나 죽거나 집을 나가고, 엄마도 곧 뒤를 따르는 식이지요. 그런 상황에서 남겨진 아이들이 몇 명이나 제대로 살 수 있겠어요. 제가 아이들을 입양하지 않으면 아이들은 길거리에 내

앉는 신세가 될 거예요."

나는 여자의 집을 올려다보았다. 우리 집보다 크지 않았다. 우리는 개 여덟 마리와 옹기종기 모여 살고 있었다. 이 여자는 열여섯 마리의 늑대와 서른여섯 명의 어린아이들을 데리고 살았다. 그제야 나는 '진짜 구조 활동'은 진짜 희생이 따른다는 사실을 똑똑히 깨달았다. 이 희생은 내가 익히 알고 있던 종류, 그러니까 우리가 술집에서 한잔 걸친 후 나를 바치겠노라고 큰소리치는 그런 종류의 희생과 다른 것 같았다.

우리가 울프 마운틴 보호구역에서 나와 차를 몰고 집으로 돌아갈 무렵부터 오르기 시작하던 기온은 밤새 계속해서 오르기만 할 뿐 떨어질 줄 몰랐다. 다음 날 오후, 개들은 안절부절못했고 사람도 정신을 차릴 수가 없었다. 최저 기온 섭씨 37.8도를 기록하며 무섭게 기온이 올랐다. 그런 식으로 며칠이 지나자 목재는 바싹바싹 마르고 열기는 말도 못 하게 뜨거워져, 이대로 가다가는 그리피스 공원 4분의 1이 완전히 불타버릴 것 같았다. 하지만 그런 일이 벌어지기 전에 우리는 낡은 차 두 대를 끌고 개 여덟 마리를 싣고서 데스밸리를 지나 어떻게든 뉴멕시코로 향해야 했다. 우리 차는 일사병에 걸리기 일보직전이었다. 개들도 더위를 먹기 십상이었다. 우리는 막 시작되는 지독한 폭염을 피하기 위해 미국에서 가장 뜨거운 사막으로 악명 높은 이곳을 부지런히 달렸다. 어쩌면 여기에는 하나의 교훈이 있는지도 몰랐다. 한번 개 구호 활동을 시도하기로 단단히 마음을 먹든지, 아니면 평범한 결정을 내리라는. 많은 일들이 그렇듯이 이 일도 뭐라고 판단하기에는 아직 너무 일렀다.

엘리스는 조이의 가까운 친구이자, 때로는 개 구호 활동 동료이며, 동시에 엄청난 스피드광이었다. 차 한 대는 엘리스가 운전대를 잡았다. 조이는 산탄총을 들었다. 그들이 탄 차에는 작은 개 여섯 마리가 있었다. 내가 탄 차에는 좀 더 큰 개들과 트럭의 적정 무게 한도를 초과하는 상자들이 있었다. 불테리어인 오티스는 좀 더 큰 개들 가운데 하나였다. 불테리어를 다른 종류의 개들과 구분하는 여러 가지 요소들 가운데 하나는 그들이 인간과 함께 있는 걸 무척 좋아한다는 것이다. 자기 마음대로 할 수 있다면 오티스는 쉴 새 없이 사람을 건드리려 했을 테고, 또 불테리어 종인 탓에 자주 그렇게 자기 하고 싶은 대로 움직였다. 조이가 가까이에 없을 때, 오티스는 주변을 온통 헤집어가며 내 책상 아래까지 찾아와 내 발밑에서 자는 걸 좋아했다.

개들에게도 학습 곡선이라는 게 있는데, 뉴멕시코로 향하는 길에 나는 오티스가 내 사무실과 이동 중인 차량을 잘 구분하지 못한다는 걸 알게 됐다. 나는 차가 움직이는 동안 오티스가 트럭 뒤편 간이침대에서 잠을 자주길 바랐다. 그러나 캘리포니아의 니들스 외곽에 다다를 즈음, 오티스는 뭐가 마음에 들지 않았는지 내 가슴에는 상자를, 머리에는 스테레오를, 무릎에는 선인장을 내던지고는 자기가 가장 좋아하는 장소, 그러니까 내 발 바로 밑으로 돌진하는 것이었다. 그때 우리는 대략 시속 120킬로미터로 달리고 있었다. 그런데 마침내 내가 가속 페달에서 오티스를 내려놓는 순간 차가 무섭게 미끄러져 내달렸고 얼핏 보니 속도계의 바늘이 희미하게 180을 가리켰다.

"나를 사랑해줘, 내 개들을 사랑해줘." 우리가 만난 지 얼마 되지 않았을 때 조이는 이렇게 말했다. 나는 조이의 개를 사랑하지 않았다. 아니, 처음엔 그랬다. 일반적으로 작은 개들은 사납게 짖어대며 성가시게 구는 데다, 애완동물을 무슨 패션 액세서리처럼 취급하는 부자들이 사는 도시, 로스앤젤레스에서 한 5년 살다 보면 개라면 질색하게 된다. 더구나 나는 인생의 후반을 전반기와는 완전히 다르게 살아보고 싶었던 거지, 다른 식으로 실수를 저지르고 싶은 건 아니었다. 개 한 마리는 애완동물이지만, 여덟 마리는 한 무리다. 그 전까지 나는 한 번도 집단생활이란 걸 해본 적이 없었기 때문에, 아무래도 이건 또 다른 실수일지 모른다고 결론을 내렸다.

문제도 몇 가지 있었다. 가령 기젯(Gidget, 활발하고 귀여운 여자라는 의미가 있다) 때문에 생긴 문제들. 개 구호자들은 대체로 개들의 종류와 개가 가진 문제의 형태들에 정통하다. 조이는 불테리어들을 대상으로 구조 활동을 시작했지만, 이내 자신이 작은 개들을 더 잘 다루며 특히 심각한 면역 질환이 있는 작은 개들을 가장 잘 다룬다는 사실을 깨달았다. 암컷인 기젯은 이런 문제를 지닌 개들 가운데 하나였다. 기젯은 우리가 뉴멕시코로 이사하기 석 달 전쯤, 어느 겨울 아침에 도착했다. 기젯은 기껏해야 1킬로그램이나 될까 싶을 정도로 내가 본 개들 중에 가장 작았으며, 마치 누군가 끓는 기름통에 담갔다 꺼내놓은 것처럼 생겼다. 기젯은 개 모낭충증을 앓고 있었다. 털은 망가졌고, 눈을 툭 불거져 나왔으며, 두뇌도 썩 정상이 아니었다. 개 모낭충증 때문이었는지, 워낙에 약간 모자라서 그랬는지, 아니면 단순히 주눅이 들어서 그랬는지, 무슨 다른 이유가 있었는지는 모르겠지만 어떻게 된 게 그녀는 잠시도 춤을 추지 않으면 견디질 못했다. 기젯의 춤이라는 건 한곳에 서서 앞발을 쉴 새 없이 번쩍번쩍 올렸다 내렸다 하는 동작이었는데, 하는 짓이 꼭 메스칼린(환각물질이 들어 있는 약물)에 취한 꼭두각시 인형 같았다. 기젯은 내 머리 위에서 쉴 새 없이 파리에서의 마지막 탱고를 추고 있고 그 와중에 나는 섹스를 해보겠다고 시도했는데, 이건 여러 가지 문제들 가운데 하나에 불과했다.

부처는 대중에게 사성제四聖諦를 가르쳤다. 즉 인생은 고통스럽다, 고통에는 원인이 있다, 고통을 없애는 것이 인생의 목적이다, 그러므로 고통의 원인을 없애는 것을 매일의 삶의 방식으로 삼아야 한다는 것이다. 이 내용은 비관주의보다 오히려 실용주의로 이해되어야 한다. 조이는 불교 신자는 아니지만, 이보다 더 조이의 세계관과 존재방식을 — 특히 개들에 대해서는 더더욱 — 동시에 사로잡는 관념은 없다. 한참 전의 일이다. 조이는 자신의 처녀작을 발표해서 돈을 좀 벌었다. 그래서 이 돈을 가지고 멕시코로 이사해 개를 죽이지 않는 보호소를 열었다. 동물을 죽이지 않는다는 건 현실적으로는 어렵지만 원칙적으로는 바람직한 생각이었다. 하지만 멕시코는 가톨릭을 국교로 삼는 나라이며, 가톨릭 교리는 개들은 영혼이 없다고 가르친다. 그리고 멕시코에서는 영혼이 없는 것들에 대해서는 종류를 불문하고 노력할 가치를 느끼지 않는다. 게다가 가톨릭은 피임이 신에게 죄를 짓는 행위라고 가르치는데, 이런 사정 역시 줄줄이 낳은 자식들을 전부 배불리 먹일 돈도 모자라는 판국에 동물까지 돌보기란 엄청나게 힘들겠다는 인상을 준다.

멕시코 지역 주민들은 조이의 일을 싫어했고, 조이의 약품을 훔쳤으며, 조이의 신체에 해를 가하겠다고 위협했다. 그렇게 5년간 괴로운 시간을 보내는 동안 돈도 다 떨어졌다. 결국 비교적 안전한 시내 중심가에서 스페인어 사용자 거주지역인 위험한 변두리로 보호소를 옮겼다. 조이는 밤이면 보호소를 지키기 위해 도끼를 끌어안은 채 바닥에서 잠을 잤다. 꼬박 석 달 동안 이런 식으로 지내고 난 후 마침내 파산 신청을 했다. 부처가 말한 의미가 이런 건 아닐 테지만, 조이가 고통이 끝났다고 말했을 때 그것이야말로 그녀가 추구하는 헌신이었다.

이렇게 해서 우리는 하룻밤 묵기 위해 애리조나 주 킹먼Kingman이라는 시내에 멈추었다. 토요일 밤이었으며 시내에 있는 거의 모든 호텔이 예약된 상태였다. 러플린 리버 런The Laughlin River Run이 열리고 있었던 것이다. 러플린 리버 런은 제법 유명한 오토바이 애호가들 모임으로, 2007년 이후 줄곧 엄청난 참가자 수를 기록해왔는데, 그해에는 약 7만 5천 명의 애호가들이 모여들었다. 그러니 거리며 보도며 주차장은 말할 것도 없고 어디든 비집고 들어갈 땅만 보였다 하면 오토바이와 오토바이 소유주로 득시글거렸으며, 우리가 묵은 모텔도 예외가 아니었다.

킹먼은 산으로 둘러싸인 마을이라 다른 서부 지역을 지글지글 굽다시피 하는 폭염의 영향을 받지 않았다. 다음 날 이른 아침 최저 기온은 영상 1도였다. 치와와는 사막에 사는 포유동물이어서 심한 추위에 적응이 되어 있지 않다. 몸집이 작은 개가 산악 지대에서 얼어 죽는 건 눈 깜짝할 사이다. 우리가 해발 약 1800미터 높이에 위치한 치마요로 이사하기로 결정한 후, 조이는 이런 여건에서 우리 동물들을 살릴 방법을 내내 고심해왔다. 그러던 어느 날 전형적인 로스앤젤레스 애완동물 가게의 점포 정리 세일 현장을 급습한 덕분에 이 난제를 해결할 수 있었다. 그 추운 킹먼의 아침에 조이가 나에게 개들을 산책시켜달라고 부탁하기 전까지만 해도 이건 정말 기가 막힌 해결 방법이었다.

우리가 묵은 방은 모텔 맨 귀퉁이 눈에 띄지 않는 곳에 처박혀 있었다. 나는 개들을 방에서 데리고 나와 계단을 내려가서 모퉁이를 한 번 돌고 또 한 번 돌아, 주차장 뒤편 작은 풀밭으로 향했다. 마지막 모퉁이를 돌았을 때, 폭주족으로 짐작되는 스물다섯 명의 검은 가죽옷을 입은 오토바이광들이 주차장에 나란히 서 있는 걸 발견했다. 2003년 러플린 리버 런 기간 동안, 이런 폭주족들이 폭동을 일으키는 바람에 세 명이 목숨을 잃고 마흔 두 명이 체포된 일이 있었다. 조이가 처음 "나를 사랑해줘, 내 개들을 사랑해줘"라고 말했을 때, 자기 부탁 한마디로 스웨터를 입은 치와와 세 마리와, 플레이보이 클럽 바니걸 특유의 분홍색 모조 다이아몬드로 치장한 기젯이 스물다섯 명의 폭주족 앞을 일렬로 행진하는 일까지 그 사랑에 포함되리라고는 상상도 못 했을 것이다.

뉴욕 대학교 종교학 교수인 제임스 카스James Carse는 그의 저서 《유한 게임과 무한 게임*Finite and Infinite Games*》에서 지구상에서 즐기는 게임을 유한 게임과 무한 게임으로 구분한다. 유한 게임은 규칙을 지켜야 하고 한계가 존재하며 합의에 의해 승자가 공표되는 정치, 스포츠, 전쟁과 같은 활동을 일컫는다. 한편 무한 게임은 규칙이 유동적이고 결과가 무한하며 참가자의 유일한 목표는 놀이를 지속하는 것이다. 모든 관계가 체크리스트의 항목처럼 다뤄진다면 그 관계는 유한 게임이 된다. 카스 교수는 '시작한 일을 끝낼 수 없을 정도로 서로가 서로와 어울려 논다고 말할 수 있을 때만이' 이 관계는 무한 게임이 된다고 말한다.

그의 주장은 내가 기르던 개 아합을 떠올리게 한다.

아합과 나는 새로운 세기가 열린 지 3년째 되는 해 중반에, 그리고 내가 라임병과 싸운 지 3년째 되는 해 중반에 만났다. 당시 나는 심하게 학대받은 인간이었다. 아합 역시 크게 학대받은 개였다. 나는 그 몇 년 동안 거의 대부분의 시간을 침대에서 보냈고, 아합은 더 험난한 길을 지나 나에게까지 오게 됐다. 우리가 처음 만났을 때, 아합은 등골이 부러지고, 꼬리가 잘리고, 대부분의 이가 빠진 상태였다. 척추를 따라 담뱃불을 지진 흔적도 있었다. 나는 아합을 돌보아 그의 건강을 회복시켰고 아합은 나를 돌보아 내 건강을 회복시켰으며, 그 최종 결과는 아마도 카스 교수가 무한 게임이라고 주장한 내용과 똑같지 않을까 싶다.

조이의 집으로 들어오기 전에, 아합과 나는 할리우드 대로에서 한 블록 정도 떨어진 작은 아파트에서 함께 살았다. 그 집은 어떤 여자가 연인과 다투다가 목에 칼이 찔리는 걸 내 눈으로 직접 목격한 장소로부터 불과 30미터도 떨어지지 않았고, 청부살인이 일어난 현장에서 도로 하나를 사이에 두고 있었다. 청부살인은 허름한 싸구려 술집에서 벌어졌는데, 오하이오 출신의 내 어릴 적 친구들이 '가다가 들러서 싸우고 오는 곳'이라고 말하곤 하던 별 특징 없는 술집이었다. 총기를 소지한 남자는 가슴에 두 발, 이마에 결정적인 한 발을 쏘아 상대를 죽였는데, 나중에 목격자의 말에 따르면 이 마을에서 보기 드물게 정확한 솜씨였다고 한다.

그 무렵 어느 날 밤, 윌턴시어터에서 그룹 포그스의 공연을 보며 보람 찬 저녁 시간을 보낸 후 트럭을 몰고 거리로 접어들었을 때, 수많은 사람들이 내 아파트 앞에 모여 있는 광경이 눈에 들어왔다. 로스앤젤레스 인도에 사람들로 북적거리는 광경이 대수로울 건 없지만, 우리 동네에 이렇게 많은 사람들이 몰려들 땐 대체로 좋은 일이 아니었다. 나는 얼른 차를 몰고 가면서, 이 사람들이 하나같이 하늘을 향해 고개를 똑바로 쳐들고 손가락으로 무언가를 가리키며 소리를 지르고 있다는 걸 알아차렸다. 나는 사람들의 시선을 따라 건물 3층 구석쯤에 쿡 처박힌 너비가 12센티미터밖에 안 되는 작은 창턱을 올려다보았는데, 커다란 개 한 마리가 마지막 도약을 하려는 듯 — 마치 인생에 대해 묵상이라도 하는 듯한 자세로 — 이 창턱에 서 있는 것이었다.

나는 한 10초쯤 지난 후에야 문제의 창턱이 바로 우리 집 거실 창문 바깥쪽에 난 것임을 깨달았고, 그 후로 10초쯤 더 지나서야 문제의 이 개가 아합이라는 걸 알아차렸다. 그다음에 무슨 일이 있었는지는 잘 생각이 나지 않는다. 어찌어찌 차를 주차시켰을 테지만 그런 건 기억나지 않는다. 사람들이 "당신 개예요?"라고 소리치며 묻는 가운데, 나는 쳐다보지 말자, 쳐다보지 말자, 라고 속으로 되뇌면서 몰려든 사람들 사이를 거칠게 헤집고 들어갔던 일이 떠오른다. 완충 장치로 팽팽한 담요를 깔아야 한다느니, 저 사람이 개 주인 자격이 있냐느니 하는 말들이 오갔지만, 일일이 대응할 새가 없었다.

내가 몇몇 남자들 어깨를 세게 부딪치며 사람들 사이를 빠져나갈 때에도 왁자지껄한 소리는 계속됐지만, 3층 계단을 정신없이 뛰어가는 동안 주위는 서서히 조용해졌다. 마침내 집 앞 계단에 다다랐을 때 한 안전요원이 — 도대체 이 사람이 어디에서 온 거지? — 문 밖 복도에 서 있는 걸 발견했다. 아마도 그는 아합이 놀라지 않을까 하는 걱정에 차마 문을 부수고 안으로 들어가지 못한 것 같았는데, 이번에도 역시 그런 걸 물어보느라 꾸물거릴 시간이 없었다. 마침내 문을 열고 들어갔을 때 동시에 여러 가지 것들이 눈에 들어왔다. 콘서트를 보러 집을 나서기 전에, 나는 책상 위에 있는 오만 가지 잡동사니 더미 위에 《뉴질랜드 헤럴드*New Zealand Herald*》 지의 기사 하나를 던져놓았다. 그런데 지금, 다른 것들은 책상 위에 그대로 있는데 이 기사만 바닥 한가운데 놓여 있는 것이었다. 기사 내용은 스코틀랜드 서해에 있는 역사적으로 유명한 어느 다리에서 최근 개들이 잇달아 자살을 벌이고 있다는 희한한 이야기였다. 이 기사가 나오기 몇 달 전부터 수많은 개들이 난간을 뛰어넘어 투신자살을 감행하는 통에 지역 주민들은 이 장소를 '멍멍이의 투신 현장'이라고 부르기 시작했다.

《헤럴드》 기사가 바닥 한가운데 떨어져 있는 걸 본 순간, 나는 거실 앞쪽 창문이 — 콘서트를 보러 집을 나서기 전엔 분명히 걸어 잠근 — 반쯤 열려 있다는 걸 알아챘다. 아합은 그 창문턱에 앉아 있었다. 손바닥에 삐질삐질 땀이 배었다. 비틀비틀 걸음을 옮기며 나에게 아무런 해결책이 없다는 사실을 서서히 깨닫고 나니, 심장이 쿵쾅쿵쾅 뛰면서 구역질이 날 것 같았다. 어떻게 하든 그를 붙잡아야겠다고 마음먹었다. 하지만 그는 다른 생각을 갖고 있었다. 내가 다다르기 전에, 아합은 고개를 들어 나와 시선을 마주친 다음, 무심히 창문 아래쪽을 주둥이로 쿡쿡 찌르더니, 한번 구시렁거리고는, 바닥에 사뿐히 내려앉을 수 있도록 창유리를 몇 센티미터 더 올렸다. 거리에서 환호하는 소리가 들렸다. 아파트 안으로 들어온 아합은 자기 물그릇으로 걸어가 두어 번 벌컥벌컥 물을 마신 뒤 잠을 자려고 엎드렸다. 이것 역시 일종의 무한 게임일지도 몰랐다. 뭐, 아닐지도 모르지만. 주위에 물어볼 사람도 없었지만, 설사 있었다 한들 이런 일을 어떻게 제대로 설명할 수 있겠는가?

그날 저녁 이후로 뭔가가 달라졌다. 아합이 창틀에서 내 아파트 안으로 뛰어내린 순간, 나는 눈이 밝아지고 머리가 명료해졌다. 이 사건은 캘리포니아의 낡은 삶에서 벗어나 치마요의 새로운 삶으로 들어가기 위해 겪어야 했던 한 차례 풍랑이었다. 나는 대도시의 유한 게임을 시골 마을의 무한 게임과 교환했으며, 어쩐지 이곳이라면 일종의 우주적 교훈이 밝혀질 것만 같아 기꺼이 그렇게 했다. 그러니까 이곳이라면 내가 추구하는 인생의 의미와 내 여자 친구의 동물을 향한 사랑을 단순히 몇 문장의 서술로 그치는 것이 아니라, 더 크고 더 견고한 힘으로 결속시켜줄 어떤 교훈이 펼쳐질 것 같았다.

이렇게 해서 나는 암컷 당나귀 한 마리를 흥정해 구입한 후 퍼지라는 이름을 지어주었다. 내가 퍼지를 구입한 지 며칠 후 우리가 치마요에 도착하기 전, 벌써부터 퍼지는 동물학 분야에서 인생의 의미를 찾아보겠다는 내 새로운 결심을 상징하는 중심이 되어 있었다. 나는 아직 이 상징성의 구체적인 내용을 속속들이 알지는 못했지만, 당나귀와 이야기를 나눌 기회가 생긴다면 당장 퍼지에게 물어봐야겠다고 생각했다.

기회는 우리가 치마요에 도착한 직후에 찾아왔다. 조이가 자신의 새 거처를 둘러보고 엘리스가 트럭의 짐을 푸는 동안, 나는 퍼지를 살펴보기 위해 풀밭으로 달려 내려갔다. 당시 내 관심사는 내 의문들의 해답을 찾기보다는 말과科 동물인 당나귀에 대한 호기심으로 기울었다. 말과 동물들은 사회적인 동물이다. 대부분의 사회적 동물들은 다른 종의 먹이가 되는 피식자이기 때문이다. 피식자들은 무리를 이룸으로써 가장 효과적으로 위험에 맞선다. 세렝게티 초원을 지나는 얼룩말 무리를 떠올리면 말과 동물들이 가장 편안하게 여기는 무리의 수를 거의 정확하게 알 수 있을 것이다. 따라서 퍼지는 한때 자신을 애지중지 사랑하던 주인과 농장 마당에서 자라는 여러 종류의 건강한 동물들과 함께 지냈다. 그런데 내가 퍼지의 집을 구입했고, 퍼지의 주인이 더 우거진 목초지를 향해 떠났으며, 함께 지내던 동물들도 더 우거진 목초지를 향해 떠난 바람에, 우리가 남서부 지방을 횡단하는 동안 퍼지는 혼자 우리에 남게 되었다.

내가 제일 먼저 주목한 건 콧김을 내뿜으며 시끄럽게 울어대면서 발을 구르던 퍼지의 모습과, 어쩔 수 없이 겪어야 했던 며칠간의 고독이 상당히 불만스럽다는 듯한 퍼지의 표정이었다. 그리고 잠시 후, 퍼지의 크기가 내가 알던 당나귀 크기보다 훨씬 크다는 사실에 주목하게 됐다. 나는 당나귀를 90킬로그램 정도의 날씬한 동물로 알고 있었다. 그런데 퍼지는 그 두 배에 가까웠고 군살을 거의 찾아볼 수 없었다. 목은 긴 근육 다발로 이루어졌고 뒷다리와 궁둥이는 목 부위보다 더 탄탄했다. 캘리포니아를 떠나기 전만 해도 나는 이 짐승을 돌볼 수 있을 거라고 생각했다. 하긴, 캘리포니아를 떠나기 전엔 내가 지독한 동네 바보라는 사실이 이렇게 빨리 밝혀질 줄 미처 알지 못했다.

나는 조심조심 천천히 문을 열고 당나귀 우리 안으로 발을 들여놓은 다음, 퍼지의 귀와 귀 사이를 부드럽게 긁어주었다. 이렇게 긁어준 것이 효과가 있는 것 같아서, 엘리스가 퍼지에게 인사를 건네러 다가왔을 때 나는 퍼지의 등줄기를 따라 북북 문지르고 있었다. 당나귀 우리의 문은 양쪽의 높은 나무 말뚝에 닭장용 철망을 대충 매달아 만들어놓은 것이었다. 엘리스가 문 안으로 두 발자국 다가왔을 때, 퍼지의 얌전한 공주 역할은 이미 끝난 지 오래였다. 퍼지는 고개를 숙여 다시 한 번 콧김을 내뿜더니 뒤로 몸을 흔든 다음 쏜살같이 앞으로 돌진하는 것이었다. 그런 다음 온 몸의 체중을 실어 내 등을 정통으로 치받아 나를 곤죽을 만들어놓고는, 곤죽이 된 몸뚱어리를 공중으로 똑바로 날려버렸다. 내가 땅에 떨어지자 퍼지는 나를 문 안쪽으로 밀어 넣었다. 나는 철망으로 퍼지의 얼굴을, 울타리 말뚝으로 가슴을 공격했고, 그러는 사이에 우리의 밀월여행은 막이 내려졌다.

다음 날 아침, 퍼지는 다시 한 번 내 등을 강타한 후 엘리스에게 눈길을 돌렸다. 이번에는 엘리스의 어깨를 잡아 바닥에 내리꽂았는데, 간발의 차로 퍼지의 발굽에 엘리스의 머리가 날아가는 일은 모면했지만, 다음 순간 이게 웬일, 이놈에 당나귀가 조이를 향해 전속력을 다해 달려갔고, 조이는 퍼지를 피하기 위해 장미 덤불 울타리 안으로 걸음아 날 살려라 냅다 달아났다. 곧 자기에게 닥칠 일을 용케 모면했으니, 조이에게는 이거야말로 천운이었다. 그러나 퍼지는 이내 작은 개들을 죽일 듯이 짓밟으려 했고, 그것들을 죽이기가 꽤 힘들다는 걸 깨닫고는 보다 큰 개들을 향해 돌진했다. 퍼지는 자리를 박차고 일어나 요란한 소리를 내며 달려갔지만, 첫 번째 대상인 아합을 놓치고 두 번째 대상인 오티스도 놓쳤다. 퍼지가 세 번째 기회를 노리기 전, 우리는 퍼지의 목에 로프를 걸고 신의 은총에 일말의 가능성을 걸었으며, 곧 둘 중 한 쪽이 뜻을 이루는 것 같았다.

우리는 퍼지를 끌고 가 우리 안에 집어넣었는데, 세상에, 그때부터 당나귀 울음소리가 시작되더니 그칠 줄을 몰랐다. 그 소리는 도저히 듣기 괴로운 무적霧笛 소리 같기도 했고 무슨 외계 생물체가 내는 소리 같기도 했다. 우리는 퍼지에게 친구가 필요하다는 걸 알았지만 친구를 구하기가 쉽지 않았다. 개들은 절대 당나귀와 어울리는 친구가 아니었다. 염소라면 당나귀의 친구로 더할 나위 없겠지만, 우리에게는 작은 과수원이 있고 우리는 과실수를 안전하게 지키고 싶었기 때문에 염소는 탈락이었다. 염소들은 나무껍질을 먹고 과일나무를 죽이기 때문이다. 이렇게 저렇게 따지다 보니 당나귀의 친구로 안성맞춤인 대상은 또 다른 말 종류여야 했는데, 우리는 그런 동물을 살 형편이 안 되었다. 우리는 동물들을 도우러 뉴멕시코에 온 만큼, 퍼지를 도울 방법이 딱 하나 있다는 걸 퍼뜩 깨달았다.

"퍼지에게 새 집을 찾아줘야겠어." 조이가 말했다.

"그래, 그 방법밖에 없겠어." 엘리스도 말했다.

개 구호자들은 결정에 묵묵히 따랐다. 달리 뾰족한 수도 없었다. 이 마을에 도착해 단 5분 만에 우리 모두가 당나귀 한 마리한테 무참히 혼쭐이 났지만, 우리가 당나귀 때문에 여기에 온 건 아니지 않은가? 토템 동물을 만난 지 겨우 며칠 만에 토템 동물을 단념한다는 게 왠지 좋지 않은 선례가 될 것 같아 찜찜하긴 하지만 말이다. 마틴 루터 킹 목사에게는 꿈이 있었다. 나에게는 당나귀가 있었다. 그리고 끝까지 보살피지 못했다. 그래, 그렇지만 어쨌든 인생의 의미를 향한 내 탐구는 계획대로 되어가고 있었다.

2

첫 번째 구호

우리는 핵심에 이르지 못하는 것 같다.

– 존 디디온(Joan Didion)

병을 앓은 지 2년이 지난 2002년, 무수한 의사들을 찾아다녔지만 병세는 조금도 호전되지 않던 그 무렵, 나는 거의 잊고 있었던 죽기 전에 하고 싶은 일들 목록을 우연히 발견했다. 15년 전에 작성한 이 목록에는 열네 가지 항목이 기록되어 있었다. 대부분의 항목들은 이미 체크가 되어 있었고, 한 가지 항목은 더 이상 의미가 없었으며, 거의 대부분은 이제는 내 것이라고 할 수 없는 상당한 수준의 건강과 체력 단련을 요구했다. 그 가운데 현실적으로 가능성이 있어 보이는 항목은 딱 하나, '개를 키워볼 것'이었는데, 이 현실적인 가능성이란 먼 훗날 언젠가 할지도 모를 일이라는 의미였지 당장 그날 오후에 해치우겠다는 뜻은 아니었다.

당시만 해도 내가 길러본 개는 코르키라는 이름의 골든리트리버 한 마리가 전부였다. 코르키는 내 열세 살 생일에 만나서 내가 스물두 살이던 무렵 저세상으로 떠났다. 그 후 수년 동안 하루도 빠짐없이 코르키와 함께한 시간들을 그리워하긴 했다. 하지만 모름지기 개 주인이 되려면, 기자라는 직업으로는 좀처럼 여의치 않은 한곳에 정착된 생활방식이 요구되었던 데다, 아픈 사람답게 안정을 취해야 하는데도 불구하고 어떻게 된 게 아픈 이후로 나는 더 활발하게 돌아다니고 있었다. 내 단짝 친구 조 도넬리는 나하고 생각이 달랐다. 그도 그럴 것이, 어느 날 유기견 한 마리가 그의 집 현관문 앞에 떡하니 버티고 서서 좀처럼 가려고 들지 않았기 때문이다. 조는 이미 다른 개 한 마리를 키우고 있었고 집주인은 한 집당 한 마리만 키우도록 원칙을 정해놓은 터라 이 유기견을 돌볼 수가 없었다. 그래서 조는 집이 필요한 유기견을 발견했을 때 로스앤젤레스에 거주하는 사람 두 명 가운데 한 명이 으레 하던 방식을 취했으니, 바로 그의 친구 조이에게 전화를 걸었던 것이다.

"그 개한테 집을 찾아줘야지." 조이가 말했다.

"네 보호소에 데려다 놓으면 어떨까 하는데…."

"다 죽어가는 로트와일러 잡종이라며? 그런 개를 보호소에 데리고 왔다간 다른 개들이 당장 죽이려고 들걸."

다 죽어가는 로트와일러 잡종견에게 집을 찾아주는 일은 일반적인 경우에도 어려운 일이건만, 이 개는 흠씬 두들겨 맞은 데다 처음 우리가 만났을 땐 나처럼 너무 급하게 움직이는 사람을 보면 덮어놓고 물려는 경향이 있어서 더욱 힘들었다. 이 개와 나의 만남은, 내가 죽기 전에 해야 할 일 목록을 발견했고 이 가운데 실제로 할 수 있는 일이 하나도 남아 있지 않다는 걸 알게 된 바람에 이루어졌다. 더 이상 할 수 있는 일이 없다는 사실을 깨달은 나는, 집을 나와 주류 판매점으로 향해 위스키와 와인 쿨러(wine cooler, 포도주에 과일 주스, 얼음, 소다수를 넣어 만든 칵테일) 사이에서 숨을 크게 들이쉰 다음, '더 이상 아무 생각도 하고 싶지 않다'는 생각으로 커다란 술병 몇 병을 재빨리 구입하고 나오는 길에 주차장에서 조와 마주쳤다. 조는 유기견을 맡을 집을 찾기 위해 주변을 돌아다니며 부탁을 하고 있었고, 당연히 나에게도 간청을 했다. '개를 키워볼 것.' 맞아, 15년 전 소망 목록에 이렇게 적었었지. 나는 그것 외에 다른 생각은 일체 떠오르지 않았고, 그래서 그러기로 했다.

예의상 절제된 표현으로 말한다면, 나는 새로운 피보호자를 들이는 건 줄 미처 몰랐다. 조는 애완동물 상점에 가서 개 목걸이 하나,

사료 한 부대, 개가 씹을 장난감 하나, 그릇 두 개 — 하나는 물 그릇, 하나는 사료 그릇 — 를 구입하라고 했고, 개를 키우는 방법에 대해 이것저것 설명하려고 했다.

"너무 서두르는 거 아니야?" 내가 말했다.

조는 오른손을 들어 손가락 두 개를 펴서 평화를 나타내는 사인을 만들었다.

"그릇 두 개 준비해." 조가 말했다.

결국 나는 조에게 필요한 항목을 전부 적게 했다. 집에 오는 길에, 그러니까 엄밀히 말해 아합과 처음으로 산책을 하는 길에 소망 목록을 꺼내 물끄러미 바라봤던 일이 떠올랐다. 또 살아 있는 생명을 돌보는 일이 1번부터 14번까지의 항목으로 정리될 수 있음을 깨달았던 것도 떠올랐다. 그 항목 가운데 하나는 '배를 자주 문지를 것'이었다.

시간이 지나자 처음의 두려움은 계속되는 실망으로 바뀌었다. 인간과 개의 유대 같은 건 우리에게 어느 정도 시간이 걸리는 일이었다고나 할까. 정신적 외상을 입은 거의 대부분의 동물들과 마찬가지로, 그리고 정신적 외상을 입은 거의 대부분의 인간들도 다르지 않듯이, 아합은 자신의 생존 전략으로 숫기 없는 태도를 이용했다. 아합은 하루 온종일 집 안 구석에 놓인 쿠션에 앉아 벽만 뚫어져라 바라보는 등, 몇 달간 내내 혼자 떨어져 있었다. 녀석은 늘 나에게 등을 돌렸고, 절대로 내 눈을 마주치지 않았으며, 내 애정을 좀체 받아들이려 하지 않았다. 배를 문지르는 거 좋아하시네, 우리는 '폭력이 일어나지 않을 만큼만 가볍게 어깨를 부딪치는' 선에서 그칠 뿐이었다.

이런 서먹서먹한 관계는 아합의 분리불안으로 인해 더욱 악화되었다. 아합은 나하고 함께 있는 걸 별로 좋아하지 않으면서도 혼자 있는 건 또 아주 질색을 했다. 내가 없으면 아합은 집 안에 온통 쓰레기를 흩어놓고, 옷을 찢고, 가구를 물어뜯으면서 불안한 심리를 드러냈다. 나는 처음엔 짜증이 났고 나중엔 난처해졌다. 못된 행동으로 나타나는 증상을 치료하기 위해, 대부분의 개 조련사들이 주장하는 충고를 받아들여 정서적인 트라우마를 무시하는 게 좋을까? 아니면 근본적인 트라우마를 치료하기 위해, 동물 구호자들의 충고를 받아들여 이런 행동을 무시하는 것이 좋을까? 내 가구가 사실상 나한테 얼마나 가치가 있는 걸까? 개의 치료는 나에게 얼마나 가치가 있는 걸까?

이런 모든 생각들이 불시에 나를 사로잡았다. 이것은 모두 윤리에 대한 문제였다. 그렇지만 나는 로스앤젤레스에 살았으며, LA 같은 도시에서 대체 누가 윤리적인 문제 따위를 고민하고 있겠는가? 하지만 아합과 함께 지내면서부터 나는 끊임없이 이 문제를 생각했다. 어떻게 하면 인간과 동물이 평화롭게 어우러져 지낼 수 있을까, 하는 문제는 내 관심사의 중심이 되었다. 아합과 내가 서로 자연스럽게 동화되는 걸 목표로 삼아야 할까, 아니면 짐승에 대한 지배권을 주장하는 성경의 윤리에 따라 아합을 내 생활에 맞추도록 억지로 강요해야 할까? 내가 만일 자유라는 길을 선택한다면, 누구의 욕구가 우선해야 할까? 일하느라 바쁜 날엔 그런 이유로 아합의 산책 시간을 줄여도 되는 걸까? 한가한 오후에는 느긋하게 극장에 가도 좋을까, 아니면 아합을 데리고 해변에 가야 할까? 그리고 아합의 분리불안을 어떻게 하면 좋을까? 도대체 나는 아합을 어디에서부터 어디까지 책임져야 하는 걸까?

책임의 진정한 의미를 모르던 초기에, 나는 아합의 행동을 고치려고 노력했다. 상점에서 돌아오면 어김없이 잘게 뜯어진 베개를 발견했고, 그럴 때면 아합을 그 난장판으로 끌고 가서 애써 평정을 유지하며 단호하게 "안 돼!"라고 말했다. 새로 산 소파를 아합이 갈기갈기 찢어놓았을 땐 평정이고 뭐고 찾을 새가 없었다. 나는 무섭게 화를 냈고, 이런 행동이 바람직한 결과를 낳지 못하자 더 크게 화를 냈다. 하지만 나는 개에게 화나 내자고 개를 데리고 온 게 아니었고, 아합을 꾸짖어봤자 일이 원만하게 해결되는 것도 아니었다. 나는 궁리 끝에 상황을 검토하기로 마음먹었다.

상황은 이랬다. 내가 난장판으로 어질러진 집으로 돌아올 때마다 아합은 죄책감을 느끼는 듯 보였다. 내가 아합에게 꽥 소리를 지르면 아합은 후회하는 것 같았다. 아합의 감정을 독해하는 내 능력을 신뢰할 수 있다면, 아합은 자신이 저지른 짓이 잘못이라는 걸 알면서도 어쩔 수 없이 그 행동을 계속하고 있는 것이다. 관념적인 심리학 이론에 따르면 이런 행동은 둘 중 하나를 의미한다고 한다. 즉 아합은 혼자 버려진 상태가 너무 두려운 나머지 자기도 어쩔 수 없이 이런 행동을 하거나 — 내가 정치적 시위라고 해석했던 행동이 사실은 극심한 공포로 인한 것이었다 — 그렇지 않으면, 이 난장판은 "나는 혼자 남겨진 게 무섭단 말이야, 이 바보 멍청아!"라는 걸 의미하는 개의 언어라는 거다. 어느 쪽이든 아합은 무서웠던 거다. 그렇다고 아합을 혼자 두지 않을 좋은 방법이 없었기 때문에, 나는 집에 돌아오면 아합의 마음을 편안하게 만들기 시작했다. 집 안이 어질러져도 눈감아주고, 같이 있어주지 못해 미안하다고 사과하고, 애정을 담아 꼭 끌어안아 주었다. 그냥 안아준 게 아니라, 정말로 **숨이 막힐** 정도로 아주 꼭. 피해 상황이 심각할수록 아합은 더 많은 사랑을 받았다. 그때 나는 모든 걸 직관에 따라 움직이고 있었다. 어차피 내 계획은 대부분의 개 조련사들의 조언과 반대로 나가고 있었으니까. 그들의 조언은 개와의 동거 생활 전반에 해당하는 내용이지만, 2009년 ABC

뉴스 기사 '우리 집 개의 분리불안을 치료하는 방법'을 대표적인 예로 들 수 있겠다. 개 조련사들은 훈육을 더 많이 시키거나(그럼으로써 '팀장'으로서 주인의 위치를 굳건히 할 수 있다), 애정을 덜 보여주라고(그럼으로써 '주인과 한시도 떨어지지 않으려는 개의 욕구'를 약화시킨다) 제안한다. 전반적으로 전문가들은 내 전략 — 집에 오면 개를, 음, 적절한 표현을 찾지 못하겠는데, 말하자면 사람처럼 대한다 — 에 대해, 개의 잘못된 행동에 상을 주어 그 행동을 강화시킬 뿐이라고 확신했다. 그러나 개 구호 활동에서 흔히 그렇듯이, 전문가들이 틀렸다.

일주일이 안 되어 아합은 가구를 망가뜨리는 짓을 그만두었다. 이틀이 안 되어 쓰레기통을 얌전히 놓아두었다. 세 번째 시도를 할 즈음, 아합은 구석에서 몸을 일으켜 내가 앉아 있는 소파 쪽으로 걸어오더니 한 발을 쿠션 위에 올려놓았다. 아합은 약간 몸을 떨었다. 애써 감추려 했지만 분명 떨고 있었다. 아합은 용기를 내기까지 어느 정도 시간이 걸렸지만, 마침내 나머지 한 발을 마저 빼내 배로 기어서 쿠션 위에 올라왔다. 그리고 마음을 가다듬기 위해 몇 센티미터 떨어진 곳에서 멈추었다. 이제 더 이상 몸을 떨지는 않았고, 털도 얌전히 누워 있었으며, 머리를 들어 정면으로 나를 바라보았다. 마르틴 부버는 "동물의 눈에는 위대한 언어를 말하는 힘이 있다"라고 말한 바 있는데, 지금이 바로 그런 순간이었다. 아합이 오랫동안 내 시선을 받아준 건 사실상 그때가 처음이었다. 내가 뭘 기대했는지는 모르겠지만 — 아마도 두려움, 아니면 경계심, 아니면 일말의 희망 같은 것이었을까 — 내가 얻은 건 전통의 힘, 다시 말해 털 있는 짐승의 위대한 사랑과 거짓 없이 진실한 고결함의 결합이었다. 아합은 내게 자신의 마음을 전달하는 동시에, 내가 아직 그 존재를 알지 못했던 인간과 개 사이의 오랜 신뢰와 신성한 계약, 서로가 지켜야 할 예의를 말하고 있는 것 같았다.

이것으로 우리의 윤리 수업은 끝났다. 아합은 내 무릎에 머리를 묻고 한 차례 한숨을 쉬더니 잠이 들었다. 그리고 10초도 되지 않아 크게 코를 골았다. 나는 웃음이 터졌다. 정말 대단한 공연이 아닐 수 없었다. 몇 달간의 준비, 두려움과 떨림, 의미를 가득 담은 표정. 그리고 앙코르로, 발작적인 기침을 하는 사이사이에 탱크가 지나가는 것 같은 기분 좋은 코 고는 소리까지.

아, 내가 어떻게 하다 이런 코 고는 소리까지 사랑하게 됐을까. 만족에서 나오는 우렁찬 소리, 즐거운 듯 규칙적인 울림, 이 위대한 마법. 치마요에서 보낸 이튿날 아침, 나는 이 소리에 잠에서 깼다. 가구가 아직 이송 중이었기 때문에, 조이와 나는 그날 밤 푹신한 것들을 있는 대로 깔아놓고 베란다에서 잠을 잤다. 아합은 내 옆에서 잤다. 모두가 잠이 들 때만 해도 감미로운 오월의 저녁이었는데, 탱크 선율에 내가 선잠에서 깼을 땐 이제 막 동이 트기 시작한 시간이었고 땅은 30센티미터나 눈에 덮여 있었다. 어떻게 이럴 수가 있지? 어제까지만 해도 내 눈앞은 온통 햇볕과 고층 건물들뿐이었다. 그런데 지금 저 멀리 산꼭대기에 눈이 덮여 있고, 바로 앞에는 눈 덮인 들판이, 그 가운데에는 당나귀 한 마리가 있었다. 나는 어리둥절했다. 그리고 너무 추웠다. 베란다에 깔아놓은 것들 속에서 낡은 코트 하나를 꺼내 입고는 눈을 깜박이며 주변을 둘러보았다. 코트 주머니에 손을 넣어 조의 오래된 쪽지를 발견한 건 그때였다. 쪽지에는 조의 조언, 살아 있는 다른 생명을 보살피고 먹이는 데 필요한 1번부터 14번까지의 항목이 적혀 있었다. 몇 년 동안 이 쪽지를 들여다본 적이 없었는데, 이제 다시 읽어보니 내 의문에 대한 답을 알 것 같았다. 어떻게 여기까지 오게 됐는지 이제 확실히 알았다. 나는 '배를 자주 문지를 것'이라고 표시된 문을 열고 들어가 한 번도 뒤를 돌아보지 않았던 것이다.

물론 '배를 자주 문지를 것'이 별 도움이 되지 않는 상황도 가끔 있다. 퍼지가 그런 상황 가운데 하나였다. 퍼지는 여전히 비참했지만 어쨌든 이제 끝이 보이는 것 같았다. 사료 가게 게시판에 쪽지 한 장만 붙여놓으면 우리 당나귀에게 새 집을 찾아주는 건 일도 아닐 테니까 말이다. 하지만 우리가 이런 방법으로 퍼지에게 새 집을 구해주어야겠다고 마음먹었을 즈음, 그런 행운은 저 멀리 달아나고 없었다.

그 지역에서 우리 당나귀는 부로 베르데burro verde로 알려져 있는데, 이 말은 영어로 '풋내기'라는 의미로서 사실상 전체 말과 동물에게 적용하는 호칭인 것 같다. 이 용어는 한 번도 고집이 꺾여본 적 없고, 한 번도 누굴 태워본 적 없으며, 말 운송용 트레일러가 전혀 생소한 말들을 일컫는 약칭이다. 이렇게 전혀 길들여지지 않은 말과 동물들이 처음으로 칠재 우리에 갇히게 될 경우 잔뜩 성질을 부리는 경향이 있기 때문에, 누군가의 도움이 필요하다.

우리는 삼촌의 친구의 이웃의 사촌의 누나에게, 그러니까 치마요 사람들이 일하는 방식인 사돈의 팔촌에게 수소문하는 식으로 도움을 구했다. 그녀의 이름은 신디였다. 순수 체로키 인디언 혈통으로 고집 센 당나귀를 다루는 일이 직업인 신디는 어느 무더운 오후, 닷지 다코타(대형 픽업트럭)만 한 트럭을 타고 우리에게 나타났다. 깡마른 몸에 청바지를 입고 검은 머리카락을 휘날리며 부츠를 직직 끌고 다가온 그녀의 입가에는 보나마나 줄담배로 피워댔을 말보로가 물려 있었다. 신디는 미안하다는 기색 따위는 눈곱만큼도 보이지 않은 채 줄담배를 피웠다. 많은 부족들이 담배를 신성한 식물로 여기기는 하지만, 신디가 그런 걸 염두에 두고 담배를 피우는 건 아니었다. 신디는 3주 전에 심장 절개수술을 받았으며, 이런 식으로 자신의 생존을 축하하고 있었다.

풋내기 당나귀를 말 운송용 트레일러에 싣기까지는, 뒤에서 밀고 앞에서 유혹하는 두 가지 섬세한 작업이 요구된다. 뒤에서 밀기 위해서는 당나귀의 뒷다리와 궁둥이 부분을 양팔로 꼭 끌어안고 장시간 꾹 참고 견뎌야 했다. 앞에서 유혹하려면 당나귀의 주둥이 앞에서 귀리를 흔들면서 뒷걸음을 쳐야 했다. 첫 번째 작업에서는 내 고환이 정통으로 공격을 받기 쉬운 위치에 있다는 게 문제였다. 두 번째 작업에서는 내가 사랑하는 연인이 저 풋내기 당나귀한테 깔아 뭉개지지 않을까 하는 게 걱정이었다. 하지만 달리 방법이 없었다. 우리는 꾹 참고 버텼고 유혹했다. 밀고 당겼고, 어르고 달랬다. 그렇지만 퍼지는 꼼짝도 하려 들지 않았다. 허리가 끊어질 것 같고 부츠가 진흙투성이가 될 정도로 애를 썼건만 아무런 소용이 없었다. 바로 그때, 신디가 머리에 바나나 하나를 묶고 입가에 담배 한 개비를 더 문 다음, 퍼지의 궁둥이에서 불과 몇 센티미터 떨어지지 않은 곳에 입술을 갖다 댄 채 쭈그리고 앉는 것이었다. 그러더니 이내 뭐라고 뭐라고 속삭이기 시작했다.

신디의 목소리는 낮고 부드러웠다. 나는 당나귀를 ass라고 표현하지는 않지만, 그 순간 나는 신디의 대화 내용보다도 퍼지의 엉덩이에서 불과 몇 밀리미터 떨어지지 않은 곳에서 까딱까딱 움직이고 있는 신디의 담뱃불이 더 걱정스러웠다(ass는 당나귀 혹은 엉덩이라는 의미가 있다). 하지만 정작 신디는 전혀 상관하지 않는 듯 보였다. 아니, 오히려 당나귀와 하나가 된 것 같았다. 그리고 이런 감정은 퍼지도 마찬가지인 것으로 밝혀졌다. 퍼지는 신디가 속삭이는 소리를 한 5분 정도 듣고 난 후 고개를 끄덕이기 시작했다. 그러고는 마침내 한쪽 발을 들어 트레일러 가장자리를 더듬거렸다. 내가 지금 작은 기적을 목격하고 있는 건지, 몬티 파이튼(Monty Python, 영국의 6인조 코미디언 그룹)의 코미디 시리즈를 보고 있는 건지 모르겠지만, 하여튼 신디는 계속해서 뭐라고 속삭이고 있었고 퍼지는 연신 고개를 끄덕이고 있었다. 마침내 퍼지는 처음 내딛었던 발을 조금 더 깊숙이 집어넣고 다른 쪽 발을 들어 올리더니, 마치 수년간 브로드웨이 무대 위에서 그렇게 해왔던 양 홉스텝으로 사뿐사뿐 트레일러 안으로 곧장 들어가는 것이었다. 나는 당나귀에게 뒷발로 걷어차이지 않았고, 조이 역시 압사당하지 않았으며, 당나귀에게 무언가를 속삭이던 조련사는 재빨리 자신의 픽업트럭에 올라 타 담배 연기를 날리며 유유히 집으로 향했다.

이 모든 사태를 이해하는 데 도움을 준 사람은 크리스 멀로이Chris Malloy라고 하는 한 남자였다. 나는 6개월 전, 잡지에 그에 관한 기사를 쓰기 위해 처음 크리스를 만났다. 당시 그는 파도타기 전문가라는 기존의 생활을 접고 유기농 농장주로서 새 삶을 시작하던 참이었다. 내가 아는 사람들 가운데 시골 생활을 경험해본 사람은 그가 유일했기 때문에, 치마요에 집을 얻은 후 조언을 구하기 위해 내가 제일 처음 전화한 사람이 바로 크리스였다. 울타리를 치고 먹을 것을 기르는 등, 땅에 발을 붙이고 하루하루 땀 흘려 일하는 삶에 대한 크리스의 이야기는 내가 이사를 하기로 결심을 굳히는 데 도움이 됐다. 나는 당나귀 조련사를 만난 지 얼마 후, 이런 내 결심을 어떻게 실천하고 있는지 알리기 위해 그에게 전화를 걸었다. 내가 이 이야기를 마치자 크리스는 큰 소리로 웃기 시작하더니 한참 동안 웃음을 그칠 줄 몰랐다.

"동물들은 말이지." 마침내 그가 입을 열어 말했다. "정상적인 사람은 상대를 하지 않아."

돌이켜 생각해보면 우리 주변에는 정상적인 사람이 정말 드물었다. 우리를 포함해서 말이다. 읽다 보면 무슨 말인지 차차 알게 될 거다. 그렇다, 지금부터 나는 앞으로 일어날 결과들에 대해, 어떤 일이 지금까지보다 더 낫다고 판단했을 때 장차 어떤 일이 일어날 수 있는지에 대해, 부어라 마셔라 술을 마시는 동안 은행에 예금된 전 재산으로 뭘 하면 좋을지 궁리하는 짓을 왜 해서는 안 되는지에 대해 이야기할 것이다. 대체로 나는 꿈을 추구한다는 것의 근본적인 어려움들에 대해 이야기할 텐데, 그 역시도 아마 읽다 보면 차차 밝혀질 것이다.

먼저 당장에 밝혀진 분명한 사실은, 우리가 이사 온 새 집과 로스앤젤레스 집의 유일한 차이가 5월에 내리는 눈만이 아니라는 것이다. 우리에게 익숙한 지역과 현재 살고 있는 우리 집과는 직선 거리로 1300킬로미터가 안 되었지만, 아래 지상에서는 그 거리가 천문학적으로 멀게만 느껴졌다. 이 지역은 메사(mesa, 꼭대기는 평평하고 주위는 벼랑으로 이루어진 탁자 모양의 대지)와 작은 언덕과 기형의 바위기둥과 버섯 바위와 길고 가는 틈으로 이루어진 협곡이 어지럽게 펼쳐져 있고, 사방 천지가 기이한 자연 풍광들로 둘러싸인 미개척지였다. 2

백 년 동안 한 번도 시원하게 물이 흘러본 적 없는 강바닥들은 언젠가 돌연 물이 넘쳐흐를 것만 같았고, 깊은 샘물들은 그보다 훨씬 빠른 속도로 바닥을 드러낼 것 같았다. 주변의 모든 것들이, 아직 밝혀지지 않은 물리학 법칙에 따라 세계가 흔들리고, 익숙한 것들이 소멸되며, 기본적인 특성들이 재배치되는 혼돈스러운 성질을 지니고 있는 것 같았다. "나를 지금의 문명 시대로부터 벗어나게 해준 것은 뉴멕시코였다." 아마 D.H. 로런스도 바로 이런 의미에서 이런 글을 썼는지도 모르겠다.

이 무시무시한 나라 어디에서도 뉴멕시코 북부보다 더 강력한 힘들을 찾아보기 어렵다. 이곳에서는 이 힘들이 바닥의 갈라진 틈 사이로 스며들어 우리가 잠을 자는 동안 슬금슬금 다가와서, 그나마 남아 있는 정신들까지 모조리 빼앗아 달아난다. 증거가 있냐고? 이래 봬도 우리 집 현관문 바로 북쪽에, 웨이비 그레이비Wavy Gravy가 한때 '환각제를 복용하는 이동하는 대가족'이라고 부르던 호그 팜Hog Farm — 미국에서 가장 오랜 역사를 자랑하는 히피 공동체이자, 영화 〈이지 라이더〉에서 LSD에 의한 환각 체험 장면을 찍은 현장 — 이 있다. 여기에서 똑바로 남쪽으로 가면 최초로 원자폭탄이 제조된 도시 로스앨러모스가 있는데, 이곳에 위치한 작은 박물관에서 '팻 맨Fat Man'과 '리틀 보이Little Boy'(둘 다 일본에 투하된 원자폭탄의 코드명이다)와 똑같이 생긴 복제품 앞에 서 있노라면, 적어도 내 경우에는, **인류애**라는 단어가 도대체 뭘 의미하는지 깊은 회의에 빠지지 않을 수 없다.

이런 장소들 사이에 전혀 다른 종류의 폭탄이 터지는 지역이 있으니, 바로 우리의 작은 골짜기, 리오 아리바 카운티Rio Arriba County다. 뉴멕시코 북부는 알래스카와 하와이를 제외한 미국 본토 48개 주 가운데 가장 심각한 범법자들의 지역으로, 잭 케루악의 말마따나 '미친

놈들'에 의해 완전히 점령당한 곳이다. 오토바이족과 노상강도들과 비트족. 여전히 말을 타고 일하는 남자들, 차 한 대를 눈 깜짝할 사이에 해체해버리는 놈들, 닉슨 대통령 시절 이후 술 없이 맨 정신으로 살아본 적이 없는 사내들. 모두가 비밀 하나씩은 감추고 있고, 장화 속에 나이프 하나씩은 숨겨두고 다니는 도시. 작업복으로 칼하트와 디키즈 같은 힙합 패션을 입고 주말이면 할리 데이비슨이 거리를 활보하는 도시. 너나 할 것 없이 교도소 문신들을 몸에 새기고 다니는 도시. 우리가 이 지역에 도착한 지 얼마 되지 않았을 때 내가 식료품 상점 계산대에 줄을 서서 기다리고 있는데, 점원이 내 앞에 선 여자에게 남자 형제들은 잘 있느냐고 물었다.

"라몬 오빠는 총에 맞았고, 호세 오빠는 징역 5년 받아서 북부 지역으로 갔어. 후안은 가석방 선서를 어겨서 아직 눌러 앉아 있고."

"아르투로는?"

"아," 여자는 미소를 지으며 말했다. "아직 안 잡혔지."

그런데 이런 이야기 가운데 어느 것 하나도, 정말 뭐 하나라도 새삼스러울 게 없었다.

뉴멕시코는 1850년에 준주準州가 됐고, 이후 1912년이 되어서야 주의 지위를 부여받았다. 제일 처음 유타가 주로 승격됐고 네바다, 콜로라도, 아이다호, 몬태나, 와이오밍, 그리고 노스다코타와 사우스다코타가 뒤를 이었다. '도둑들의 소굴Robber's Roost'로 유명한 오클라호마는 5년 후에야 이 대열에 합류했다. 사실 내가 새로 이사 온 지역은 끝에서 네 번째로 주로 승격됐다. 이후로 애리조나, 알래스카, 하와이가 뒤를 이었다. 그러나 뉴멕시코가 준주에서 주가 되기까지 걸린 62년이라는 기간은 미국 역사상 최장 기간에 해당하며, 여기에는 다 그럴 만한 이유가 있다.

이 지역에서 벌어진 인디언 전투는 미국에서 가장 유혈이 낭자한 전투에 속했다. 어느 부족도 고분고분 물러나려 하지 않았으며, 최초의 '정착민'들은 더더욱 단호하게 대처했다. 목재를 놓고도 전투가 벌어졌고 땅을 놓고도 전투가 벌어졌으며(각각 키 큰 나무 전투, 토지 불하 전투라고 한다), 소들을 둘러싸고는 더 많은 전투가 벌어졌다(링컨 카운티 전투). 주로 빌리 더 키드Billy the Kid라는 이름으로 알려진 강도가 있었는데 사실상 이런 강도는 그 말고도 많았다. 뉴멕시코가 주가 되기까지 그토록 오랜 기간이 걸린 이유는, 눈곱만큼이라도 분별력이 있고 이런 문제들에 대해 참견할 권리가 있는 사람들은 모두가 이 지역을 너무너무 무서워했기 때문이다.

우리 이웃 사람들 이야기로 다시 돌아와야겠다. 개들은 워낙 시끄럽고 툭하면 행방불명이 되기 쉽기 때문에 이웃 사람들과 좋은 관계를 맺는 것은 개 구호 활동에서 대단히 중요하다. 그러므로 치마요로 이사 온 지 사흘째 되는 날 오후에, 조이는 이제 우리 이웃을 만나봐야겠다고 생각했다. 조이는 정원에서 꽃을 몇 송이 꺾은 다음 도로를 따라 걷기 시작했다. 그런데 조이가 집을 나선 직후에 차 한 대가 재빨리 지나갔다. 경찰이 그 뒤를 따라갔다. 잠시 후 경찰들은 우리 동네 진입로 앞에서 이 차량을 잡아 15미터 앞에 차를 대게 했다. 조이는 과속 딱지를 떼려나 보다 생각하고 계속해서 길을 걸었다. 조이가 이웃집 문을 막 두드리는데 두 번째 경찰차가 도착했다. 잠시 후 세 번째 경찰차가 도착했다. 갑자기 거리는 경찰들로 득시글거렸다. 잠시 후 남자들이 나무 뒤에서 쏟아져 나오고 언덕 위에서 달려 내려왔는데, 그들이 입은 파란색 바람막이 재킷에는 DEA(Drug Enforcement Administration, 마약단속국의 약자)라는 노란색 글자가 커다랗게 박혀 있었다. 조이는 자기도 모르게 입이 딱 벌어졌고 발이 땅에 붙어 떨어지질 않았다. 가만 보니 총기를 소지하지 않은 사람은 자기뿐이었다. 당연히 우리의 이웃 사람은 조이의 노크에 답을 하지 않았다.

대신 그는 창문을 조금 열고 커튼을 살짝 벌렸다.

"원하는 게 뭐요?"

"아, 네." 조이가 말했다. "며칠 전에 옆집에 이사 왔어요." 그런 다음 마약 단속 경찰들을 가리키며 말을 이었다. "저기, 그러니까, 저 사람들하고는 아무 관계없어요."

창문이 조금 더 열렸고 커튼도 좀 더 벌어졌다.

"누구슈?"

"새로 온 이웃 사람입니다."

"뭐라고?"

"아무래도 지금은 인사드릴 때가 아닌 것 같네요."

"여기에서 뭐 하는 거요?"

"인사하러 왔어요." 그런 다음 조이는 꽃다발을 앞으로 내밀며 말했다. "이것도 드리고요."

한참 동안 침묵이 흘렀다. 우리의 새 이웃은 조이 한 번 꽃다발 한 번, 꽃다발 한 번 조이 한 번, 번갈아 쳐다보았다. 아무래도 마약단속반이 자기 때문에 여기에 온 건 아닌 것 같고, 오히려 거리 아래쪽을 습격하기 위한 집결지로 자기 집 땅을 이용하고 있는 게 분명했다.

"아니 그냥 담장 너머로 서로 손만 흔들면 될 걸 가지고." 남자가 마침내 입을 열었다. "그러면 이웃이 되는 거지, 이웃이 뭐 별건가."

수년 후, 크리스토퍼 매켄Christopher Wray McCann이라는 천재적인 사진작가가 여행만 죽어라고 하고 잠은 거의 잘 수 없는 여러 작업에 나를 합류시켰는데, 크리스토퍼는 이렇게 너무나 고된 상황이면 이따금 말수를 거의 줄이고 아이리시 위스키를 마시면서 영화 〈지옥의 묵시록〉에 나오는 대사들을 읊조리곤 했다. 예를 들면 이런 거다. "저기 광산이 있다, 저기 광산이 있어. 그렇지만 조심해. 저 망할 놈의 원숭이들이 덤벼드니까." 내가 이 대목을 언급하는 건, 마약 단속이 있던 다음 날, 우리는 다른 이웃을 만났기 때문이다. 다음 날 아침 일찍 우리의 다른 이웃은 분홍색 목욕 가운을 입고 파란색 샤워 샌들을 신은 채 우리 집 문을 두드리더니, 핏불테리어들이 이 동네를 미친 듯이 날뛰며 돌아다니고 있다고 알려주었다.

"꼭 광견병에 걸린 것 같수다." 그가 말했다. "이러다간 동네 개들 다 물어뜯기게 생겼어."

나는 아직 커피를 마시기 전이라 남자가 도대체 무슨 말을 하고 있는지 잘 이해하지 못했다. "아, 글쎄, 한 놈은 머리를 물고, 다른 놈은 엉덩이를 물고, 또 다른 놈은 내장을 다 잡아 뜯을 기세더라고. 이러다간 동네 개들 금세 다 작살나지. 어쨌든 잘 지내봅시다."

바로 그 순간 크리스토퍼가 자주 인용하던 〈지옥의 묵시록〉의 대사 가운데 다른 대목이 떠올랐다. "난 임무를 원했소. 그리고 내가 지은 죄들 때문에 그들은 내게 임무를 맡겼소."

스쿼트는 우리가 치마요로 이사한 후 처음으로 구조한 개로, 이 마을에서 처음 맞는 주말에 우리에게 도착했다. 암컷인 스쿼트는 로스앤젤레스 동물보호소 출신이지만, 캘리포니아에서는 닥스훈트와 퍼그의 잡종견에 체중 문제까지 있는 개를 보호하려는 사람이 아무도 없었기 때문에 이곳 남서부 지방까지 횡단해 오게 되었다. 여하튼 우리는 그녀가 체중에 문제가 있다고 들었는데, 사실 스쿼트는 튜브 삭스(tube socks, 뒤꿈치가 따로 없는 신축성이 좋은 양말) 안에 볼링 공 세 개를 꽉 채워놓은 것처럼 생겼다. 더 최악인 건, 몸집이 이렇다 보니 스쿼트는 도통 겁이란 걸 몰랐다. 걸핏하면 화를 내는 싸움쟁이에 상식이라곤 없는 부랑자였는데, 이런 성격 때문에 뉴멕시코 주에 온 처음 몇 주 동안 엄청난 분란을 일으켰다.

언덕에는 코요테들이, 거리에는 들개들이 활보하고 다니는데도 우리는 아직 집 주위에 울타리를 치지 않았다. 나는 책임지고 울타리를 치겠다고 큰소리쳤지만 비참하게도 번번이 실패했다. 마을에 이사 온 이튿날부터 시작된 이 실패는 엿새가 지나도록 머리부터 발끝까지 온몸이 긁히고 찔리는 상처만 입은 채 아무런 성과도 없어서, 하는 수 없이 다시 크리스 멀로이에게 전화를 해야 했다. 하지만 당시 멀로이는 타히티행 비행기에 오르기 위해 공항에 대기 중이었다.

"진지하게 말하겠는데," 내가 말했다. "약한 자식들이나 하는 파도타기 따위는 집어치워. 열대지방은 완전 구리잖아. 그러지 말고 한 일주일, 이 아름다운 미국 서부에 와서 울타리 좀 치지 그래."

"나도 진지하게 말하지." 그가 말했다. "그런 건 네가 알아서 해."

일주일이 지났지만 나는 여전히 알아서 하지 못했고, 그래도 얼추 울타리 비슷한 걸 두르긴 했다. 이제 집 주변은 대문을 제외하고 완전히 울타리가 둘러쳐졌는데, 대문은 아직 설치 방법도 파악하지 못했다. 그런데도 나는 얼른 내 성공을 자랑하고 싶은 마음에 이 막중한 임무를 대충 해치워놓고 기세 좋게 집 안으로 들어섰다. 그 바람에 문을 닫는 것도 잊어버렸다. 30초가 지났을까, 마을 들판 근처 어딘가에서 정신없이 짖어대는 소리, 요란하게 으르렁거리는 소리, 지금도 한밤중에 자다가도 벌떡 일어나게 만드는 비명 소리가 들렸다.

우리가 스쿼트를 발견했을 때, 스쿼트는 만신창이가 되어 있었다. 목에서부터 시작된 깊은 상처는 배를 따라 죽 이어졌다. 그 이후로 나는 다시는 문 닫는 걸 잊지 않았다.

그 일로 우리는 캐슬린 램지Kathleen Ramsay를 처음 만나게 됐다. 물론 아무도 그녀를 이 이름으로 부르지 않지만. 박사인 그녀는 중년의 나이에 머리가 희끗희끗하고, 체구는 마르고 자그마하며, 손을 뽀득뽀득 씻고 직설적으로 이야기하는 버릇이 있었다. 그녀는 마을에 거주하는 성인 인구의 75퍼센트가 석사학위를 소지하고 비밀정보 취급 허가를 받던 시절에 로스앨러모스에서 태어났다. 그녀의 어머니는 지열을 연구하는 학자였고 아버지는 폭파 작업을 연구했다. 당시는 전쟁이 끝난 지 얼마 되지 않을 때였으며, 로스앨러모스는 여전히 '폐쇄된 도시'였다. 그 시절 몇 년 동안 벌어진 수차례의 국가 비상사태로 인해 부모님은 그녀를 제대로 돌보지 못했고, 그 바람에 그녀는 대부분의 어린 시절을 헤이메즈 산맥Jemez Mountains에서 혼자 말을 타며 지냈다.

열두 살 때, 아버지는 사우디아라비아에서 일을 했지만 그녀는 레바논에서 고등학교를 다녔다. 1982년에 베이루트 대사관이 폭격을 맞은 이후 바레인으로 이주했고, 대학에 다니기 위해 다시 뉴멕시코로 돌아왔다. 대학에서 금속공학과 생화학을 공부했고, 대학원에서 같은 과목을 전공하기 위해 만반의 준비를 갖추었다가, 미래에 자신에게 열려 있는 직업은 대도시에서만 가능한 반면 자신은 대도시를 혐오한다는 사실을 깨닫고 완전히 다른 길로 방향을 틀어, 이제까지 공부했던 분야보다 훨씬 힘든 분야를 선택해 다시 학교로 돌아갔다. 그리고 마침내 지금 종사하는 다소 전문적인 이쪽 분야를 잘 알고 이해하는 한정된 사람들 사이에서 일종의 전설적인 인물이 되었다.

지난 25년 동안 박사는 코튼우드 동물병원Cottonwood Veterinary Clinic과 뉴멕시코 야생동물센터New Mexico Wildlife Center를 운영해왔는데, 두 곳 모두 '찾아오는 모든 상처받은 동물을 돕는 것'이 목적이다. 동물병원을 찾아오는 동물들은 대부분 개와 고양이와 새 들이다. 야생동물센터를 찾는 동물들은 흑곰과 퓨마, 흰머리수리 들이다. 물론 개구리, 뱀, 도마뱀, 매, 독수리도 있고, 부엉이, 보브캣, 엘크, 사슴도 수시로 찾아오며, 그 밖에도 온갖 동물들이 이곳을 드나들어 노아의 방주를 방불케 한다. 이러니 박사가 하루에 세 시간 이상 잠을 자본 게 까마득한 옛일인 건 놀랄 일도 아니다.

뉴멕시코 야생동물센터는 맹금류 치료라는 게 아직 알려지지 않은 분야이던 시절 북부 뉴멕시코 맹금류 재활센터Northern New Mexico Raptor and Rehabilitation Center로 시작되었다. 박사는 당시를 이렇게 회상한다. "제가 학교에 다니던 시절에만 해도 이 재활센터의 주요 고객은 개, 고양이, 소, 양, 염소가 전부였어요." 그런데 그녀가 학교를 졸업하고 로스앨러모스의 진료소에서 일하고 있을 때, 한 남자가 덫에 걸린 검독수리를 가지고 왔다. "검독수리 한 마리가 사슬에 매달려 몸부림을 치고 비명을 지르고 있었어요. 이 새를 본 순간 결심했지요. 내가 평생을 걸고 할 일은 바로 이들에게 다시 한 번 삶의 기회를 주는 것이라고 말이에요." 그래서 그녀는 일반 동물병원을 그만두고 야생동물센터를 열었는데, 웬걸, 다른 종류의 동물들도 자꾸만 눈에 띄는 바람에 맹금류 외에 다른 동물들까지 진료하기 위해 서둘러 업무를 확장했다.

이렇게 해서 박사는 거의 200년 동안 승승장구해오던 분야의 최전선에 뛰어들게 됐다. 최초의 공식 동물보호 기관은 동물학대방지협회Society for the Prevention of Cruelty to Animals로, 1824년에 하필 이름도

'오래된 도살장'인 런던의 커피하우스에 자주 모이던 22명의 개혁가들에 의해 설립되었다. 이 협회는 의회 의원인 리처드 마틴Richard Martin이 주축이 되었으며, 그의 박애주의적 행동은 그에게 약간의 명성과 엄청난 악명, 그리고 '인간성 좋은 딕Humanity Dick'(딕은 리처드의 애칭이다)이라는 별명을 안겨주었다. 초창기 이 협회의 취지는 가축에 대한 학대를 억제하기 위해 1822년에 시행한 법률, 마틴법Martin's Act을 지지하는 것이었다. 1840년, 빅토리아 여왕은 그들의 주장에 동의해 그들에게 공식적인 지위를 부여했으며, 그리하여 왕립 동물학대방지협회로 이름이 바뀌었다.

1866년, 러시아 황제 알렉산드르 2세 시대에 러시아 황실 주재 외교관 헨리 버그Henry Berge가 이 투쟁을 미국으로 확대해, '온 인류의 말 못 하는 종들'을 대신해서 탄원을 시작했다. 이후 그는 '동물 권리 선언Declaration for the Rights of Animals' 초안을 작성하여 뉴욕 주 입법부에 제출했다. 그 결과 미국 동물학대방지협회가 발족되었고, 협회에 법률 집행 권한을 부여하는 동물 애호에 관한 법안이 통과되었다. 1867년, 미국 동물학대방지협회는 다친 말들을 위해 사상 최초로 앰뷸런스 시비스를 시행하기 시작했다. 또한 같은 해에 데이비드 히스라는 남자는 새로 시행된 법률하에 구속된 최초의 인물이 되었는데, 고양이를 때려 죽인 사유로 10일간의 구류 및 25달러의 벌금형을 받았다. 30년 후, 뉴욕의 개 포획꾼들은 여전히 하루 300여 마리의 길 잃은 개들을 찾아다니고, 우리에 가두고, 이스트 강에 내던졌다. 이 포획꾼들은 시간이 아니라 마리당 보수를 받았기 때문에 개를 학대하는 사태가 빈번해졌고 집에서 기르는 애완동물들도 수시로 사라졌다. 이런 폐해에 맞서기 위해 미국 동물학대방지협회는 1984년에 동물 통제 업무를 담당하게 됐고, 가스실에서 안락사를 시행하는 보다

'인간적인' 방식을 찾게 되었다.

최초의 근대적 방식으로 애완동물을 소유하는 행위는 빅토리아시대의 취미로 시작되었다. 산업혁명 결과, 갑자기 주체하기 힘들 만큼 여가 시간이 많아지자 신흥 중산층은 40여 개의 주요 개 품종을 순식간에 400개 품종으로 확대시킬 수 있는 유전학에 지대한 관심을 보이기 시작했다. 이로 인한 결과들은 2차 세계대전이 끝나고 몇 년 후 미국의 노동자 계급들에게 영향을 미쳤고, 통조림 사료니 고양이 화장실이니 하는 여러 편의용품들이 개발됨으로써 많은 사람들이 애완동물을 소유할 수 있게 되었다. 그러나 편의용품들이 늘어날수록 애완동물 수도 늘어났고, 애완동물 수가 많아질수록 미국 동물학대방지협회의 일도 많아졌다.

공식적인 집계에 따르면, 동물보호소에서 보호하는 개와 고양이의 수는 대략 6백만에서 9백만 마리 정도이며, 그 가운데 절반가량이 안락사로 죽음을 맞는다. 그래도 이 정도면 많이 개선된 거다. 미국 동물학대방지협회는 1970년대에 들어서야 난소적출 및 중성화 수술의 이점에 대한 인식을 높이기 위해 애쓰기 시작했고, '적게 낳으면 죽음도 학대도 줄어든다'라는 협회의 슬로건이 크게 인기를 모으게 된 것도 1990년대에 들어서부터였다. 1980년대에는 동물보호소들이 매해 2천만 마리의 동물을 안락사시켰다. 하지만 그 당시엔 동물의 출생률도 떨어졌고 보호소 입소 비율도 감소했다. 한편 오늘날은 해마다 보호소에서 3, 4백만 마리의 동물이 도살당해 죽긴 하지만, 이 역시 과거에 행해졌던 대규모 도축에 비하면 크게 개선된 현상이다.

물론 수의사들도 더러 놀라울 만큼 많은 수의 개들을 안락사시켜야 할 때가 있다. 스쿼트의 상처를 꿰맨 후, 박사는 나에게 강아지들을 안락사시키는 일로 오전 시간을 다 보냈다고 말했다.

"지금이 한창 그럴 철이지요." 박사가 말했다.

"안락사도 철이 있어요?"

"디스템퍼(distemper, 개와 고양이가 특히 잘 걸리는 급성 전염병)에 잘 걸리는 철이 있거든요."

디스템퍼는 강아지들을 최악의 상태에 놓이게 만드는 대단히 고통스럽고 치명적인 질병이라고 배웠다. 봄은 강아지들의 계절이기도 하지만 디스템퍼의 계절이기도 하다. 하지만 약 7달러가 드는 예방주사 한 방이면 완벽하게 예방할 수 있는 병으로 밝혀졌다.

"이 지역의 빈곤율이 60퍼센트에요." 박사가 말했다. "당신이 생계를 위해 세 가지 일을 하고 아이가 셋인데 한 달 수입이 8백 달러라면, 그 수입을 생활비에 쓰겠어요, 개한테 쓰겠어요?"

그런 다음 박사는 사실상 이건 돈 문제가 아니라고 덧붙였다. 한마디로 요약하면 문화 때문이라는 것이다.

"이 지역은 백인들이 소수 있지만, 그들은 농부고 농부들은 사고방식이 달라요." 그녀가 말했다. "이 지역은 대체로 멕시코 사람과 스페인 사람이 많은 수를 차지하지요. 이들의 문화에서 동물은 일종의 물건, 그러니까 인간의 필요를 위해 이곳에 놓아둔 물건이에요. 이런 사고방식을 개선시키기란 어려운 일이지요. 저는 좀 더 거시적인 관점을 가지려고 노력하고 있어요."

"거시적인 관점요?"

"일곱 마리 개를 안락사시켜야 한다는 사실이 내키지는 않지만, 어쨌든 전 그렇게 할 수밖에 없습니다. 10년 전만 해도 개 주인에게 당신 개를 안락사시키겠다고 말하면, 주인들은 당장 개를 데리고 나가 머리에 총을 쏘았지요."

"그렇다면 지금 이곳 상황이 나아지고 있는 건가요?"

"뉴멕시코에 잘 오셨어요." 박사가 말했다.

우리가 뉴멕시코에 온 지도 3주가 됐고 그동안 조이는 이 지역 동물보호소에 여섯 차례 정도 다녀왔다. 조이는 먼저 자신을 소개한 다음 다시 자원봉사를 시작했다. 보호소의 개들을 산책시키고, 우리를 청소하고, 그때마다 나도 같이 동참시키려고 애썼다. 나는 한 번도 조이와 함께하지 않았다. 나는 이런 장소들과 눈곱만큼도 관계를 갖고 싶지 않았다. 이런 종류의 장소는 어디든 가까이 하고 싶지 않았다. 나는 동물보호소가 무서웠다. 지나고 나서 생각해보면, 나는 동물들에 감정이입이 될까 봐, 지나치게 동정심을 느낄까 봐, 지나친 동정심으로 인해 감당할 수 없을 만큼 헌신하게 될까 봐 두려웠고, 그래서 피하고 싶었던 것 같다. 하지만 뱃속 깊은 곳에서 느끼는 공포 — 가슴 속에서 울리는 진짜 느낌 — 의 이유는, 내가 사십 평생을 사는 동안 아무리 배짱이 두둑해졌다 할지라도 우리 안에 갇혀 일렬로 늘어선 개들, 대부분 곧 안락사를 겪어야 할 이 개들을 감당하기에는 턱없이 부족했기 때문이다.

하지만 조이의 생각은 달랐다. 조이는 일단 보호소를 보는 것이 시작이고 구호자의 중요한 통과의례라고 생각했으며, 이 생각에서 물러서려 하지 않았다. 로스앤젤레스에서는 이런저런 변명이 통했다. 그런데 이제 하고 많은 일들 중에 하필 개 보호소를 운영하겠다고 뉴멕시코로 이사까지 와버렸으니, 왜 개 보호소를 운영하려는지도 알지 못하면서 무슨 수로 개 보호소를 운영할 수 있겠는가? 이제는 도저히 변명의 여지가 없었다. 뉴멕시코 생활이 4주째 접어든 어느 날, 나는 에스파뇰라(Española, 뉴멕시코 주 샌타페이 카운티에 있는 도시)의 동물보호협회에 방문해 개 구호자들이 흔히 '소피의 선택'이라고 일컫는 것을 했다.

길고 낮은 벽돌 건물로 이루어진 에스파뇰라 보호소는 본관 접견실 하나, 사무실 몇 개, 작은 동물병원 하나, 그리고 개들을 수용하는 대규모 수용시설 하나를 갖추어놓았다. 소피의 선택이란 수용시설을 이 잡듯 샅샅이 뒤져, 얼마 살지 못할 수백 마리의 개들 가운데 살아날 가능성이 있는 한 마리를 찾아내는 작업으로, 그러자면 썩 편치 않은 상황에서 엄청난 주의력을 갖추고 매의 눈으로 꼼꼼하게 살펴보아야 한다. 소피의 선택을 하는 목적은 다른 곳에서라면 눈에 띄지 않고 지나칠지 모르지만 그럭저럭 입양할 수 있는 개를 찾기 위해서다. 보호소에 있는 개들은 여러 가지 이유로 인해 눈에 띄지 않고 묻히기 쉽다. 대부분의 사람들은 귀여운 강아지나 순종을 찾으러 오기 때문에 나이 든 잡종견들은 상당히 불리하다. 베이지색 개들은 못 보고 지나치기 일쑤고 갈색 개들은 아예 상대도 하지 않는다. 검정색 개들은 다들 어찌나 질색을 하는지 구호자들은 이런 문제를 '검정개 신드롬'이라고 부를 정도인데, 여기에 비하면 인간들의 인종차별은 댈 것도 아니다. 심지어 흑인들조차 검정색 개는 싫어하니까. 못생긴 개, 아픈 개, 장애가 있는 개, 지능 발달이 늦은 개, 수줍음이 많은 개, 뚱뚱한 개 — 이런 개들은 입양될 가능성이 없다. 핏불테리어는 두 말하면 입 아프고 로트와일러 역시 마찬가지다. 집에서 훈련을 많이 시켜야 하는 개, 털이 아름답지 않은 개, 물어뜯고 구덩이를 파고 침을 흘리는 등 보기 싫은 행동을 자주 하는 개도 자격 미달이다. 그러니까 결론은, 개 한 마리를 입양하는 문제는 개들 자체와는 아무런 관계가 없으며 오히려 인간들의 편견과 아주 깊은 관계가 있다.

이처럼 위에서 말한 편애는 맹목적인 숭배에 가까운데, 사실상 우리가 매력을 느끼는 진짜 이유는 **유형성숙**neoteny에서 기인하기 때문이다. 발생생물학자들은 발육이 끝난 종의 구성원이 여전히 유아기적 특징을 보유하는 상태를 유형성숙이라고 말한다. 이런 특성에는 보조개, 축 늘어진 귀, 커다란 눈과 같은 신체적 특성과 장난스러움, 호기심, 가여운 모습과 같은 성격적인 기질이 포함되는데, 모두가 '귀여움'이라고 하는 동물행동학의 범주에 들어간다. 1949년, 노벨상 수상자인 동물학자 콘라트 로렌츠는 이 같은 개념을 과학계에 처음 소개하면서, "한 개체의 유아기적 특징들이 성숙한 동물에게 양육의 책임을 불러일으킨다"라고 주장했다. 그의 견해대로라면, 귀여움은 진화 과정에서 부모가 자식을 돌보지 않을 수 없도록 강구해낸 비밀 무기다. 그리고 유형성숙은 귀여움 뒤에 숨겨진 생명 활동, 다시 말해 인간들이 특히 쉽게 영향을 받는 생명 활동이다. 《뉴욕 타임스 *New York Times*》 과학 기자 내털리 앤지어Natalie Angier가 지적했듯, 인간들이 귀여움이라는 특성에 그토록 끌리는 이유는 간단하다. 즉 "어떤 종의 가장 어린 구성원이 성숙한 구성원의 도움 없이는 고개를 들어 젖을 물지도 못할 만큼 혼자 힘으로 아무것도 하지 못해 보는 사람으로 하여금 너무나 애처로운 마음이 들게 할 때, 인간은 유아기 동물의 욕구가 드러나는 모든 표시들에 신속하고 과감하게 반응하라는 타전을 받는 게 틀림없다." 그리고 내가 동물보호소를 그토록 무서워하는 이유 또한 간단하다. 다른 어떤 동물보다 개들은 유아기의 욕구를 드러내는 데 천부적인 재능을 지니고 있기 때문이다.

에스파뇰라 보호소에는 높이 15미터 너비 6미터 정도 되는 작은 오두막에 유기견들이 보호되어 있다. 강아지들은 오두막 한가운데 철망으로 만들어진 울타리 안에 보호되고, 큰 개들은 가장자리에 놓인 우리 안에 두 마리나 세 마리씩 보호되어 있다. 조명은 휘황하고, 공기에서는 오줌 냄새가 나며, 바닥은 차가운 콘크리트다. 처음에 나는 개들을 똑바로 보고 싶지 않아 줄곧 바닥만 쳐다보았다. 하지만 내가 시선을 외면하자 오히려 개들은 훨씬 단호하게 짖고 낑낑대고 흐느껴 우는 것이었다. 결국 나는 개들을 정면으로 볼 수밖에 없었다.

내가 처음 본 개는 진한 갈색의 핏불테리어 암컷이었다. 이 개는 곧장 내 오른쪽으로 달려들어 깡충깡충 뛰고 꼬리를 흔들어대면서, 같이 놀고 싶어 죽겠다는 마음을 온몸으로 보여주었다. 나는 가까이 다가가 창살 사이로 내 손을 핥게 했다. 귀 모양 때문이었는지, 아니면 주둥이 생김새 때문이었는지 모르겠지만, 내 친구 타라의 핏불테리어가 생생하게 떠오른다고 생각했던 기억이 난다. 이것이 내 첫 번째 실수였다. 곧이어 나는 우리를 따라 걸어 내려가면서 내 손을 핥고 싶어 하는 개들에게 그렇게 하도록 내버려두었고, 그러는 동안 이 개들이 하나같이 내가 아는 다른 개들을 연상시킨다는 걸 깨달았다. 로스앤젤레스 개 공원에서 아합이랑 자주 장난을 치던 털북숭이 테리어처럼, 한 방향으로 연신 고개를 기울이며 신경질적으로 혓바닥을 날름거리는 털북숭이 테리어도 있었다. 내 친구 베리의 오스트레일리안 셰퍼드도 있었고, 내 친구 에이미의 저먼 셰퍼드도 있었다. 나는 토할 것처럼 속이 울렁거렸다. 대체 이 개들한테 무슨 잘못이 있단 말인가. 마음 같아선 여기 있는 개들을 전부 집에 데리고 가고 싶었다. 이 빌어먹을 비참한 보호소 전체를 집으로 옮겨가고 싶었다. 그냥 내 등에 전부 짊어지고 이 망할 공간에서 개들을 벗어나게 해주고 싶었다.

갯과 동물이 어떻게 인간에게 길들여지게 되었는지에 대한 두 가지 모순적인 이론이 있는 것처럼, 도대체 내가 왜 이렇게 강렬한 감정에 사로잡혀 있는지에 대한 두 가지 경쟁적인 이론이 있다. 먼저 초기 인류의 조상들이 귀여운 늑대 새끼를 어미의 굴에서 훔쳐 애완동물로 키우지 않았을까 하는 예상을 해볼 수 있다. 보다 붙임성 있고, 얌전하고, 인간들과 사교적으로 잘 지내는 늑대들은 계속 종족이 유지된 반면, 보다 야생에 가까운 늑대들은 쫓겨났거나 즉사당했을 것이다. 그렇게 해서 남게 된 '길들여진' 늑대들끼리 교배를 해 더욱 온순한 새끼를 낳게 됐다는 건데, 펜실베이니아 대학교 수의과대학에서 인도적 윤리와 동물 복지를 가르치는 제임스 서펠James Serpell 교수는 그의 저서 《집에서 기르는 개*Domestic Dog*》에서 다음과 같이 주장했다. "온순한 동물이 걸러지는 이런 단순한 과정이 엉뚱한 계통발생의 결과일 줄은 … 아무도 예측하지 못했다. 이와 같은 과정은 … 시베리아의 모피 동물 사육장에 포획된 여우들에게도 체계적으로 적용되었는데, 이때에도 역시 희한한 상황이 벌어지기 시작했다. 예상대로, 선택된 혈통들은 더욱 온순해졌지만 생김새와 행동까지 차츰 개들과 유사하게 변하기 시작했으며, 심지어 털에 얼룩무늬가 생기고, 귀의 모양이 축 늘어지며, 생식 주기에 발정 휴지기가 포함될 정도였다." 집에서 기르는 개들은 유형성숙의 대가일 뿐 아니라 이 과정에서 드러나는 자연의 가장 완벽한 청사진이다.

이 이야기의 '늑대 새끼 훔치기' 버전을 보면 인류는 집에서 개를 키운 것으로 나오는데, 이 버전이 자주 인용되는 또 다른 이유는 바로 인간이라는 종의 특수함, 다시 말해 인간만이 다른 종을 '길들여온' 유일한 종임을 나타내기 위해서이다. 그리고 이 내용은 햄프셔 칼리지의 생물학자 레이먼드 코핑거Raymond Coppinger의 주장이 나오기 전까지 이 이야기의 유일한 버전이었다. 코핑거는 만일 우리가 늑대 새끼를 훔쳐 애완동물로 기르고 싶다면 태어난 지 13일 된 새끼를 데리고 와야 하는데, 13일이 지나면 늑대를 길들이기가 사실상 어렵기 때문이라고 주장했다. 하지만 13일이라는 기간은 이동하는 수렵채집인 무리가 늑대를 훔쳐 오기에 상당히 빠듯한 기간이라, 코핑거는 이에 대해 다소 희한하고 별난 의견을 제시했다. 즉 늑대들이 스스로 알아서 길들여졌다는 것이다.

어떻게 이런 일이 일어나는지는 '도주 거리flight distance'로 요약할 수 있다. 동물은 가령 인간 같은 어떤 위험한 대상이 일정한 거리를 무시하고 다가오면 달아나버리는데, 이 거리를 도주 거리라고 한다. 이 도주 거리가 중요한 이유는 인간은 정해진 정착지에 사는 법을 배웠으며, 비록 그 정착지가 겨울 한 철을 나기 위한 동굴에 불과하다 할지라도 주변에 상당량의 쓰레기를 배출했기 때문이다. 인간의 쓰레기에는 썩은 채소, 과일 씨, 내다 버린 짐승 시체와 같은 늑대들의 주요 식량이 포함되어 있었다. 늑대들은 인간의 음식 찌꺼기가 꽤 먹을 만하다는 걸 알게 됐고, 그다음부터 생태 과정이 시작됐다. 도주 거리가 짧은 늑대들은 그렇지 않은 늑대들보다 더 많은 음식 찌꺼기를 취했다. 양껏 먹은 늑대들은 새끼를 많이 낳았고, 이 새끼들은 태어날 때부터 어미보다 도주 거리가 짧았다. 코핑거는 다음과 같이 지적한다. "내 논점은, **길들여진다는 것** — 혹은 사람을 잘 따른다는 것 — 은 '인간이 보는 앞에서 음식을 먹을 수 있음'을 의미한다는 것이다. 이런 행동은 야생동물들에게 볼 수 없는 모습이다."

동물의 가축화에 관한 이런 논란을 확실하게 해결할 수 있는 이론은 아직 나오지 않았지만, 가축화를 위해 동물을 선택하는 인간의 행위가 장차 늑대들에게 연쇄적으로 다가올 유형성숙을 촉발시켰다는 사실은 잘 알려져 있다. 그리고 이 연쇄 작용에 반응하도록 이미 완벽하게 설계된 인간은 이런 환경을 더욱 열심히 밀어붙였다. 귀여운 새끼들은 이제 사랑을 한 몸에 받게 되었고, 따라서 집 안에서 보호를 받으며 양껏 음식을 먹고 새끼도 낳을 수 있었다. 이 과정에서 동물들은 더 건강해졌기 때문에, 이들 선택된 소수의 동물들은 더 많은 새끼를 낳을 가능성이 높았다. 그리고 이 새끼들 중에서 더 귀여운 새끼들은 다음에도 역시 특별대우를 받았을 것이다. 요즘 다 자란 개들이 어른 늑대가 아닌 어린 늑대처럼 행동하는 경향이 훨씬 강한 것도 다 이런 이유 때문이고, 보호소에 가서 구조할 개를 선택하는 일이 징글맞게 힘든 것도 바로 이런 이유 때문이며, 그렇기 때문에 나는 수백만 년의 진화 과정을 거쳐 현재 우리가 알고 있는 모습이 된 이 동물들을 애써 못 본 척하려는 것이다.

어쨌든 나는 동물을 선택하면서 내가 가진 편견들을 최대한 없애려고 노력했다. 나는 평소 같았으면 거들떠보지도 않았을 개를 찾고 있었다. 그러다가 우리 맨 구석에 틀어박혀 웅크리고 앉아 있는 녀석을 발견했다. 그의 이름은 레오였고, 지금까지 내가 만난 개들 가운데 가장 둔하고 멍청해 보였다. 개인적으로 나는 살갑고 털이 복슬복슬한 강아지를 좋아하는데, 레오는 살갑지도 않고 털이 복슬복슬하지도 않았다. 몇 세대 전만 해도 레오의 조상은 저먼 셰퍼드의 위엄을 자랑했으나, 이후로 다른 종들과 섞이게 됐다. 그 바람에 털은 마구 헝클어지고, 눈은 푹 꺼졌으며, 체중은 정상보다 적은 13킬로그램 정도가 됐다. 그는 깊은 호수 바닥에 가라앉은 커다란 바위처럼 다부진 깡다구가 있었지만, 이미 목숨이 오늘내일 하고 있는 터라 — 23시간 이내에 안락사를 당할 예정이었다 — 생을 마감하기 전에 입양될 가능성은 애초에 기대할 수도 없었다.

보호소에 개들이 그렇게 많은데도 어떻게 된 게 레오가 있는 우리에는 한 마리도 없었다. 나는 숨이 잘 쉬어지지 않았다. 레오를 다시 돌아보았다. 정말이지 어디 한군데 예쁘게 보려야 볼 데가 없었다. 이 방에 더 있다간 돌아버릴 것 같았다.

"바로 이 개예요." 내가 말했다. "제가 데리고 가겠어요."

그런데 잠깐. 이렇게 덤빌 일이 아니었다. 레오는 아직 고환을 달고 있었던 것이다. 대부분의 보호소들이 겪는 문제는 결국 너무 많은 동물들을 수용해야 한다는 데에서 비롯되며, 이 같은 과밀 현상은 아직 고환을 달고 있는 개들이 너무 많다는 데에서 비롯된다. 그러므로 레오를 보호소에서 빼내기 전에 먼저 중성화 수술부터 시켜야 했고 그러려면 며칠간 시간이 걸렸는데, 이마저도 계획대로 되지 않았다. 수술 중에 수의사들은 레오가 혈우병을 앓고 있다는 사실을 발견했다. 고환 제거 수술을 마친 후 수의사들은 레오가 목에 두른 플라스틱 깔대기(넥 칼라)를 스스로 떼어낼 수 있을 정도로 똑똑하고, 꿰맨 자국을 뜯을 정도로 멍청하다는 사실도 알게 됐다. 그렇지만 다시 수술을 하게 되면 레오가 과다출혈로 죽을 수도 있기 때문에, 수의사들은 함부로 위험을 무릅쓰려 하지 않았다. 그래서 그들은 방법이 없다는 듯 어깨를 으쓱해 보이고는, 고환이 있던 자리에 테니스공만 한 구멍 하나를 남긴 채 레오를 나에게 보냈다.

레오가 여전히 목 깔대기를 떼어낼 줄 알았기 때문에, 이 구멍이 아무는 2주 동안 우리는 낮에는 레오를 세심하게 감시했고, 밤에는 뒷베란다에 세워진 두 개의 들보 사이에 가죽끈을 둘러 쳐 방책을 만들어 보호했다. 레오를 붙잡아둘 만큼 튼튼한 물건으로 주변에 이 방책만 한 것이 없었다. 이 지역에는 들개, 코요테, 퓨마들이 돌아다니기 때문에 — 이 동물들은 다들 멀리서도 피 냄새를 맡고 우리 집

울타리를 가뿐하게 뛰어 넘어올 수 있다 — 나는 레오를 지키기 위해 매일 밤 무거운 삽 한 자루를 옆에 세워놓고 뒷베란다에서 잠을 잤다.

나라는 사람은 워낙에 아이라면 질색을 하고 걸음아 날 살려라 달아나는 판국이라, 유형성숙이라는 것에 대해 심드렁하게 여겼다. 더구나 레오는 처음부터 내 타입이 절대 아니었고, 밤마다 개를 지켜야 한다는 특수 임무는 내가 원하는 즐거운 밤 시간하고 거리가 멀었다. 그러나 무력한 생물에 대한 인간의 반응이란 본능적인 동시에 철저히 무의식적이다. 스위치를 탁 하고 올렸더니 감정이 폭포수처럼 쏟아져 내렸다. 연민은 공감이 됐고, 한번 공감이 형성되면 언제나 그렇듯이 더 이상 애정을 끊기 어렵다. 잠깐 사이에 나는 레오에게 엄청난 애정을 갖게 되었다.

내 첫 번째 구호 활동은 완벽하게 성공했다. 조이가 보호소 방문을 언급한 이후로 줄곧 따라다니던 두려움도 저만치 사라졌다. 오래지 않아 레오는 살도 좀 붙었고 껍질에서 깨어 조금씩 마음을 열기 시작했다. 처음에 비해 엄청난 차이를 보인 것이다. 처음엔 제대로 걷기조차 힘들었지만 곧 통제하기 힘들 정도로 빨빨거리며 돌아다니기 시작했다. 몇 주의 시간이 흘러 그는 입양될 준비가 되었다. 분명 그에게 상당한 변화가 일어난 것 같았다.

레오를 보호소에서 데리고 나온 지 한 달째 되는 날을 기념하기 위해 시내에 가서 레오에게 줄 뼈다귀 하나를 사서 나오는데, 불현듯 짙은 밤색 핏불테리어가 생각났다. 내친 김에 차를 몰고 그 개가 잘 있는지 보러 가기로 마음먹었다. 그런데 보호소에 도착했을 때 그는 보이지 않았고, 그가 있던 우리에는 나이 먹은 사냥개 한 마리가 자리를 차지하고 있었다. 나는 안내 데스크에 가서 그가 입양됐는지 물어보았다. 그러자 안내원의 안색이 아주 조금 어두워졌고, 나는 즉시 내막을 알 것 같았다. 그는 안락사로 세상을 마감한 것이다. 우리 인간의 개인적인 집착 때문에, 보호소의 부족한 공간 때문에, 나로서는 더 이상 도무지 이해할 수 없는 그 모든 일련의 이유들 때문에, 그는 안락사를 당했다.

"핏불테리어를 입양하려는 사람은 아무도 없어요." 안내원은 말했다. 마치 이 한마디로 모든 걸 완벽하게 해명할 수 있다는 듯이.

3

이타적인 개

그리고 어쩌면 애초부터 당신은
비를 맞을 권리가 없었는지도 몰라요.

– 앨런 퍼스트(Alan Furst)

솔티는 체중이 1.3킬로그램밖에 나가지 않는 작은 치와와다. 잘생긴 금발이지만 오랜 정신적 외상으로 인해 늘 나사 하나가 빠진 것처럼 멍한 이 개는, 영화 〈왕이 되려던 사나이〉의 결말 부분에서 거의 만신창이가 다 된 마이클 케인과 별반 다르지 않았다. 솔티가 어쩌다 이 에스파놀라 보호소에 버려지게 됐는지는 아무도 모르지만, 아무튼 조이는 이곳에서 솔티를 만났다. 솔티가 차츰 외상에서 벗어나자 꽤 근사하게 변해서, 조이는 이 정도면 그에게 집을 찾아주는 일도 크게 힘들지 않겠다고 생각했다. 그런데 수의사들이 솔티가 심장 사상충에 감염된 걸 발견했다. 이 병은 치료를 받지 않으면 백이면 백 죽게 되지만, 비소를 이용한 치료법은 거의 죽을 만큼 고통스럽다. 심장의 기생충을 죽이려다가 자칫 혈류가 막힐 수도 있다. 혈액순환 쇼크로 인한 사망을 예방하려면 소량의 약물을 장기간 지속적으로 — 보통 6개월에서 1년 동안 — 복용해야 하는데, 그렇게 해도 살아날 가능성은 거의 희박하다. 심장박동을 낮게 유지하고 개를 항상 차분하게 만드는 것이 생존 비결이지만, 사실상 일 년은 꽤 긴 시간이어서 이 정도 노력을 기울일 만큼 인내심 있는 사람은 좀처럼 찾기 힘들뿐더러 그에 필요한 공간을 확보한 보호소 역시 거의 없는 실정이다. 따라서 심장 사상충에 감염됐다는 건 대체로 안락사를 시켜야 한다는 의미로 통한다.

당연히 조이는 노력해보길 원했다. 나는 별로 자신이 없었다. 우리는 여덟 마리의 개를 데리고 뉴멕시코에 도착했다. 그러다가 스쿼트가 합류해 아홉 마리가 됐다. 레오가 와서 열 마리가 됐다. 10은 우리가 서로 동의하에 정한 한계 수였다. 조이는 나에게 이 한계를 넘지 않도록 책임지고 관리하게 했다. 멕시코에서 쫄딱 망한 후, 조이는 개를 받아들이는 문제는 내가 맡는 것이 좋겠다고 생각했다. 멕시코에 있을 때 어려움에 처한 개들을 외면하기가 몹시 힘들었던 것이다. 그런데 문제는 보호소를 다녀온 다음부터 나도 조이와 의견이 같아지기 시작했다는 데 있었다. 얼만 안 있어 우리는 열한 마리, 그다음 열두 마리를 수용하게 됐고, 곧이어 친구들은 "이번 주엔 몇 마리냐?"라고 물으며 재미있어했다. 아니나 다를까 금세 열세 마리가 됐고, 어느 순간 펫코(Petco, 애견용품 전문 쇼핑몰) 통로 한가운데에 서서 이렇게 어마어마한 양의 개 사료를 구입하는 것이 과연 정상인지 의아해하는 내 모습을 발견했다.

아마도 한참을 통로에 서 있었던 모양이다. 매니저가 두 번이나 나에게 다가왔다. 파란색 유니폼에 '밥Bob'이라는 이름이 새겨진 이름표를 단 어떤 남자는 세 번이나 내 앞을 왔다 갔다 했다. 그러더니 둘이 동시에 나에게 다가와 도움이 필요하냐고 물어보았다.

"그러기엔 좀 늦은 감이 있는 것 같군요." 나는 이렇게 말했다.

마침 그때 휴대전화가 울렸고, 나는 전화기를 귀에 댄 채 그들의 물음에 답했다. 밥과 매니저는 짜증스런 표정이었다. 나는 그들에게 이제 막 개 사료 5백 달러어치를 사려던 참이었다고 말한 다음, 전화를 받아야 한다는 걸 보여주기 위해 전화기를 높이 들어올렸다. "먼저 제 상담치료사와 통화부터 하고요."

그러자 밥과 매니저가 자리를 떴다. 나는 전화기를 귀에 가져다 댔다. 친구 조 도넬리가 믿기지 않는다는 투로 말했다.

"개 사룟값이 5백 달러라고?"

"어, 뭐, 그렇지."

"한 번에 드는 비용이?"

"이번 달엔 그렇고, 다음 달엔 또 몇 마리를 키우게 될지 모르겠어."

그런 다음 나는 솔티에 대해 그리고 이런저런 내 걱정들에 대해 이야기했고, 다음 날 아침이면 보호소에서 솔티를 안락사시킬 거다, 그래서 빨리 마음의 결정을 내려야 한다고 말했다.

"열 마리가 한계라고 하지 않았어?" 그가 물었다.

"어, 뭐, 그랬지."

"경제적으로나 정신적으로 가능하겠어?"

"둘 다 별로 가능하진 않지."

"그럼 이제 솔티가 열네 마리째가 되는 거야?"

"어, 뭐, 그렇겠지."

"그런데 왜 너까지 이러는 거냐?"

나는 그의 물음에 아무런 답을 하지 못했다. 하고 싶은 말이야 수백 수천 개도 더 됐다. 하지만 말해봤자 한 마디 한 마디가 얼마나 어처구니없이 들리겠는가. 그렇지만 나에게 아합을 소개하고, 나중에 조이를 소개한 장본인은 다름 아닌 조였다. 나는 조에게 무슨 말이든 설명을 해야 할 것 같았다.

"나, 조이를 사랑하게 됐어." 내가 말했다. "그런데 조이의 상황이 지금 말도 못 하게 나빠졌어."

나는 펫코 주차장에서 조이에게 전화를 걸어, 동물보호소로 차를 몰고 가서 솔티를 입양해 오라고 말했다. 조이는 탄성을 터뜨렸다. 나는 웃음을 터뜨렸다. 하지만 전화를 끊자 조의 질문, 혹은 조의 질문과 비슷한 종류의 질문이 다시금 번뜩 떠올랐다. 내가 궁금한 건, 내가 왜 이 일을 자처하려 하는가, 하는 것이 아니었다. 내가 알고 싶은 건, 도대체 왜 조이는 이런 일에 팔을 걷어 부치려는 것일까, 하는 것이었다.

개를 새로 데리고 올 때마다 조이는 늘 무수한 걱정들 속에 파묻힌다. 개들에게 정서적으로나 생리적으로 문제가 생기면 — 우리가 데리고 온 개들은 하나같이 이런 문제들을 안고 있다 — 조이는 문제의 개가 회복될 때까지 잠시도 쉴 수가 없다. 조이의 관심은 온통 그 개에만 집중되고 자신의 건강과 행복은 완전히 뒷전이 되고 만다. 대체로 이런 기간이 한 달 정도, 때로는 두 달까지 지속된다. 하지만 솔티의 경우, 간신히 생명을 유지시키기 위해 주의 깊게 지켜보는 데에만 꼬박 일 년이라는 시간이 필요했고, 그 일 년 동안 어느 것 하나 쉬운 일이 없을 터였다. 나는 주차장에서 문득 깨달았다. 조이는 그걸 다 알면서도 개 한 마리를 구할 기회가 생긴 것에 기쁘게 환호성을 터뜨렸다는 걸.

나는 천성적으로 호기심이 많은 데다 직업이 기자이기도 해서, 솔티에게 일 년이라는 시간을 고스란히 쏟아 바치는 조이의 열정과, 개 사료에 5백 달러를 선뜻 지불하는 내 의향에 대해 골똘히 생각하기 시작했다. 그리고 많은 기자들이 좀처럼 이해하기 힘든 문제에 부딪쳤을 때 주로 사용하는 방식을 똑같이 따라 했다. 즉 어마어마하게 방대한 정보를 찾아보는 것이다. 내가 머리를 싸매고 골몰한 주제는 이타주의였다. 조이는 자신의 대의를 위해 자신이 가진 모든 것을 내주었다. 도대체 조이는 왜 그런 행동을 했을까? 이타주의를 향한 이런 충동은 대체 어디에서 비롯되는 것일까? 이 근거는 생리학에서 찾아야 할까, 아니면 심리학이나 문화에서 찾아야 할까? 아니면 세 가지 모두에서 찾아야 할까? 영적인 측면도 생각해야 할까? 히브리어로 미츠바mitzvah는 '선행'이라는 의미와 '성스러운 계율'이라는 두 가지 의미를 지니며, 초대 기독교 신자들은 레위기의 성결법전 — 네 이웃을 네 몸처럼 사랑하라 — 을 신앙의 핵심 요소로 삼았다. 이것이 동물에게도 확대될 수 있을까? 더욱더 근본적으로 들어가, 이런 종교적인 규율들은 유전학적으로 내재된 욕구를 고취하기 위해 쓰인 것일까, 혹은 인간에게 절실하게 필요했던 도덕적 선을 구현하기 위해 쓰인 것일까?

나는 즉시, 이와 비슷한 문제를 고민했던 많은 사람들을 찾아냈다. 이타주의에 처음으로 관심을 가진 철학자는 그리스철학자들로서, 그들은 이타주의를 조금 다르게 생각했다. 플라톤은 《국가*The Republic*》에서 "인간은 대상에게 좋은 것이 자기 자신에게도 좋다고 믿을 수 있을 때 그것을 가장 사랑한다"라고 주장했으며, 아리스토텔레스에서 마르쿠스 아우렐리우스에 이르기까지 모든 철학자들이 이 주장에 동의했다. 에픽테토스는 훨씬 강경한 입장을 취했다. "서로 어루만지며 장난치는 작은 개들을 본 적이 있는가? 아마도 당신들은 이만한 우정이 없다고 말할 테지. 그러나 우정이 무엇인지 알고 싶다면, 그들에게 살코기 한 점을 던져보면 곧 알게 될 것이다."

이처럼 이기주의를 주장하는 초기 철학자들과 이타주의를 주장하는 초기 신지론자들 사이에 벌어진 옥신각신한 공방은 이후 격렬한 논쟁의 시발점이 되었다. 17세기 초 토마스 아퀴나스는 인간의 이기적인 충동은 언제나 신의 계율 앞에 무릎을 꿇는다고 주장함으로써 대중을 설득하려 했다. 19세기에 존 스튜어트 밀은 이기주의와 이타주의의 차이는 신에 대한 의무에서 비롯되는 것이 아니라, 오히려 훌륭한 가르침의 승리라고 생각했다. "왜 나는 보편적인 행복을 추구하려 하는가? 나 자신의 행복이 내가 아닌 다른 것에 놓여 있다면, 왜 나는 그 다른 것을 더 선호하지 않는가?" 그는 자신의 저서 《공리주의》에서 이 같은 물음을 던지고, 나중에 다음과 같이 답했다. "교육의 증진에 의해, 같은 인간들끼리 화합하고자 하는 의향이 우리의 내면 깊숙이 뿌리박히게 … 될 것이다." 20세기에 접어들어 니체는 《이 사람을 보라*Ecce Homo*》에서 이런 모든 주장이 말도 안 되는 헛소리라고 외쳤다. "도덕은 … 정신적인 모든 것을 처음부터 끝까지 왜곡시켜왔다. 도덕은 모든 것의 사기를 꺾어, 사랑은 '이타적'이어야 한다느니 하는 완전히 터무니없는 생각에까지 이르게 했다."

니체는 생물학의 도움을 받지 않고 이 문제를 숙고한 마지막 철학자로서, 이제 찰스 다윈이 이 토론에 합류했다. 다윈은 그의 저서 《인간의 유래*The Descent of Man*》에서, 도덕의 차원을 넘어서서 진화의 관점으로 이타주의를 연구했다. 다윈은 이것을 전문가들이 밀어붙이는 생물학적 계층의 자연선택 현상 어디쯤에 있는 문제로 간주했다. 생물의 선택은 다중 계층에 영향을 미쳤을까, 아니면 유독 한 계층에만 두드러지게 나타나는 현상이었을까? 각각의 개체가 전체에 유리한 영향을 미쳤을까 혹은 그 반대일까? 각각의 개체가 전체 생태계 수준에 영향을 미칠 수 있을까? 자연선택이 오로지 개별적인 수준에서만 작동한다면 이타주의는 발달할 수 없을 거라고 다윈은 추론했다. "많은 미개인들이 그래왔듯이 동료를 배신하기보다 기꺼이 자신의 생명을 바친 사람은 대개 자신의 숭고한 본성을 물려줄 자손을 남기지 못할 것이다." 이타주의는 집단 수준에서 이해하는 것이 타당하다. "높은 도덕 수준은 같은 집단에 속한 다른 사람들에 비해 각각의 개인과 그 자손들에게 아주 미미한 이점을 주거나 아무런 이점을 주지 못할지 모른다. … 그렇지만 도덕 수준의 발달은 분명 다른 집단들에 비해 한 집단에게 훨씬 큰 이점을 제공할 것이다. … 언제나 기꺼이 서로를 돕고 공동의 이익을 위해 자신을 희생하는 [집단은] 대부분의 다른 집단에 대해 승리를 거둘 것이며, 이런 식으로 자연선택이 이루어질 것이다."

이런 생각은 **집단 선택**group selection이라는 이론으로 발전했으며, 이 이론은 이후 수백 년 동안 확고하게 지켜져왔다. 그러다 1960년대에 진화생물학에 수학적 모형들이 도입되면서 이 이론은 빠르게 자취를 감추었다. 과학자들이 이타주의를 모형화하기 시작하자 무임 승객들이 문제가 된 것이다. 《스탠퍼드 철학 백과사전*Stanford Encyclopedia of Philosophy*》에는 다음과 같은 내용이 있다.

> 이타주의가 집단 수준에서 이익이 되기는 하지만, 어떤 집단 내의 이타주의자들은 이타주의적인 행동과 거리가 먼 이기적인 '무임승차자'에 의해 부당하게 이용당하기 쉽다. 이런 무임승차자들은 확실히 적응도(fitness, 생존과 번식 능력을 측정하는 척도로 자연선택에 대한 개체의 유리함과 불리함의 정도를 나타낸다) 측면에서 이점을 갖게 될 것이며, 다른 이들의 이타주의로부터 혜택을 받으면서도 자신은 조금도 대가를 치르지 않는다. 그러므로 한 집단이 오로지 이타주의자들로만 구성되어 모두가 서로에게 친절하게 행동한다 할지라도, 단 한 명의 이기적인 돌연변이만으로 이 행복하고 목가적인 풍경은 막을

내리게 된다. 이렇게 한 집단 안에서 비교적 높은 적응도를 지닌 덕분에, 이 이기적인 돌연변이는 이타주의자들보다 더 많은 번식을 하게 되며, 따라서 이기주의는 결국 이타주의를 침몰시키게 될 것이다. 그리고 각 유기체의 세대 기간(generation time, 한 생물이 태어날 때부터 첫 자손을 낳을 때까지의 연령과 자손을 마지막으로 낳을 때까지의 연령의 산술 평균치)이 집단의 세대 기간보다 훨씬 짧을 터이므로, 이 논거에 따르면 이기적인 돌연변이가 발생해서 확산될 가능성은 매우 높다.

1976년, 옥스퍼드 대학교의 진화생물학자인 리처드 도킨스Richard Dawkins는 그의 저서 《이기적 유전자*The Selfish Gene*》에서 어떤 수준의 진화가 일어났는지는 전혀 중요하지 않다고 주장함으로써 이 문제를 더욱 간단하게 정리했다. 즉 유전자는 '기본적인 자연선택의 단위'이며 유전자의 유일한 기능은 본질적으로 자기 복제이므로, 그 집단 수준에 적용되는 모든 선택압(selection pressure, 집단 내의 선택에 의해 유전자군의 상대빈도가 변하는 경우 개개의 유전자에 작용하는 선택의 강도)이 개체적인 수준에서는 완전히 무효화될 것이다. 이타주의는 **친족 선택**〔우리는 우리와 밀접하게 관련이 있는 사람을 돕는다〕 혹은 **상호적 이타주의**〔우리는 우리를 돕는 사람을 돕는다〕로 변질되었고 세계는 더욱 잔인한 장소가 되었다.

다윈의 견해가 오늘날에도 여전히 지배적인 위치를 차지하고 있지만, 개 구호 활동 혹은 엄밀히 말해 종을 뛰어넘는 이타주의라고 하는 것은 이기적 유전자로 쉽게 설명될 수 없다. 개는 우리 인간과 같은 종이 아니므로, 친족 선택은 해당 사항에서 바로 제외된다. 한편 상호적 이타주의는 완전히 다른 벽에 부딪친다. 기본적인 선택 단위가 유전자이기 때문에, 상호적 이타주의의 토대는 우리를 돕는 사람을 돕는 게 아니라, 우리의 유전자를 전달하도록 돕는 사람을 돕는 게 되는 것이다. 그러나 구호자들이 동물을 위해 아무리 열심히 활동한다 해도, 동물들이 구호자 각자의 유전자를 전달하도록 도움을 주지는 못할 것이다.

다른 종들 간의 이타주의에 대해 숙고해온 소수의 연구원들은 이 문제의 답을 찾기 위해 '평판 모형reputation model'을 주장한다. 평판 모형이란 동물들에게 친절하게 대하는 사람은 그가 속한 공동체의 평판을 높이게 되고, 이렇게 향상된 평판은 생존에 이롭다는 개념이다. 하지만 안타깝게도 내가 아는 사람 가운데에는 내 수입의 어마어마한 부분을 개들에게 할애하는 것에 대해 그거 참 좋은 생각이라며 찬성하는 사람이 아무도 없었다. 뿐만 아니라 동물 거주지역 규제법이라든지 가구당 애완동물 마리 수 제한으로 인해 대부분의 구호자들은 인구밀도가 낮은 지역에 살고 있어서, 뭐 자기가 원하는 만큼 평판을 높일 수 있을지는 몰라도 그걸 알아줄 사람이 주변에 아무도 없다.

이걸로 끝이다. 이것이 과학이 밝힌 입장의 전부다. 이 문제에 대해 우리가 생각할 수 있는 최선의 범위는 여기까지다. 동물 구호가 작은 운동에 지나지 않는다면 이 정도로 끝이라고 해서 그렇게 당황할 필요가 없을 테지만, 미국 동물학대방지협회가 실시한 2002년과 2003년의 조사에 따르면 동물보호 단체가 만 개에 이르는 것으로 밝혀졌으며, '동물을 인도적으로 사랑하는 사람들People for the Ethical Treatment of Animals'에 따르면 이후 1만 2천 개를 넘어섰다. 그 가운데 일부는 조이와 내가 시작했던 것처럼 소규모로 운영되고 있지만 대부분은 규모가 상당히 크다. 3천여 개의 단체가 동물들을 수용하기 위한 별도의 건물을 소유하고 있다. 150개의 사설보호소와 3백 개의 공립보호소의 운영 예산이 백만 달러를 초과한다. 미국인들은 동물 옹호와 보호를 위해 연간 총 25억 달러를 쓴다. 이 조사가 말하고자 하는 바를 한마디로 요약하면, 도대체 왜들 이렇게 하는지 아직 아무도 파악하지 못하고 있다는 것이다.

6월 말 늦은 오후. 장마철이라 밖은 어두컴컴한 하늘에 우르릉 쾅쾅 천둥이 치고 억수같이 비가 내린다. 나는 집 안에서 아늑하게 소파에 누워 개들 밑에 푹 파묻혀 있다. 내 몸은 소파 위에 길게 쭉 뻗어 있다. 아합은 내 벨트 버클에 머리를 얹고 내 다리 사이에서 잠을 잔다. 파라는 내 가슴 위에, 휴고는 내 다리 위에 엎드려 있다. 다그마와 스쿼트는 내 머리 밑에 놓인 베개에 자리를 잡았는데, 다그마는 내 오른쪽 어깨에 몸을 척 걸치고 스쿼트는 내 왼쪽 어깨에 바싹 붙어 있다. 한편 레오는 내 옆구리와 소파 등받이 사이에 몸을 쑤셔 박고는 내 다리 위에 녀석의 뒷다리를 올려놓는다. 위에서 보면 우리는 꼭 털로 뒤덮인 나무블록 더미 같고, 아래에서 보면 나는 옴짝달싹하기 힘들어 보인다.

아참, 오티스가 빠졌다. 우리의 1호 거주자이자 까칠한 대장께서는 지금 소파 옆 베개 위에서 코를 골며 주무시고 계신다. 오티스를 깨우는 건 별로 어렵지 않다. 오티스가 낮잠을 자려고 할 때 그의 시야 범위 안에서 재채기를 하거나, 기침을 하거나, 심지어 어슬렁거리기만 해도 그는 버럭 화를 낼 테니까. 오티스가 가장 괴로워하는 건 다른 개가 자기를 건드리는 것이다. 오티스가 정신이 말똥말똥할 때

유일하게 접촉이 허락된 개는 휴고뿐이며, 그나마도 그의 엉덩이를 핥는 것만 가능하다. 하지만 오티스가 자고 있을 땐 아주 살짝 스치기만 해도 대역죄가 될 수 있다.

이들 모두가 조금씩 내 속을 태우고 있다. 우리는 너무 짧은 시간 동안 너무 많은 개들을 추가한 바람에 새로 식구가 된 개들이 기존의 식구들과 손발이 척척 맞으려면 아직 한참 멀었다. 다그마와 스쿼트는 몇 주째 계속 서로 쳐다보며 으르렁댔는데, 요즘 들어 몇 센티미터씩 떨어져서 내 얼굴 양쪽에 각각 발을 걸치고 엎드려 있는 걸 보면, 이것이 기도의 응답인가 싶다가도 살짝 불안불안하다. 아합은 내가 레오에게 주의를 기울이면 질투를 하고, 파라는 아합과 레오를 모두 무서워한다. 레오가 움직이지 않으면 만사가 무사 평온하지만, 그가 천둥소리를 무서워하는 게 문제다. 천둥소리만 났다 하면, 레오는 갑자기 분주하게 몸을 움직이고 파라는 온 집 안을 방방 뛰다가 이내 아합 위로 넘어졌다 오티스 쪽으로 자빠진다. 그리고 나는, 흐음, 이달에 동물병원에 갖다 바친 돈만 해도 벌써 예산이 훨씬 초과된 상태다.

이유는 기젯 때문이다. 기젯은 지금까지 팔팔하게 건강해본 적이 한 번도 없는데, 5월 초에는 사지의 통제력을 완전히 잃고 발작을 일으키기 시작했다. 대부분 길어야 10초 내지 20초 정도 지속됐고, 조금 겁이 나긴 하지만 금세 끝이 났다. 이따금 발작이 더 오래 지속될 때도 있었다. 상태가 가장 심각했을 땐 20분가량 지속되기도 했는데, 그러는 동안 기젯의 몸은 요란하게 경련을 일으켰고, 눈동자는 머리 뒤로 돌아갔으며, 입에서는 누런 거품이 뿜어져 나왔다. 우리는 기젯을 데리고 대여섯 차례 박사를 찾아갔지만, 간질은 종종 옴을 동반했으며 박사가 해줄 수 있는 방법은 별로 없었다. 대신 조이는 가슴팍에 주머니를 매달아 캥거루처럼 기젯을 데리고 다니기 시작했다. 이렇게 하면 심장박동 소리로 인해 개들의 마음이 진정된다는 것도 어느 정도 이유가 됐지만, 가장 큰 이유는 기젯이 혼자 죽음을 맞는 걸 조이가 원치 않는다는 데 있었다.

이유야 어떻든 주머니는 기적 같은 효과를 낳았다. 6월 첫째 주 무렵에 기젯은 비틀거리며 걸을 수 있었고, 둘째 주 무렵엔 뛰기도 했다. 제법 빠른 속도로 뒤뚱거리는 수준이었지만 말이다. 그러나 불행히도 신체적으로는 회복되고 있었지만, 애초에 우리에게 왔을 때부터 정신적으로 상당히 고장이 난 상태인 데다 장기간의 발작으로 인해 뇌가 더욱 심각하게 손상되었다. 기젯이 처음으로 뒤뚱거리며 걸을 때 우리는 녀석이 사회적 신호를 인지하는 능력이 거의 없으며, 길들여진 동물들에게 내리는 지시를 전혀 알아차리지 못한다는 걸 재빨리 파악했다. 지금으로서는 이런 지시조차 몹시 혼란스러운 마당이라, 체중이 겨우 1킬로그램이 될까 말까 한 몸집에 주변 분위기까지 긴장이 고조되어 있으면 기젯은 순식간에 혼란에 빠지고 말 것이다.

또 한 번 천둥소리가 울린다. 레오가 후다닥 몸을 움직이고, 파라가 온 집 안을 방방 뛰며, 내 시야 한쪽 구석에서 무언가가 허둥지둥 달아나는 것이 보인다. 소파에 꼼짝없이 붙잡혀 있는 이 자세에서 그것이 무엇인지 정확하게 알기는 어렵다. 어쩌면 기젯이 오티스를 향해 전속력으로 달리고 있는지도 모르지만, 에이, 설마, 세상에 그렇게 멍청한 개가 다 있으려고. 나는 확인차 서서히 고개를 돌린다. 세상에, 기젯은 천하에 없는 바보 멍청이임이 확인됐다.

기젯은 오티스를 향해 달려가는 것도 모자라서 이제는 아주 오티스의 넓적다리 위에 턱 하니 발을 올리고 있다. 이건 정말 말도 안 되는 광경이지만, 실제로 벌어지고 있는 일이다. 기젯 역시 천둥소리를 좋아하지 않는다. 폭풍이 불어오면 기젯은 대개 조이의 가슴팍에 달린 안전한 자신의 주머니에 꼭 달라붙어 있다. 조이의 주머니를 이용할 수 없을 땐 — 지금처럼 조이가 볼일을 보러 시내에 가고 없을 땐 — 기젯은 내 가슴 속에 폭 파고들어온다. 그런데 지금 파라가 그 자리를 차지한 바람에 기젯은 정신이 온통 혼란스러워진 나머지, 자신이 편안하게 있을 곳은 오티스 곁이라는 어처구니없는 결론을 내려버린 것이다.

"기젯." 내가 목소리를 낮추려 애쓰면서 쉿소리를 내며 말했다. 기젯은 내 목소리를 무시한 채 오티스의 넓적다리에서 궁둥이를 향해 올라가고 있다. 나는 좀 더 큰 소리로 다시 한 번 기젯을 불렀는데, 아뿔싸, 판단 착오다. 오티스가 번쩍 하고 눈을 뜬 것이다. 모든 포유동물은 화가 나면 동공이 축소되는 경향이 있으며, 지금 오티스의 동공은 검은자위밖에 보이지 않는다. 낮게 그르렁거리는 소리가 들리고 털이 삐죽 서는 것이 보인다. 다른 개들 같으면 이미 오래전에 부리나케 달아났으련만, 기젯은 여느 개가 아니다. 기젯은 신호를 알아보지 못하거나, 알아본다 해도 그게 무슨 의미인지 이해하지 못한다. 기젯은 한 발 한 발 걸음을 옮겨 마침내 오티스의 등 한가운데까지 올라가더니만, 마치 세상에서 가장 자연스러운 일이라는 듯 빙그르르 한 바퀴를 다 돈 다음 낮잠을 자려고 벌러덩 눕는다.

나는 기젯이 목숨을 부지한 건 녀석의 행동이 가히 충격적인 덕분이라고 생각한다. 오티스는 한 차례 그르렁거리더니 순간 크게 놀라는 기색이 역력하다. 그가 놀라는 모습은 정말 볼만하다. 마치 한 편의 만화 같다. 음, 그러니까, 나무 몽둥이로 공격을 받아 눈썹은 우스꽝스럽게 치켜 올라가고, 두 귀는 되는 대로 구부러졌으며, 두 눈은 머리 위로 툭 튀어나온 구피(Goofy, 디즈니 만화 캐릭터) 같다고나 할까. 그런데 오티스는 마치 머릿속으로 뭔가를 계획하고 그 계획을 충분히 검토한 듯, 잠시 후 눈썹이 차분히 가라앉는다. 나는 지금까지 개 한 마리가 이런 식의 연역적인 추론을 하는 걸 한 번도 본 적이 없지만, 오티스는 분명히 단편적인 사실들을 하나하나 연결해 뭔가 결론을 도출해내고 있다. 그러니까, 자기 등 위에 올라와 있는 걸 보니 기젯은 제정신이 아닌 게 틀림없고, 만일 기젯이 제정신이 아니라면 정상적인 규칙을 적용해봐야 소용이 없다는 결론을 내린 것이다. 따라서 오티스는 기젯을 공격하는 대신, 고개를 한 번 흔들고 크게 콧방귀를 뀌고 나서 다시 잠이 든다.

이후 몇 주가 지난 다음부터 모든 개들이 오티스가 이끄는 대로 따르기 시작했다. 기젯은 이제 아무 개한테나 올라가서 자는 것이 허락되었다. 어느 날은 레오의 등 위에서 자고, 또 어느 날은 스쿼트의 등 위에서 잤다. 아합은 털이 너무 두껍고 또 몸이 금세 더워져서, 나는 — 그리고 오직 나만 — 한겨울에나 아합 옆에서 잘 수 있도록 허락되었다. 그런데 기젯이 오티스의 등 위에 올라간 지 일주일 뒤, 그러니까 아주 무더운 한여름에, 나는 거실로 들어가다가 기젯이 아합의 등 위에 자리를 잡고 천연덕스럽게 누워 있는 모습을 발견했다.

어쨌든 이렇게 해서 공동의 결정이 내려졌다. 즉 기젯은 제정신이 아니다, 따라서 측은한 마음으로 대해야 한다, 라고. 이 결정은 개들의 무리 사이에 퍼졌고 무리를 결속시켜주었다. 그때까지 우리 개들은 대부분 서로를 낯설어했다. 모두가 하나같이 좋지 않은 과거와 세상에 그 무엇도 신뢰하지 못한다는 문제를 안고 있었으며, 모호한 규칙들이 난무한 소설 같은 세계 속으로 내동댕이쳐진 경험이 있었다. 그래서 우리는 개들에게 잡다하게 여러 규칙들을 부과하지 않았다.

조이는 개 구호 활동의 비결은 개들을 개답게 내버려두고 그렇게 되도록 개들을 사랑하는 것이라고 믿었다. 나는 조이를 믿었다. 우리의 방식은 개들이 알아서 결정할 수 있도록 하는 것이었다. 그해 여름, 개들은 꽤 흥미로운 결정을 내렸다.

우리 침대는 우리 집에서 가장 탐나는 장소다. 개들은 이곳을 자기네 굴인 양 취급하고, 이 굴을 차지하는 개들은 절대로 다른 개를 밟고 지나다녀서는 안 된다는 하나의 규칙을 반드시 지켜야 한다. 이 규칙은 안전을 위한 기본적인 배려로서 — 개들이 자칫 짜부라질 수 있으므로 — 습관으로 깊이 뿌리박혀 있다. 기젯은 침대에서 가장 좋아하는 장소가 있는데, 조이의 목 안쪽 구부러진 부위에 편안하게 드러눕지 않으면 오만 짜증을 다 낸다. 하지만 워낙 몸집이 작다 보니 거기까지 올라가는 데 조금 시간이 걸린다. 그래서 기젯이 그곳에 도착할 무렵이면 대개 먼저 올라온 다른 개들이 자기가 임자라고 큰소리치기 일쑤다. 그러다 보니 기젯은 자기가 가장 좋아하는 장소까지 기어오르려면 다른 개들의 등을 밟고 오르는 수밖에 방법이 없다. 결과는 대체로 작은 폭동으로 이어진다. 기젯은 세게 두들겨 맞고, 물어뜯기고, 바닥에 내동댕이쳐진다. 하지만 오티스가 결정을 내린 다음부터 기젯은 다른 개들을 유유히 타 넘도록 허락되었고, 누구 하나 신음 소리조차 내는 이가 없었다.

더 큰 변화는 식사 시간에 일어났다. 열다섯 마리의 개들이 한꺼번에 식사를 하다 보니, 배식 시간은 언제나 복잡한 기하학적 배열이 필요했다. 일단 싸움을 예방하기 위해 몸집이 큰 개들은 각각 따로 떼어놓아야 했다. 즉 오티스는 욕실에, 아합은 앞뜰에, 레오는 뒤뜰에 배치했다. 다그마와 데이미언도 간식을 가지고 다투기 일쑤라, 다그마는 조이의 사무실로 데이미언은 침실로 보냈다. 나머지 치와와들은 주방과 거실 사이 공간에 군데군데 떼어놓았는데, 이렇게 해놓아도 평화를 유지하려면 끊임없이 순찰을 돌아야 했다. 그런데 기젯이 오티스의 등 위에 올라간 날로부터 몇 주 후, 조이는 기젯이 오티스의 앞발 사이에 놓인 뼈다귀 하나를 냉큼 빼앗는 걸 목격했다. 정말이지 믿기지 않는 대담한 성취가 아닐 수 없었다. 더 기가 막힌 일은 기젯이 뼈다귀를 가지고 가든 말든 오티스가 내버려두었다는 사실이다. 며칠 후 나는 기젯이 다그마의 입에 들어 있는 먹이를 빼앗는 걸 보았는데, 다그마도 기젯의 행동을 눈감아주었다. 이참에 우리는 위험한 실험을 해보기로 했다. 우리는 기존에 먹이를 주던 방식을 바꾸어 이러한 호의가 실제로 어디까지 확대될 수 있는지 보기로 했다. 나는 보초를 섰고, 조이는 개 사료를 닭 모이처럼 뒷베란다에 뿌렸다. 처음 바닥에 사료가 뿌려지는 순간엔 다들 어리둥절해서 제정신이 아니었는데 — 개들은 욕구를 공유하는 동물로 알려져 있지는 않다 — 분위기가 차츰 가라앉고 난 다음부터는 지금까지 죽 사이좋게 먹이를 나누어 먹는다. 모두가 식사를 시작했다. 어느 한 마리 그르렁거리지도 않았고 싸우지도 않았으며 아무런 문제도 없었다.

그리고 이 같은 감정이입을 바탕으로 한 모든 행동은 분명히 파급효과가 있었다. 이 시점부터 아프거나 늙거나 아니면 완전히 머리가 돈 개를 데리고 올 때면, 기존의 무리들은 기젯에게 그랬던 것과 마찬가지로 친절하고 예의 바르게 새 식구를 대했다. 새 식구들과 처음으로 갖는 식사 시간에도, 큰 개들이 기존의 개들과 이제 막 도착한 개들 — 신참 개들은 바닥에 마구 흩뜨려진 먹이를 먹는 방식에 익숙하지 않아 대개 처음 몇 번은 어리벙벙하기 마련이다 — 사이에 자리를 잡고 앉는 것을 목격할 수 있었다. 신참들이 충분히 먹을 수 있도록 배려하기 위해서였다. 심지어 숲을 산책하는 단순한 경우에도 그렀다. 산책을 할 때면 무리들은 산길을 따라 여기저기 흩어져서 가고 늙은 개들은 뒤처지게 되는데, 오티스가 심경의 변화를 일으킨 다음부터는 젊은 개들이 나이 든 친구들이 잘 따라오나 확인하기 위해 수시로 뒤로 돌아오는 모습이 관찰되었다.

아픈 개를 보살피고 순한 개를 보호하며 나이 든 개를 지키는 것. 이것은 모두 이타주의적 행동의 실례들이다. 나는 인간에게서 이러한 행동의 뿌리를 찾으려고 한 달을 고생했지만 이렇다 할 해답을 찾지 못했다. 그런데 나중에 우리 개들한테서 그 뿌리를 발견하게 되자 적지 않게 당황스러웠다. 아주 최근까지도 과학자들은 이타주의가 인간만이 지니고 있는 유일한 영역이라고 믿었다. 전설적인 영장류 동물학자 프란스 드 발Frans de Waal은 1997년 그의 저서 《선한 본능: 인간과 동물의 옳고 그름에 대한 기원*Good-Natured: The Origins of Right and Wrong in Humans and Other Animals*》에서 한발 더 나아가, 인지적 공감 — 타인의 입장이 되는 능력으로 이타주의적 행동의 정신적 전조 — 은 잘하면 유인원 정도에게나 있을까 인간을 제외한 "다른 동물에게는 없을지 모른다"라고 주장했다.

이후 이 의견은 바뀌기 시작했지만, 그래봐야 아주 미미한 정도이며 바뀐 지도 불과 몇 년이 되지 않았다. 콜로라도 대학교의 인지동물행동학자 마크 베코프Marc Bekoff와 공동저자 제시카 피어스Jessica Pierce가 2003년 그들의 저서 《야생의 정의*Wild Justice*》에서 설명했듯이, 변화를 촉진시킬 수 있었던 것은 기존의 학설과 맞지 않는 데이터들이 쏟아져 나왔기 때문이었다.

코끼리 열한 마리가 콰줄루나탈 주(KwaZulu-Natal, 남아프리카공화국의 주)에서 포획된 영양 무리를 구조했다. 우두머리인 암컷 코끼리가 자신의 몸통을 이용해 울타리 출입구의 자물쇠들을 모두 끄르고는 문을 활짝 열어 젖혀 영양들이 달아날 수 있게 한 것이다. 우리에 갇힌 쥐는 자기가 먹이를 먹기 위해 지레를 밀면 다른 쥐가 전기 충격을 받는다는 사실을 알게 되자 지레를 밀려고 하지 않았다. 먹이를 얻으려면 구멍에 토큰을 집어넣어야 한다는 걸 학습한 수컷 다이애나 원숭이는, 요령을 모르는 암컷 원숭이에게 토큰을 넣으면 그 보상으로 먹이를 얻을 수 있다는 걸 알려주었다. 암컷 과일먹이 박쥐는 아무런 관련 없는 다른 암컷에게 효과적으로 매달리는 방법을 보여줌으로써 출산을 도왔다. 리비라는 이름의 고양이는 귀와 눈이 먼 늙은 개 캐슈를 친구로 두었는데, 이 친구를 데리고 다니면서 장애물을 피하게 도와주고 먹이 쪽으로 안내하기도 했다.

이 같은 새로운 정보에 대해 과학계는 매우 신중하게 반응하고 있다. 현재 많은 연구원들이 동물들의 윤리적인 행동이 과거에 추측했던 것보다 더욱 빈번하게 이루어지고 있는 게 아닐까 예상하고 있지만, 다른 한편 이런 사례들이 보편적인 행동 양식이 아니라 극히 이례적인 사건이라고 지적하는 연구원들도 있다. 하지만 조이와 내가 목격한 사건들은 전혀 이례적인 것이 아니었다. 우리는 도덕적 행위의 완벽한 변화를 두 눈으로 똑똑히 목격했다. 하긴 공통의 견해에 따르면, 우리가 목격한 장면이 적어도 보통 사람들이 매일 볼 수 있는 광경이 아니긴 하다.

그때가 내가 개 구호라는 모험에 뛰어든 지 6개월이 됐을 무렵이었는데, 나는 이런 광경에 크게 충격을 받았다. 당시만 해도 나는 흔히들 하는 오해를 굳게 고수하고 있었다. 그러니까, 인간은 실제로 동물을 이해한다, 아니 적어도 거의 이해한다, 우리가 모든 동물을 아주 잘 이해하지는 못한다 해도 개만큼은 확실하게 이해한다 등등. 그렇지만 개들의 도덕적인 능력만큼 직접적인 모습조차 알아보지 못하면서, 개들과 동고동락한다느니 개들과 끈끈한 관계를 유지하며 살고 있다느니 말할 수 있을까? 이 문제는 나를 괴롭게 만들었다. 인간의 편리한 식량 공급과 기본적인 의복 소재, 그리고 분명 한때는 동물들의 거주지였던 인간의 전체 거주지 등 사실상 현대 생활의 거의 대부분이 동물들의 덕택이라 해도 과언이 아닌데, 우리는 인간이 특별한 종이므로 이 모든 것들을 누릴 자격이 있다고 생각한다. 우리는 인간의 특별함을 뒷받침할 무수한 근거를 가지고 있고, 그 가운데 '인간들만이 진정한 도덕적 행위를 드러낼 수 있는 유일한 종'이라는 사실을 가장 우위에 두고 있으며, 이타주의는 모든 도덕적 행위의 정점이라고 간주하고 있다. 그러나 인간의 이타적 행동에 대해 충분히 이해하지 못하고, 다른 동물의 이타적 행위에 대해서는 전혀 아는 바가 없으면서, 이 모든 것을 어떻게 그토록 확신할 수 있는가?

아, 정말이지 이 문제는 나를 이만저만 괴롭히는 게 아니었다.

7월 초, 나는 기사를 쓰기 위해 햇볕과 별의 도시 로스앤젤레스로 돌아갔다. 로스앤젤레스를 떠나온 지 석 달이 된 데다, 개들로부터 해방된다는 사실에 나는 한껏 들떠 있었다. 아, 이제 좀 조용한 시간을 즐길 수 있겠네, 단 며칠만이라도 혼자 침대를 독차지하며 편안한 밤을 보낼 수 있을 거야, 열두 명의 룸메이트들과 입으로 들어가는지 코로 들어가는지도 모르게 밥을 먹지 않아도 되고 말이야. 어쩌면 시기도 이렇게 안성맞춤인지. 마침 친구 한 명이 이제 막 아기를 낳은 터라, 나는 닷새 동안 열심히 기사를 쓰고 하루는 친구의 아기를 보러 가기로 계획했다. 그래, 이만하면 아주 완벽한 계획이었다.

그런데 개들이 문제였다. 나는 휴식을 간절히 바랐다는 사실도 까맣게 잊은 채, 비행기가 아직 앨버커키를 벗어나기도 전에 벌써부터 개들이 너무너무 보고 싶어졌다. 로스앤젤레스에 도착했을 즈음엔 가슴 한구석에 송곳으로 작은 구멍이 뚫린 것만 같았다. 예상치 못한 감정에 나보다 더 놀란 사람은 없었으며 이런 기분은 점차 심해졌다. 그날 저녁, 옛 친구들과 밖에서 저녁을 먹는 동안에도 이 기분은 잠잠해질 줄 몰랐고, 오히려 고등학교를 졸업하면서 같이 날려버린 줄 알았던 침통함 — 이를테면 '내가 평생 혼자 살다 늙어 죽을 거라는 거 나도 알아, 그래, 나 같은 애가 무슨 재주로 여자를 사귀겠어, 이렇게 머리카락도 괴상망측하고 야구공 하나 제대로 잡을 줄 모르는데, 어쨌든 이 세상에 날 좋아해줄 사람은 아무도 없을 거야, 그래 좋아, 시스터즈 오브 머시가 부르는 〈디스 커로전〉을 연달아 삼백 번을 다 듣고 나면 스스로 목숨을 끊고 말 테야'라는 식의 우울한 기분 속으로 자꾸만 빠져들었다. 다음 날, 기분은 더 최악이었다.

단지 외로움만이 아니었다. 위험에 노출되어 있다는 불안감, 일종의 나약함이 더해졌다. 지난 석 달 동안, 나는 내 패거리들 없이는 아무 데도 간 적이 없었다. 물론 내 패거리들은 대부분 절름발이 치와와들이었지만, 절름발이 치와와가 얼마나 사나운지 알면 아마 깜짝 놀랄 거다. 실제로 개들은 내 감각의 연장선이 되어주었다. 나는 더 이상 위험을 살필 필요가 없었다. 그저 개들이 짖는 소리만 잘 들으면 그만이었다. 개들은 청력이 발달했기 때문에, 보안 임무는 당연히 개들이 맡아야 할 몫이었다. 그리고 무엇보다도, 한 무리의 개들이 우르르 돌아다닐 때면 마치 영화 〈저수지의 개들〉의 한 장면을 연상시키면서 뭐라고 말할 수 없는 묘한 매력을 불러일으킨다는 점을 부인할 수 없다. 그러니까 패거리들 없이는 내 쿵푸 실력도 별 볼 일 없다는 사실, 내가 할 수 있는 말은 이게 전부다.

나는 이튿날 오전까지 로스앤젤레스에서 지내다가, 약간의 심리치료를 위해 두 건의 회의를 취소한 후, 렌터카의 방향을 돌려 이 지역에서 가장 가까운 곳에 위치한 개 공원으로 곧장 달렸다. 내가 찾아간 개 공원은 우연히도 아합과 자주 찾아가던 바로 그 공원이었다. 공원에 도착했을 때 주위에 아는 사람은 아무도 없었지만, 다른 사람이 데리고 온 애완동물을 보는 것만으로도 마음이 진정됐다. 나는 이 애완동물들을 쓰다듬고 싶어 안달을 내며 — 그렇지만 너무 비굴하게 굴지는 않으려고 나름대로 애쓰며 — 몇 시간을 보내다가, 또 우연히 내 친구와 친구의 핏불테리어들을 만났다. 우와, 아는 개들을 만나자 나는 그만 너무 행복한 나머지 당장 목이 메어왔고, 이후 시간들을 개들과 함께 보내고 싶어 두어 건의 약속을 또 취소해버렸다.

하지만 개 공원을 나선 후로 좋지 않은 기분이 물밀듯 밀려들었다. 약간 멍한 것 같기도 하고 조금 허탈한 것 같기도 하고, 아무튼 평소하고 완전히 다른 기분이었다. 외로움은 그렇다 치더라도 도대체가 개들에 대한 걱정을 멈출 수가 없었다. 머릿속에서 별의별 시나리오가 만들어졌다. 지진이라도 나면 어쩌나, 혹시 토네이도가 덮치지는 않았겠지, 핵전쟁이 일어나는 건 아닐까 등등. 나는 한 시간에 세 번씩 조이에게 전화를 걸기 시작했다. 개들은 곤경에 처했는데 나 혼자 너무 멀리 있어서 도와줄 수 없는 꿈을 밤새도록 꾸었다. 불길한 증상이 틀림없었다. 다른 구호자들에게서… 그리고 우리 엄마에게서 이런 증상을 본 적이 있다. 나는 지금 과잉보호라는 난처한 상태에 빠져버린 것이다. 이것은 바로 극성엄마 증후군의 개 버전이었다.

그리고 이 상태는 내가 이제 그만 여행을 마쳐야 한다는 걸 의미했다. 더 이상 로스앤젤레스에 있고 싶지 않았다. 나는 다음 비행기로 뉴멕시코로 돌아왔다. 친구의 아기를 보지도 못했고, 기사를 작성해야 하는 임무도 마무리 짓지 못했다. 두 경우 모두 나에게는 아주 흔치 않은 일이었다. 친구의 아이를 보러 가지 않다니 이런 무례가 없었고, 미국 중서부 지역에서 성장한 사람으로서, 즉 '근면 성실 정직'이라는 자랑스러운 규범의 계승자로서 내 할 일을 내팽개친 적이 지금까지 단 한 번도 없었다. 이렇게 찜찜한 기분은 난생처음이었는데, 그렇지만 솔직히 말하면 이런 내 모습이 그렇게 놀랍지는 않았다.

개를 구조하는 일을 하다 보면 감정적으로 충돌을 경험할지 모른다고 늘 짐작은 하고 있었다. 인간과 개 사이에는 너무나 많은 역사가 있으며, 이 역사를 통해 상당히 많은 생물학이 만들어졌다. 그리고 그 근저에는 여러 해 동안 동물행동학자들을 괴롭혀온 문제가 있다. 즉, 인류는 인간의 가장 친한 친구로 삼기 위해 왜 하필이면 늑대를 선택했을까? 우리는 늑대와 어울리기 전에 무수한 다른 종들과도 어울렸건만, 굳이 그 다른 종들과는 깊은 관계를 맺으려 하지 않았다. 그래서 어떻게 되었는가? 우리의 선조들 가운데 누군가가 80킬로그램이 넘는 식인 동물을 쓱 훑어보다가, 침을 질질 흘리면서 송곳니를 드러내며 으르렁거리는 요 녀석이야말로 내 단짝 친구로 삼을 만한 녀석이로구나, 라고 생각이라도 했던 걸까? 아니면 우리 두 종이 찰떡궁합으로 잘 지낼 줄 본능적으로 알고 있었던 걸까? 그래 좋다. 본능적으로 알았다 치고, 그렇다면 왜 우리는 이 사실을 본능적으로 알게 되었을까?

이 해답에 대해서는 오랜 세월 추측만 난무했다. 고고학자들은 인간과 개가 같이 묻힌 묘지들을 발견했는데, 해골을 통해 연대를 측정한 결과 1만 4천 년 전으로 추정되었으며, 이로써 인간과 개의 동거 생활 시작 시기를 기원전 1만 2천 년으로 정했다. 이후 우리는 미토콘드리아 DNA 가닥이라고 하는, 모계로부터 전해 내려오는 일종의 유전적 정보를 발견한 덕분에 보다 심도 깊은 분석을 할 수 있었다. 미토콘드리아 DNA와 더불어 돌연변이 과정도 널리 알려졌으며, 덕분에 과학자들은 이들 돌연변이를 이용해 시간을 역추적한다. 가령 서로 다른 두 종에게 동일한 돌연변이가 나타난다면 이 두 종은 공통의 조상을 공유하고 있다고 볼 수 있으며, 이를 통해 연구원들은 공통의 조상이 살았던 연대를 추정할 수 있다.

1997년 UCLA의 생물학자 카를레스 빌라Carles Vilà는 이 방법을 이용해, 집에서 기르는 모든 개들은 과거 갯과 동물로 추정되는 잡다한 종류의 동물이 아닌, 늑대의 직계 후손임을 밝혔다. 늑대와 개의 분리는 개와 인간이 동거하면서부터 벌어진 직접적인 결과이므로, 빌라는 이 새로운 정보를 이용해 인간과 개가 얼마나 오랫동안 동거해왔는지 파악했다.

빌라는 인간과 개의 동거 생활이 부각된 시기를 마지막 빙하기가 끝날 무렵, 다시 말해 십만여 년 전으로 추정했다. 이 시기는 뇌가 작고 이마가 좁은 우리의 선조들이 기후 변화로 인해 아프리카 초원 지대를 벗어나 유라시아의 스텝 지대로 이동한 시기였다. 그리고 그곳에서 늑대를 발견했다. 그것도 아주아주 많은 수의 늑대들을.

늑대들은 유라시아에서 상위 포식자로서 엄청난 무리의 유제류(有蹄類, 말이나 소와 같이 발굽이 있는 포유류)와 맞먹을 정도였고, 빈 대학교의 동물학자 볼프강 슐라이트Wolfgang Schleidt가 이른바 최초의 '포유류 목축업자' — 다른 종을 몰고 지키는 최초의 종이라는 의미로 —

라고 부를 정도였으므로 우리의 조상들은 재빨리 이들의 목축 방법을 도입했다. 우리 조상들도 광활한 지역에 널리 분포되어 있는 수많은 유제류들을 쫓기 시작했다. 드넓은 땅 온 천지에 유제류들이 분포되어 있는 광경은 참으로 볼만했을 터이고, 누구보다 호기심 많은 늑대들은 틀림없이 이 광경을 보러 왔을 것이다. 그리고 곧이어 우리는 이 늑대들과 협력하여 함께 사냥에 나서고, 우리의 기술을 공유하고, 과거와 다른 방식으로 동맹 관계를 맺기 시작했다.

이 동맹 관계는 오랜 기간 우리 인간을 당황하게 만들었다. 우리는 이미 우리와 관련이 있는 수십 종의 다른 영장류 동물들과 인접해서 생활하고는 있었지만, 이 동물들과 공동생활을 하기 위해 어떤 방법을 모색해본다거나 한 적은 한 번도 없었으니까 말이다. 제인 구달은 다음과 같이 지적했다.

> 침팬지들은 개인주의자들이다. 야생에서 이들은 난폭하고 경박하다. 이들은 상대보다 우위에 오르기 위해 호시탐탐 기회를 노린다. 이들은 군생 동물이 아니다. 무리 안에서 생활하는 늑대들의 경우, 서로 코를 비비고, 만나면 반갑다고 꼬리를 흔들고, 새끼를 핥고 보호하는 등, 충성스런 모습과 더불어 우리가 개들에게서 볼 수 있는 모든 사랑스런 특징들을 지닌다. 한편 야생 침팬지들의 경우, 어미와 새끼 간의 사랑, 형제간의 유대를 확인할 수는 있지만, 다른 관계에서는 기회주의적인 경향을 보인다. … 수백 년에 걸친 선택 번식에도 불구하고, 인간들과 함께 생활할 수 있는 침팬지가 태어난다든지, 우리가 개들과 관계를 맺듯 침팬지들과 친밀한 관계를 맺는다는 것은 아예 불가능하지는 않더라도 매우 힘들 것이다.

슐라이트는 그의 논문 〈인간과 갯과 동물의 공진화Co-evolution of Humans and Canids〉에서 이 같은 친밀한 관계에 대해 다른 각도로 설명한다. "늑대들 사이에서 볼 수 있는 유대, 개와 인간 간의 유대에는 인간과 가장 가까운 영장류 동물과 우리 인간 사이에서 이루어지는 유대 관계를 넘어서는 무엇이 있다. 여기에서 우리는 **지능에 대해 이야기하는 것이 아니라**, 다소 시적이라고 할 수도 있는 **친절한 마음**과의 관계에 대해 이야기하고 있는 것이다." 이 동물들이 왜 이토록 끈끈한 유대 관계를 형성하는가도 당연히 생각해봐야 할 문제이지만, 그보다 먼저 어떻게 하면 우리가 이 같은 유대 관계를 배울 수 있을까 하는 문제부터 시작하는 것이 더 바람직하다.

인류의 조상이 처음 유라시아 스텝 지대에 도착했을 무렵, 우리 인류는 사회적으로는 — 다시 말해 정서적으로는 — 영장류와 매우 흡사했지만, 늑대를 더 좋아하게 되었다. 슐라이트는 이렇게 된 이유는 우리가 그저 늑대에게서 발견한 친절을 좋아했기 때문은 아닐 거라고 추측한다. 좀 더 정확히 말하면 우리에게 그러한 성격이 결핍되었기 때문에 늑대들의 친절을 좋아하게 됐을 거라는 것이다. 슐라이트가 말하고자 하는 요지는 우리가 지금의 모습을 갖추게 된 건, 우리가 과거 유라시아 스텝 지대의 낯설고 적대적인 땅과 맞서야 했던 매우 이기적인 동물이었기 때문이라는 거다. 늑대들은 스텝 지대의 상위 포식자였고, 우리는 그 자리를 공유하길 원했다. 따라서 우리는 늑대들의 전략을 받아들였고, 이러한 결정은 인류의 역사 과정을 변화시켰을 뿐만 아니라 어쩌면 인류 역사의 출발점이 되었을지도 모른다.

우리의 침팬지 조상에 대한 지능, 자기 인식, 장기적인 계획은 과학자들의 연구 결과를 통해 추적할 수 있다. 그러나 슐라이트가 〈유인원, 늑대, 그리고 인류를 향한 긴 여행Apes, Wolves, and the Trek to Humanity〉에서 지적한 것처럼 인내심, 충성심, 협동심, 그리고 자신의 직계가족뿐 아니라 더 큰 사회집단을 향한 헌신과 같은 특징들은 유인원들에게 쉽게 찾아보기 어렵다. 그는 "우리가 자연계 안에서 인간의 도덕성과 가장 근접한 성격을 발견할 수 있는 대상은 바로 회색늑대*Cannis lupus*이다"라고 주장한다. 그리고 이어서 〈인간과 갯과 동물의 공진화〉에서 이 내용을 확장해 설명한다. "먹이를 공격하고, 혼자 힘으로는 너무 무거운 것들을 짊어지고, 자기 새끼뿐 아니라 다른 무리들에게도 식량을 공급하고, 새끼를 돌보는 등의 측면에서 드러나는 균형 잡힌 본능적 욕구들 외에도, 다양한 상황에서 발휘되는 늑대들의 협동 능력에 필적할 만한 대상은 오직 인간 사회뿐이다."

그렇다면 어떻게 해서 인류는 늑대와는 닮은 점이 더 많아지고 영장류와는 닮은 점이 더 적어지게 됐을까? 연구원들은 이에 대해 가장 설득력 있게 설명할 수 있는 특징은 유사성이라고 주장한다. 영장류와 달리 늑대와 인간은 유목 생활을 하고, 잡식성이며, 어느 정도 동일한 욕구 단계를 보이는 사회적 동물일 뿐 아니라, 나아가 행동 측면에서도 공통된 특징을 공유한다. 이러한 요소들이 인간과 늑대가 점차 동업자 관계를 형성할 수 있는 공통된 기반이 되긴 했지만, 이 관계가 하루아침에 이루어진 건 아니었다.

도주 거리가 좁혀지기 전, 늑대와 인간의 초기 협력 관계는 서로 간에 지나친 접촉 없이 그저 같은 야영지를 공유하는 것에 그쳤다. 이 시기는 늑대들이 우리의 음식물 처리기(늑대들은 우리가 먹다 남긴 음식을 먹었다)이자 보안 요원(늑대들은 위험 요소가 감지되면 마구 짖었다)이 되어주던 시기였다. 이후 도주 거리가 사라지면서, 늑대는 우리가 잘 때 우리의 체온을 따뜻하게 유지시켜주는 뜨거운 물주머니가 되어주었다('세 마리 개의 밤three-dog night'이라는 말은 여기에서 유래되었는데, 침대의 온기를 유지하려면 세 마리의 개가 필요할 정도로 몹시 추운 밤을 의미한다). 진짜 변화는 지금부터다. 우리는 늑대와 함께 사냥을 시작하게 된 것이다. 늑대는 청각과 후각이 인간보다 더 발달해 추적자 역할을 담당했고, 우리는 다른 손가락들과 마주 보는 엄지 덕분에 도구를 사용할 수 있고 두 발로 설 수 있어 도살을 담당했다. 마지막으로, 우리는 늑대가 자기 새끼를 잘 돌볼 줄 안다는 사실을 발견하고는 늑대들에게 인간의 새끼를 맡기기 시작했다. 남자들이 사냥을 위해 집을 떠나면, 여자들은 여러 마리의 늑대들에게 연장자와 아이 들을 지키도록 맡기고 채집을 하러 다녔다. 그리고 이들 각각의 범주들이 음식, 거주, 안전이라는 기본적인 욕구 충족을 나타내는 만큼, 각각의 단계들은 진화의 압력을 촉진했다.

그 당시에도 지금처럼 다른 사람들보다 유독 동물과 친하게 지내는 사람들이 있었다. 우리가 늑대들과 어울리기 전까지 이 사람들은 어쩌면 사냥감을 추적하는 데에는 도움이 되었을지 몰라도 그 외에는 공동체 생활에 그다지 큰 역할을 담당하지 않았을 것이다. 그런데 일단 늑대와 동거를 시작하고부터 이들의 기술이 더욱 인기가 높아졌다. 따라서 더 깊은 공감을 느끼고, 유형성숙에 더 잘 반응하면서 동물들과 잘 지내며, 위험에 훨씬 강한 내성을 지닌 이 사람들은 — 그들이 상대한 늑대가 지금 우리가 이야기하는 늑대라고 간주한다면 — 그만큼 이점을 지니게 됐다. 주변에 이런 사람들이 있는 부족들 역시 유리했다. 이렇게 해서 우리가 늑대들과 동거를 시작한 시점은 곧 우리를 진화 과정상 열렬한 늑대 애호가로 만든 특성들이 선택된 시점이기도 했다.

이후 다른 특성들도 선택되기 시작했다. 우리가 늑대들과 동거를 원했다면 그만큼 늑대들과 함께 사는 법을 배울 필요가 있었다. 쉽게 말해 무리의 규모가 점차 커지게 된 것이다. 본래 무리란 커질수록 강해지기 마련이지만, 공통의 목적을 향해 화합하는 경우에 한해서만 그렇다. 이런 형태의 화합은 과거 우리 영장류들끼리 화합할 때보다 더 큰 인내와 더 폭넓은 충성과 더 강한 협동을 요구하며, 따라서 우리가 늑대와 협력 관계를 이루게 되자 진화 역시 이 같은 특성들을 선택하기 시작했다. 이 모든 과정이 실제로 의미하는 바는, 이른바 우리가 말하는 '인류애'라고 하는 것이 사실상 늑대들로부터 빌려온 특성들이라는 것이다.

이러한 사실은 다른 종들 간의 이타주의에 대한 수수께끼를 해결해 줄지 모른다. 늑대들은 우리에게 친족을 넘어서 공동체의 경계를 확장하도록 가르쳤을 뿐 아니라 아직 침팬지들이 학습하지 못한 가르침, 즉 친절을 뛰어넘는 더 큰 이타심을 발휘하도록 가르쳤다. 인간과 개와의 유대를 설명하기 위해 '친절한 마음' 같은 빛바랜 표현이 여전히 필요한 것도 그런 이유에서일지 모른다. 그와 같은 유대 관계를 형성하는 방법을 우리에게 처음으로 가르쳐준 대상이 바로 개였으니까.

이러한 유대 관계는 무엇보다 우리 뇌의 크기에 주목할 만한 영향을 미쳤다. 뇌가 크면 평소 뇌에 갖다 바쳐야 할 공급원도 많다. 우리 뇌의 무게는 전체 체중의 2퍼센트에 불과하지만 뇌는 우리가 사용하는 전체 에너지의 20퍼센트를 소비한다. 그렇기 때문에 뇌는 늘 자원을 보존할 방법을 찾는다. 이것이 본질적으로 생존에 필요한 기본 욕구를 외부에 위탁하는 과정인 동물의 가축화가 인간의 뇌 크기에 영향을 미치는 이유이다. 집 안에서 길들여진 말은 야생에서 살아남기 위해 알아야 할 모든 것을 더 이상 알 필요가 없기 때문에, 뇌가 16퍼센트가량 줄어들었다. 돼지의 경우 34퍼센트가 축소되었고, 개의 경우 축소된 정도가 10퍼센트에서 30퍼센트 사이로 추정된다. 신경과학자들은 최근 인간의 뇌 역시 약 10퍼센트가량 축소되었음을 발견했는데, 이러한 뇌의 축소는 우리가 늑대와 동거를 시작한 지 얼마 후부터 시작되었다.

또한 개와 인간의 유대 관계가 미치는 영향은 메릴랜드 대학교 건강영양학 교수인 에리카 프리드먼Erika Friedmann이 1970년대 중반에 발견한 사실을 설명해준다. 프리드먼은 털 있는 동물과 가까이 지내는 것과 심혈관 건강과의 소문으로만 떠돌던 관련성을 최초로 연구했다. 그녀는 심장 수술을 받은 환자들을 대상으로 연구를 진행했는데, 심장 병동에서 퇴원한 뒤 1년 동안 개와 함께 생활한 환자들이 그렇지 않은 환자에 비해 생존 가능성이 훨씬 높은 것으로 나타났다. 그녀의 연구 결과는 환자들이 주변에 다른 대화 상대가 있는지, 건강의 심각성이 어느 정도인지와는 관계가 없었다. 혼자 살고 친구가 없고 심장 질환이 심각하지만 개를 기르는 사람은, 주변에 친구와 가족이 있고 심장 질환이 경미하지만 개와 가까이 지내지 않는 사람보다 생존 확률이 더 높았다.

프리드먼의 연구 결과가 너무 놀라웠던 터라, 이후 확실한 증거 확보를 위해 수백 건의 유사한 연구가 이루어졌다. 그 결과 개들은 심근경색 이후 생존율을 향상시킬 뿐 아니라 예방에도 도움이 된다는 사실이 밝혀졌다. 더욱이 개와의 우정은 혈압과 콜레스테롤, 중성지방, 수면 장애율을 낮추고, 심각한 질병 이후 생존율을 크게 증가시키며, 유아기 발달을 돕고, 전반적인 가정생활을 향상시킨다. 2002년 뉴욕 주립대학교 버펄로 캠퍼스의 연구에서는 개와 단둘이 몇 분을 보내는 것이 배우자나 친한 친구와 대화를 하는 것보다 스트레스를 줄이는 데 더 효과적일 수 있다고 밝혔으며, 2006년 세인트루이스 대학교 의학대학원의 연구에서 요양 시설 거주자들의 보고에 따르면 다른 사람들과 시간을 보내는 것보다 개와 단둘이 시간을 보내는 것이 고독감을 달래는 데 훨씬 도움이 된다고 한다. 2007년에 학술지 《앤스로주스*Anthrozoos*》에 발표된 한 메타분석은 이 같은 연구를 간단명료하게 요약했다. "동물과 친하게 지내면 우울증 예방에 크게 도움이 된다."

이러한 연구에 참여한 연구원들은 자신들이 내놓은 결과가 너무 황당해서, 한편으로는 데이터를 제시하면서도 한편으로는 대충 애매한 태도를 취하려 했다. 수석연구원 캐런 앨런Karen Allen은 《심신의학*Psychosomatic Medicine*》에서 "애완동물을 사회적 지지 수단으로 여긴다는 생각은 어떤 이들에게는 특이한 개념으로 다가올지 모른다"라고 밝혔다. "참여자들의 반응은 … 사회적 지지가 사실상 종을 막론하고 이루어질 수 있음을 제시한다." 앨런은 주저하며 말하고 있지만, 인간과 개가 동거를 시작한 지 수십만 년이 흘렀는데 이 같은 건강상의 이점들이 나타나지 않는다면 오히려 그게 더 놀라운 일이 아니겠는가. 인류는 개와 생을 함께하도록 진화되었고, 우리의 뇌는 이 진화 과정에 적합하게 맞추어졌다. 과학자들은 개와 인간의 우정이 수십만 년 전부터 거의 지속적으로 이루어진 것이라기보다, 마치 진화 과정상 드물게 나타나는 현상인 것처럼 건강 관련 자료들을 제시하고 있다. 그러나 뒤집어 생각하면 이러한 연구 결과들은 전혀 놀랄 게 없다. 우리는 개들과 함께 지내도록 진화되어왔다. 개들의 존재는 우리가 이 세계에서 안전하다는 느낌을 갖게 해준다. 그러므로 우리의 삶에서 개들을 제거해보면, 내가 로스앤젤레스에서 깨달았던 것처럼 뻔한 결론이 내려질 수밖에 없다.

17세기의 불교 선승 조주趙州가 처음으로 언급한 유명한 선문답이 있다. 선문답이란 지적인 기량뿐 아니라 널리 알려진 지식과는 거의 관계없는 직관적인 비약을 통해 이해에 도달할 수 있는 이야기, 대화, 질문 등을 일컫는다. 조주 선사의 선문답은 '무無'로 유명하다. "개에게도 부처의 본성이 있습니까?"라는 질문에도 선사는 "무"라고 대답했다고 한다. '무'는 대략 '아무것도 아님' 혹은 '아무것도 없음'으로 해석될 수 있다. 로버트 피어시그Robert Pirsig는 1974년에 그의 저서 《선과 모터사이클 관리술*Zen and the Art of Motorcycle Maintenance*》에서 '무'란 사실상 '질문을 거두어들인다'라는 의미라고 말하면서, '무'를 '공空'이라고 정의한다.

불교의 모든 선문답이 근절시키려 하는 것은 인간의 엄청난 오만함으로, 이는 인간이라는 종이 도덕적으로 우월하다는 믿음을 가장 든든하게 떠받치는 힘이기도 하다. 철학에서는 '인간의 특별함'이라고 하고, 성경에서는 '땅 위를 기는 움직이는 모든 것들 위에 군림한다'라고 하는 이 우월함은 주로 인간 본성이 대단히 월등하다는 사고에 기반을 둔다. 인간과 개의 공진화에 대한 최근 연구들로부터 많은 자료들이 수집되었는데, 이 자료들 속에는 "개에게 부처의 본성이 있는가?"라는 질문은 곧 "인간에게 부처의 본성이 있는가?"라고 거꾸로 질문하는 것과 사실상 다를 바 없으리라는 직접적인 깨달음이 담겨 있다.

물론 이 경우에도 대답은 여전히 '무'다.

4

치와와들의 놀이 시간

나는 마약을 하지 않습니다.
내가 마약이거든요.

– 살바도르 달리(Salvador Dali)

7월 말, 우리 집에서는 늦은 오후마다 그야말로 아수라장이 벌어졌다. 조이는 이 아수라장을 '치와와들의 놀이 시간'이라고 불렀다. 나는 '실황 중계방송'이라고 불렀다. "자, 아합 선수 잔디 왼쪽을 휩쓸고 있고, 오티스 선수는 뒤쪽 풀밭에서 쏜살같이 달려오고 있습니다. 레오 선수, 두 번 짖고 있는데요, 아, 저 갑작스런 습격 장면 보셨습니까? 틀림없이 털이 한 줌은 뜯겼을 것 같군요. 오티스 선수는 요즘 전성기를 맞고 있지요. 이 선수 몸은 아무래도 이 경기를 위해 만들어진 것 같지 않습니까. 몸이 바닥 가까이 닿고 엉덩이가 튼실해서 아주 훌륭한 지렛대 역할을 하고 있어요. 아, 말씀드리는 순간, 오티스 선수, 아합 선수의 등을 치고 들어가는데요, 지금이야말로 우키 선수가 필요한 시점이 아닌가 싶습니다. 그렇지요, 우키 선수, 몸을 낮춰 돌진해서 오티스 선수의 목을 붙잡으려고 준비하고 있습니다. 글쎄요, 우키 선수의 마음이 갸륵하긴 하지만, 이 선수는 큰 개들과 시합을 하기에는 몸집이 너무 작고 아합 선수의 질주를 방어할 힘이 없어요. 아, 그래서인가요, 우키 선수 몸을 똑바로 세워서 대담하게 오티스 선수에게 공격을 가하고 있는데요, 덕분에 레오 선수 쪽으로는 지금 아무도 없습니다. 네, 레오 선수는 올해가 계약 갱신 연도인데, 엄청난 속력을 자랑하지만 옆으로는 잘 움직이지 못하는 단점이 있어요. 어쨌거나 지금 이 선수 옆에 아무도 없는 덕분에 아합 선수에게는 상당히 유리한 상황이라고 할 수 있습니다." 여기까지가 대략 10초 사이에 벌어지는 일들이고, 경기는 이보다 훨씬 오래 지속된다.

잔디밭에서 벌어지는 레슬링 경기 말고도 베란다 뒤에서는 보통 마라톤 경주가 벌어진다. 다그마가 주로 마라톤 경주의 책임을 맡고 있는데, 그가 좋아하는 경로는 집 주변을 두 바퀴 돈 다음 들판까지 돌진해서 되돌아오는 코스다. 대체로 벨라, 파라, 스쿼트, 룩스, 데이미언, 휴고가 다그마의 뒤를 따라 달리는데, 디즈니 영화 같은 이 장면의 번외편으로 다섯 마리의 치와와가 핏불테리어를 뒤쫓고, 핏불테리어가 닥스훈트를 뒤쫓는 장면을 아주 소수의 사람들만 볼 수 있다는 점은, 이제 와서 목소리에 힘 좀 주고 말하자면 정말 애석한 일이 아닐 수 없다.

앞으로는 비니도 이 대열에 합류할 것이다. 물론 비니의 나이로는 기껏해야 비틀비틀 걷는 게 전부일 테지만, 최근에는 비틀거리더라도 걸음에 꽤 힘이 들어가기 시작했다. 시골 생활을 통해 비약적으로 원기를 회복한 개가 비니 말고도 더 있다. 다그마도 사람으로 치면 백 살은 족히 넘지만 요즘은 어린 강아지들보다 팔팔하다. 파라는 피부병이 싹 나았고, 데이미언도 관절염이 완치되었다. 기젯은 한 달째 발작을 일으키지 않고 있으며, 이 기록은 마지막으로 발작을 멈춘 기간의 세 배에 달한다. 그러나 진짜 기적은 치우일지도 모른다. 차우의 기적은 아직 시작도 하지 않았지만.

차우는 배경 설명 — 구호자들이 동물의 과거를 설명하기 위해 사용하는 용어이다 — 없이 우리 집에 들어왔다. 다른 동물한테 물렸는지, 무시당했는지, 마당에서 쇠사슬에 묶여 지냈는지, 주인에게 쫓겨나 거리를 배회하고 다녔는지, 아무런 배경 설명이 없다 보니, 우리가 아는 내용이라고는 동물병원의 최근 자료와 주변 사람들의 그럴듯한 짐작뿐이었다. 어떤 동물이 재활할 수 있을지 없을지는 도저히 가늠하기 어려운 수수께끼다. 어떤 경우는 다른 경우에 비해 쉽게 재활이 이루어진다. 버려진 개들은 관심과 애정이 필요하다. 학대받은 개들은 다시는 그런 일을 당하지 않으리라는 걸 알 필요가 있는데, 그러려면 신체 접촉을 최대한 자주 경험해야 한다. 버려진 개가 동시에 학대까지 받은 경우, 상반된 치료 효과가 나타난다면 어떻게 해결해야 할까?

혹은 문을 무서워하는 — 문이 쾅 하고 닫혀서가 아니라 그냥 문이라는 존재 자체를 무서워하는 — 개들은 대개 집 안에 들어오는 것이 한 번도 허락된 적이 없는 개들이다. 이런 개들을 번쩍 안아서 집 안으로 데리고 들어가는 것이 치료에 도움이 되는 경우도 있지만, 반면 과거에 유사한 규칙 위반으로 벌을 받은 경험이 있다면 사방이 막혀 있는 것만 봐도 무서워서 벌벌 떨지도 모른다. 집 안에 들어오는 것이 금지된 개들은 사람들 곁에서 잠을 자는 것도 금지되었기 때문에 이런 딜레마에 쉽게 빠지게 된다. 개들은 자기들만의 은신처에서 함께 사는 습성이 있기 때문에 절대로 혼자서 자려고 하지 않는다. 그런데 대부분의 사람들이 한 마리의 개만 기르게 된 이후로, 야외에서 잠을 잔다는 것은 곧 혼자 잔다는 걸 의미하고, 혼자 자는 법을 학습하기 위해 개의 입장에서는 힘든 심리적 적응 과정을 거쳐야 하며, 나중에는 무리 지어 함께 자는 것이 오히려 힘들어지는 경우가 많다. 개들은 다른 개의 모습을 관찰함으로써 상당히 빨리 학습하기 때문에, 개 한 마리보다는 여러 마리의 개를 대상으로 구호 활동을 하면 저희들끼리 알아서 재활에 도움을 주고받는다는 커다란 이점이 있다. 그런데 개들이 의도적으로 서로 거리를 둘 경우 이런 이점도 감소되는데, 그럴 땐 다른 방법을 모색해야 한다.

차우가 바로 이런 사례 가운데 하나였다. 암컷인 차우는 위에 말한 오만 가지 문제를 안고 있는 화이트테리어 종이었다. 차우는 학대받고 버려진 데다, 눈도 멀고 귀도 먹고, 엄청 뚱뚱하고, 우스꽝스러울 정도로 못생겼으며, 사람도 싫어하고 다른 개도 싫어하고, 모든 종류의 동물을 걸핏하면 물었다. 심장이 약해지고 있었으며, 다른 장기라고 해서 성하다고 볼 수 없었다. 매일 일곱 가지 종류의 약을 복용했지만 과연 여름을 날 수 있을지는 미지수였다. 조이는 자신의 소망이 개들에게도 이루어지길, 다시 말해 그들의 마지막 기억이 사랑이길 바랐다. 구호자들이 죽음이 가까운 개들을 호스피스 병동에 맡기지 않으려는 이유들 가운데에는 차우 같은 개에게도 이런 기억을 줄 수 있다는 확신이 있기 때문이다. 개인적으로 나는 차우가 나를 몹시 싫어한다는 사실을 머릿속에 꼭꼭 기억해둘 필요가 있었다. 대부분의 사람들은 자기가 기르는 애완동물을 쓰다듬기 마련인데, 어떻게 된 게 차우에 대해서는 이런 사소한 일에 적응하기까지 상당한 시간이 걸렸다. 나는 차우가 사납다는 걸 번번이 잊어버리고 손을 뻗었고, 그럴 때마다 녀석은 피라냐처럼 날카로운 입으로 나를 공격했다. 아무래도 뭔가 더 나은 계획이 시급했다.

구조 활동은 상당히 직관적인 과정일 수 있는데, 이놈의 직관 때문에 어느 날 오후, 뭔가 더 나을 수도 있었던 내 계획은 '젠장할 계획'이 되어버렸다. 어쩌면 테킬라 몇 잔 때문인지도 모르겠다. 나는 단지 몸을 아래로 굽혀 차우를 안았을 뿐이었다. 하지만 이런 내 무모한 시도는 마치 토네이도를 끌어안으려는 것과 다름없는 결과를 낳았다. 차우는 몸을 홱 돌리더니 진저리를 치며 으르렁거리고 물고 짖고, 어휴, 난리도 아니었다. 나는 차우가 느끼는 최초의 공포감이 누그러질 때까지 양 팔꿈치를 고정시켜 손가락을 단단히 깍지 낀 채로 차우를 내 몸에서 약간 떨어뜨려 안고 있었다. 다음 라운드가 시작되기 전, 차우가 진이 빠져 잠시 발버둥을 그친 틈을 타서 나는 의자에 앉아 다리 사이로 차우의 허리를 잡았다. 하지만 이 방법은 최선의 조치가 아니었던 것 같다. 어쩌다 보니 내 생식기를 녀석의 발톱 앞에, 내 눈을 녀석의 이빨 앞에 버젓이 대령하는 꼴이 되고 말았다. 차우는 이미 첫 번째 목표물을 겨냥했고, 이제 두 번째 목표물을 향해 돌진할 태세였다. 나는 여차하면 차우를 베란다로 내동댕이치려고 만반의 준비를 하고 있었는데, 바로 그때, 다시 한 번 직관이 힘을 발휘해 사납게 물어대려는 녀석의 아가리 속으로 완벽하게 튼튼한 내 손을 쑥 밀어 넣었다.

이래서 사람들이 구조 활동을 직관적인 과정이라고 말하나 보다. 차우의 입은 내가 주먹을 밀어 넣은 상태에서는 거의 다물지도 못할 만큼 아주 작다는 게 확인됐다. 차우는 깨물고 또 깨물었고, 그렇게 한 십 분을 미친 듯이 날뛰더니, 갑자기 완전 어이없는 표정이 되어 버렸다. 내 주먹을 깨물려고 정신없이 몸부림치는 동안 내 다른 쪽 손이 계속해서 자기를 쓰다듬고 있었다는 걸 뒤늦게 깨달은 것이다. 아마도 차우가 누군가의 애정을 느껴본 건 이번이 평생 처음이었을 것이다. 그래서 도대체 어떤 인간이 날 이렇게 쓰다듬는 건가 싶어 어리둥절했을 것이다. 차우는 자신의 오른쪽 어깨를 쓱 돌아봤다가 왼쪽 어깨를 보았다. 그러더니 테니스 경기에서 공이 빠른 속도로 네트를 오가는 것처럼 고개를 좌우로 홱홱 움직였다. 나는 이러다가 목 부러지겠다 싶어 걱정이 돼서 마침내 차우를 놓아주었다. 그러자 차우는 내 무릎에서 냅다 뛰어내려 베란다를 가로질러 쏜살같이 내달리다가 구석쯤에서 갑자기 얼음처럼 동작을 딱 멈추더니 한쪽 발은 올리고 다른 쪽 다리는 구부리는 것이었다. 이후에 어떤 동작을 취하려고 했는지 모르겠지만, 차우는 더 이상 나를 공격하려 들지 않았다. 오히려 다시 내 쪽으로 어기적어기적 걸어오더니 내 발 앞에 납작 엎드려 내 발가락을 핥기 시작했다.

개 구호 활동에서 이렇게 보람된 순간이 또 있을까.

그때부터 차우의 행복한 나날이 죽 이어지기 시작했다. 차우는 벤자민 버튼처럼 나이를 거꾸로 먹는 것 같았다. 베란다에서 내 발가락을 핥던 그날 이후, 차우의 털은 더 이상 빠지지 않았고, 체중이 줄었으며, 심지어 시력도 좋아졌다. 눈이 밝아지자 차우는 뛰는 법을 알게 됐다. 차우가 특히 잘하는 걸음걸이는 횡습보transverse gallop로, 몸집이 큰 유제 동물과 차우처럼 통통한 개들에게 주로 볼 수 있는 걸음걸이다. 차우는 이 전통적인 동작을 한층 확대해서 몇 걸음 걸을 때마다 한쪽 앞발로 껑충 뛰었는데, 그럴 때면 대개 커다란 눈을 휘둥그레 뜨고 활짝 미소를 지었으며 — 이건 도약자로서 썩 어울리는 동작이라고 할 수는 없지만 — 마치 마시멜로 공장에서 폭발이라도 난 것 같은 모양새로 거꾸로 공중제비를 넘었다.

차우에게 유일하게 회복되지 않은 부분은 개들과 친하게 지내는 것이었다. 차우는 인간은 좋아하게 됐지만 다른 개들에게는 도무지 애정을 느끼지 못했다. 우리 보호소에 온 지 석 달이 지났는데도 가까이 다가오는 개들에게 여전히 사납게 달려들었다. 그러니 대부분의 개들은 차우와 상대하려 들지 않았고, 이런 상태는 7월 말 어느 오후까지 계속되었다. 나는 베란다의 안락의자에 앉아 치와와들의 놀이 시간을 지켜보고 있었고, 차우는 내 옆에 앉아 나하고 거의 비슷한 자세를 취하고 있었다. 그때 차우가 목이 말랐는지 내 무릎에서 뛰어내려 물그릇을 향해 세 걸음을 옮겼는데, 바로 그때 우르르 쾅, 천둥소리가 울렸다. 그러자 집 주변을 정신없이 뛰어다니던 녀석들이 이때다 싶었는지 집 안 여기저기에서 우르르 몰려들기 시작했다. 그러더니 다그마는 차우의 뒷다리를, 파라는 차우의 머리를 잡았다.

휴고는 용케 대열에서 몸을 뺐지만, 룩스가 차우의 엉덩이를 움켜잡고는 맴맴 도는 그녀의 몸을 벨라에게 넘겼고, 벨라는 앞발로 차우의 배를 받친 후 — 벨라는 핏불테리어인 데다 몸집도 차우의 세 배다 — 차우를 공중으로 번쩍 들어 올렸다.

제프리 메이슨Jeffrey Moussaieff Masson은 그의 책 《개의 사랑에는 거짓이 없다*Dogs Never Lie About Love*》에서 다음과 같이 주장한다. "개들은 관습대로 정해진 방식으로 시간을 인식하지 않는다. 개들은 하루를 분이나 시간으로 나누지 않으며, 주나 월, 연 같은 기간으로 생각하지도 않는다. 개들은 언젠가 찾아올 죽음을 생각하며 두려움에 몸을 떨지도 않는다. 더 이상 살아 있지 않은 미래의 어느 때에 대해 과연 개들이 생각이나 할지 모르겠다. 그래서 우리가 개와 함께 있을 때 우리 역시 시간 개념이 없는 영역 안으로, 미래가 무의미해진 영역 안으로 들어가게 된다." 지금이 바로 그런 순간 가운데 하나였고, 이 시간은 끝없이 계속 이어졌다. 차우가 벨라를 향해 거꾸로 공중제비를 했고, 벨라는 차우에게 깔려 데굴데굴 굴렀으며, 나는 공중에 들어 올려진 이들과 아래에 깔려 짓뭉개진 이들 틈바구니에서 몇 시간이고 시간 가는 줄 모르고 스웨터를 뜰 수도 있었다.

한데 뒤엉킨 채 바닥에 떨어진 이들이 몇 센티미터 거리를 두고 서로 똑바로 눈을 마주보는 모양새가, 엄청난 아수라장이 벌어지기 일보직전임을 예고했다. 나는 이미 의자에서 도망쳐 나왔는데, 차우는 다른 계획이 있는 모양이었다. 차우는 몸을 앞으로 굽히더니 벨라의 코를 핥는 것이었다. 나는 깜짝 놀랐다. 벨라도 놀랐는지 어안이 벙벙한 표정이었다. 벨라는 입을 헤벌리고 혀를 내둘렀다. 잠시 후 벨라는 정신을 차린 다음 한 차례 짖었다. 차우는 이제 척하면 척일 정도로 눈치가 빨라졌다. 아직 경기는 끝나지 않았다. 차우는 활짝 웃음을 터뜨리고는 벌떡 일어서서 냅다 달아났다. 벨라도 차우를 따라 달렸고 나머지 개들이 전부 그 뒤를 따라 달렸다. 모든 개들이 열을 지어 베란다를 향해 전속력으로 내달렸다. 때때로 이렇게 즐겁게 노는 개들을 지켜보는 것보다 더 행복한 일이 세상에 또 있을까 싶다. 정말이지 이보다 더 큰 행복은 세상에 없을 거다.

조이는 개가 활기를 되찾는 모습을 볼 때 느끼는 기쁨이 자신이 알고 있는 그 어떤 행복보다 크다고 말한 적이 있다. 이타주의 심리학에서는 그 같은 황홀한 기분을 **헬퍼스 하이**helper's high라고 부른다. 이 용어는 빅 브라더스 빅 시스터스(Big Brothers Big Sisters, 20세기 초 미국에서 시작된 문제 아동을 대상으로 한 청소년 선도 운동)의 상임이사인 앨런 룩스Allan Luks가 1990년대에 처음 사용한 것으로, 그는 자원봉사 활동에 참여한 3천여 명의 미국인을 인터뷰한 후 그들의 선행이 지속적으로 깊은 행복감을 만들어낸다는 사실을 발견했다. 지금은 고전이 된 그의 저서 《선행의 치유력*The Healing Power of Doing Good*》에서, 그는 "많은 사람들이 선행을 행한 후 육체적인 건강과 기쁨이 넘치고, 에너지와 온정이 커지며, 실제로 통증과 아픔이 경감되는 현상을 경험했다고 전하고 있다"라고 언급했다.

룩스는 헬퍼스 하이가 엔도르핀이라고 하는 인체 내부에서 만들어지는 내인성 마약으로 인해 나타난다고 주장한다. 이 화학물질은 부모와 자녀 간의 유대감, 사회적 상호작용, 신체적 접촉을 조절하는 데 도움을 준다. 또한 아편이나 헤로인처럼 인체 외부에서 만들어지는 외인성 마약과 마찬가지로 통증을 없애고 즐거움을 느끼게 한다. 룩스의 저서가 발표된 후, 연구원들은 항우울제 프로작의 바탕이 되는 '행복을 느끼게 하는 화학물질'인 세로토닌과, 인체에서 만들어지는 천연 THC(마리화나에서 발견되는 향정신성 물질)인 아난다미드anandamide, 그리고 특히 위험이 감지될 때 기분을 좋게 해주는 신경전달물질인 노르에피네프린과 도파민에 대해 심도 있는 연구를 시작했다.

룩스는 헬퍼스 하이란 운동선수들이 **최고의 집중력을 발휘하는 순간**being in the zone이라고 말하는 것과 유사하며, 요즘 과학자들이 선호하는 용어로는 일종의 **몰입 상태**flow state라고 설명한다. 우리가 몰입 상태에 대해 알고 있는 많은 내용들은 이 주제에 평생을 바친 클레어몬트 대학원의 심리학자, 미하이 칙센트미하이Mihaly Csikszentmihalyi의 연구 결과들을 통해서다. 칙센트미하이는 이 상태를 행동과 의식의 즐겁고도 완벽한 합일 상태, "다른 것은 아무것도 신경 쓰지 않을 만큼 하나의 행동에 깊이 열중한 상태, 자아가 사라지는 상태, 시간이 얼마나 지났는지도 모를 만큼 푹 빠진 상태, 마치 재즈를 연주하듯 모든 행동과 움직임과 생각이 이전의 것들로부터 자연스럽게 이어져 오는 상태, 내 온 존재가 깊이 몰두해 내가 가진 모든 기량을 극한까지 사용하는 상태"라고 정의한다.

경험의 깊이와 범위는 천차만별이지만, 경험의 정도가 어떻든 몰입은 인생의 가장 강렬한 황홀경 가운데 하나로 여겨진다. 심리학자 에이브러햄 매슬로Abraham Maslow는 몰입 상태를 '깊은 신비적 체험'이라고 언급하며 다음과 같이 설명한다. "깊은 신비적 체험을 하는 동안 개인은 자기self의 확장, 일체감, 의미로 충만한 인생을 경험한다. 이 경험은 의식 속에 오래 남아 목적의식, 통합 의식, 자기 결정 능력, 공감 능력을 제공한다." 칙센트미하이는 공감에 의한 일체감은 외적으로는 바로 옆의 동료들로부터 '본성 및 궁극적인 실체와의 접촉'으로 확대된다는 사실에 주목하고, 룩스가 지적한 것처럼 동기부여의 피드백 고리를 만들어낸다. "유대감은 … 이타주의를 발휘하도록 영감을 주는 동시에 이타주의적 행위의 결과일 수 있다." 그리고 위에 언급한 모든 이유들을 바탕으로, 펜실베이니아 대학교의 심리학자 마틴 셀리그먼Martin Seligman은 몰입 상태를 **자기목적적**autotelic, 즉 그 자체로 목적이라고 부른다.

물론 이 목적을 달성하기란 쉬운 일이 아니다. 무아지경 상태에 대해 가장 자주 언급되는 분야는 스포츠 분야지만, 캘리포니아 주립대학교 풀러턴 캠퍼스의 심리학자 켄 라비자Ken Ravizza는 운동선수의 경력에서 무아지경을 느끼는 경험이 비교적 드물다는 사실을 발견했다. 반면에 룩스는 자선 행위는 거의 시계처럼 규칙적으로 몰입 상태를 만들어낸다는 사실을 발견했다. 그의 초기 연구 단체의 95퍼센트가 이러한 황홀감을 보고했고, 이 가운데 80퍼센트는 몇 시간, 때로는 며칠 동안 — 평균 몰입 시간보다 기하급수적으로 증가한 기간이다 — 이 감정이 지속되었다고 보고했다. 이러한 사례의 원인은 아직 밝혀지지 않았지만, 한 가지는 분명하게 설명할 수 있다. 몰입은 행동과 의식의 합일이며, 이러한 합일이 일어나려면 바로 눈앞에 놓인 일에 완전히 빠져들어야 한다. 박애주의자들이 유리한 지점이 바로 이 부분이다. 몰입이 운동경기에서 비교적 드물게 나타나고 이타주의에서 비교적 흔하게 나타날 수 있는 이유는, 레너드 코펏Leonard Koppet이 《스포츠의 환상과 현실*Sports Illusion, Sports Reality*》에서 지적한 유명한 말마따나, 스포츠는 기본적으로 환상, 특히 '게임의 결과가 중요하게 다루어지는 환상'이기 때문이다. 반면 이타주의는 그 정의만 보더라도 이와 정반대다. 물론 게임은 언제나 중요하다. 하지만 대부분의 사람들은 실제 생활이 위태로울 땐 정신을 바짝 차려야 한다는 지시를 받지 않더라도 알아서 충분히 정신 차리고 산다.

물론 나는 실제 생활이 위태로운지 어떤지 깨달을 새도 없었다. 내 시간을 즐기기에는 하루하루가 너무 바빴으니까. 나는 차우가 베란다를 신 나게 돌아다니는 걸 보면서 헬퍼스 하이를 처음으로 맛보았는데, 이 느낌에는 내가 울프 마운틴 보호구역에서 경험했던 것과 똑같은, 아니 그때보다 훨씬 강렬하고 훨씬 본질적인, 시간에 대한 심오한 감각이 동반되었다. 이것은 논리를 거부한 유대감, 서로 다른 종들끼리 끈끈하게 연결되어 있다는 유대감이었다. 심지어 나는 개들의 언어로 말할 수도 있을 것 같았다. 생전 처음으로 내가 그들 무리에 속해 있다는 느낌이 들었다. 그 느낌이 얼마나 좋았냐고? 이틀 뒤 나는 조이에게 청혼을 했고, 같이 살아보기로 결론을 내렸다.

7월에 조이는 내 청혼을 받아주었다. 결혼식은 내년 여름쯤이면 어떨까, 조촐하게 하는 게 좋겠지, 라고 우리는 생각했다. 다른 계획들도 있었는지 모르겠지만, 처음 결혼 이야기를 꺼낸 뒤 얼마 후부터 조이도 나도 더 이상 결혼의 '결'자도 꺼내지 않았기 때문에, 각자 어떤 계획을 가지고 있는지 알지 못했다. 8월 어느 날 아침, 조이가 눈을 떠 뒤척이다가 내가 벌써 깨어 있는 걸 발견할 때까지, 우리는 둘 중 어느 누구도 결혼에 대해 언급하지 않았다. 어쩌면 우리는 둘 다 똑같은 악몽을, 특히나 우리의 귀한 시간을 결혼식 계획 따위로 보내면서 벌어질 끔찍한 꿈을 꾸었는지도 모르겠다. 조이도 나도 결혼식 같은 건 할 생각이 없었다. 게다가 조이는 가족이 없었고, 우리 부모님은 9월 말쯤 치마요에 다녀가시기로 전부터 계획되어 있었다. 우리는 부모님을 환영할 방법으로 깜짝 결혼식 이상 가는 게 없을 거라는 데 동의했다.

9월은 결혼하기에 좋은 계절이었다. 길고 무더운 한낮이 차츰 서늘해지고 짧아졌다. 미루나무 잎이 누렇게 변하기 시작했고, 불길처럼 환한 빛이 사막을 온통 불태우기 시작했다. 노란색 루드베키아도, 해바라기도 모두모두 만발했다. 여름 내 2미터 이상씩 쑥쑥 자라던 접시꽃이 잔뜩 시들어 말라붙었다가 신선한 빗줄기에 다시 자라났고, 새로 난 줄기들은 더 통통해지고 새로 돋은 꽃들은 더욱 생기에 넘쳤다. 대기 가득 이슬 냄새와 샐비어 향기가 가득해 또 한 번의 생을 맞는 기분이 들었다.

조이와 나는 뒷베란다에서 결혼식을 올렸다. 요리는 길거리에서 타코를 파는 남자가 담당했다. 주례는 전화번호부에서 무작위로 찾아낸 랍비에게 맡겼다. 모닥불 두 개로 장식을 마쳤다. 내 직계가족 외에 마을 외부에서 온 하객으로는 로켓 과학자 한 명, 텔레비전 프로듀서 한 명, 그리고 유술 사범 한 명이 포함되었다. 우리 마을에 사는 하객들, 그러니까 적어도 결혼식에 참석하기 위해 우리 집에 오기 전부터 익히 알던 사람들로는 개 주인, 말 주인, 그리고 평생 동안 해오던 잘나가던 매춘 사업을 접고 지금은 닭을 키우고 있는 은퇴한 여사장 한 명이 포함되었다. 조이와 나는 아무나 마주치면 다짜고짜 우리 집에 오라고 초대를 한 바람에, 조촐하게 예식만 치르고 말자던 처음의 계획은 어디 가고, 결혼식 며칠 전부터 당일까지 며칠에 걸친 다소 성대한 축제로 커져버렸다. 다들 왜 초대를 받는지 정확한 이유도 모른 채 그저 오라니까 온 사람들이라서 거의 대부분이 무슨 해적들처럼 차려입고 나타났다.

어쨌든 결혼식은 완벽했다. '구름 위를 둥실 떠다니는 것처럼 행복하다'는 말이 무슨 뜻인지 그 전까지는 별로 알고 싶지도 않았는데,

결혼식 이후 며칠, 몇 주 동안의 내 마음 상태를 묘사하는 데 이만큼 정확한 표현도 없는 것 같았다. 내가 크리스 멀로이와 한 차례 더 전화 통화를 한 것은 그 무렵이었다. 우리는 만족스런 결혼생활과 시골에서의 삶에 대해 이야기하다가, 이제는 웬만한 건 손으로 뚝딱 만들 줄 알 정도가 됐다는 이야기를 주고받는 도중에 크리스가 이런 말을 했다. "야, 이러다 이런 날이 오는 거 아니냐. 어느 날 길을 죽 걷는 거야. 우와, 이젠 뭐 내 손으로 못 만드는 게 없군, 이런 생각을 하면서 말이지. 그러다 아래를 내려다보고 문득 이런 생각을 해. '헉, 신발 — 웬일이니, 이젠 신발도 만들 수 있을 것 같아' 라고 말이야."

그때 나는 크리스와 한바탕 신 나게 웃었다. 구름 위를 둥실 떠다니는 것처럼 마냥 행복했기 때문에 웃었고, 정말로 신발을 만들 수 있을 것 같다고 믿었기 때문에 웃었고, 여전히 나에게는 이 생활이 대체로 일종의 게임처럼 느껴졌기 때문에 웃었다. 하지만 나는 까맣게 잊고 있었다. 무엇이든 선택에는 결과가 따른다는 사실을. 체로키 인디언 주술사 '천둥소리'가 이런 말을 한 적이 있다. "가르침은 사람들이 생각하는 것처럼 찾아오지 않습니다. 그저 가만히 앉아서는 진실을 이야기할 수 없어요. 그런 식으로는 가르침이 찾아오지 않습니다. 우리는 가르침대로 살아야 하고, 가르침의 일부가 되어야 합니다. 그래야 가르침을 알게 될지도 모릅니다. 그래요, 알게 될지도 몰라요. 더구나 가르침은 서서히 점진적으로 찾아옵니다. 쉽게 오지 않아요." 나는 무언가 의미 있는 인생을 찾기로 마음먹었더랬다. 그리고 지금, 어처구니없게도 내가 마음먹은 대로 잘 해내고 있다고 생각하고 있었다. 나는 이 생각이 얼마나 잘못됐는지, '천둥소리'의 말이 — 내가 원하는 경험은 쉽게 얻을 수 있는 것이 아니라는 — 얼마나 백번 천번 옳은 말인지 아직 이해하지 못했던 것이다.

우리 동네 사람들은 수탉을 키우는데, 이놈의 수탉들이 잠귀가 얕아놔서 새벽 4시만 되면 벌써부터 나를 깨워댄다. 그 어두컴컴한 시간에 세상은 서서히 기지개를 펴기 시작한다. 이런 시간에는 어떤 개가 전날 무슨 특이한 음식을 먹었는지, 그 개가 어디에서 잠을 자는지, 거실을 지나기 전에 불을 켰는지, 같은 중요한 사실들을 기억하기가 쉽지 않다. 커피 한잔 마실 시간을 갖기도 전에 발가락 사이에 묻은 개똥을 닦고 있자니, 인생의 의미를 찾겠다는 숭고한 의지에 벌써부터 똥칠을 하고 있는 것 같다.

그렇지만 개 구호자들에게 이런 일은 워낙 비일비재해서, 오죽하면 이런 경우를 일컫는 '똥 묻은 발'이라는 말이 생길 정도다. 여름 내내 아침마다 '똥 묻은 발' 신세가 됐지만, 나는 이 경험을 모험의 일부로 여길 수 있었고, 최고의 모험은 아닐지 몰라도 합리적으로 받아들일 수 있는 모험이긴 한 것 같았다. 나는 나이 든 개들이 동물보호소에 버려지는 주된 이유들 가운데 하나가 배변 활동을 통제하지 못하기 때문이라는 걸 알았다. 하긴 온 집 안에 똥을 싸지르는 개를 입양하려는 사람이 누가 있겠는가. 하지만 사실 똥 묻은 발은 개의 최후의 발악을 의미한다. 아무튼 치마요에서 보내는 첫 번째 여름, 이곳에 자랑스러운 반항아가 있었으니, 세상 그 누구도 견딜 수 없는 일을 이 몸께서는 얼마든지 견딜 수 있었다.

하지만 결혼식을 올린 지 몇 주가 지나자 마음이 바뀌기 시작했다. 매일 아침 하루도 거르지 않고 온 집 안이 똥칠이 돼 있는데, 내 아무리 자부심으로 똘똘 뭉쳐 있다 한들 도저히 이 상황을 당해낼 자신이 없었다. 발로 똥을 짓이기며 집 안을 돌아다닌 지 6개월이 지날 무렵, 결혼의 짜릿한 행복도 싹 사라져버렸다. 이건 모험이 아니라 일상이었다. 그리고 조이가 개를 구조하는 데 자신의 삶을 바쳤고 나는 조이에게 내 삶을 바쳤으므로, 이 사태는 한동안 내 일상이 될 터였다.

바로 그게 실수였다. 그런 식으로 문이 열리기 시작하면 더 큰 반동이 생기기 마련이다. 나는 이놈의 개들이 한시도 쉬지 않고 내 생활을 방해하고 있다는 걸 알아차리기 시작했다. 가령 독서는 아주 오래전부터 내 커다란 즐거움 가운데 하나였다. 그런데 요즘 내가 마음의 양식을 들고 소파에 길게 몸을 뻗으려고 하면, 개 다섯 마리가 후다닥 달려와 내 위에 버젓이 자리를 차지하고 앉는 것이었다. 녀석들은 하나같이 자기를 어루만져주길 바라기 때문에, 그들의 목표 지점은 바로 내 손과 손 사이, 즉 정확히 내 책이 있어야 할 위치였다. 나는 개들을 무시할 수도 있었고, 바닥에 내동댕이칠 수도 있었으며, 방 밖으로 내쫓고 문을 잠글 수도 있었지만, 그러고 나면 슬그머니 죄책감이 들기 시작했다. 우리는 개 구호 사업을 운영했으므로 우리의 책무는 개들의 재활이었고, 그러려면 애정을 담아 일해야 했다. 가만, 그런데 정말로 내가 그렇게 이기적이고 싶었던 걸까? 아니, 나는 그렇게 이기적이 되고 싶지는 않았어. 아니야, 솔직히 좀 이기적이 되고 싶긴 했지. 아니, 무슨 소리야, 이게 뭐 이기적이니 마니 말할 정도나 돼? 생활비를 다 내가 내는데, 일을 하려면 독서는 필수야. 그러니 독서는 아주 중요하다고, 안 그래? 그렇긴 하지만, 글쎄, 독서가 개의 건강을 회복시키는 것보다 더 중요하다고 할 수 있나? 여기까지 생각하다 보면 죄책감은 분노로 바뀌었고 분노는 조만간 닥칠 재앙의 전조가 되기 일쑤였다.

개를 구호하는 일에는 실수를 넘길 수 있는 여지가 별로 없다. 작은 실수들이 순식간에 사태를 악화시킨다. 개 먹이를 예로 들어보자. 좋은 사료는 한 봉지에 60달러고, 조금 싼 건 20달러 정도 한다. 내가 한 달에 500달러를 들여 굳이 좋은 사료를 구입하려는 이유 가운데 하나는 질이 좋지 않은 사료를 먹을 경우 개들이 종종 알레르기를 일으키기 때문이다. 우리가 데리고 있는 개들은 나이 든 개, 아픈 개, 무서움을 많이 타는 개들이어서 — 모두 면역 체계가 약하다 — 질 좋은 먹이에 미리 돈을 쓰나 병원비로 나중에 돈을 쓰나 어차피 그게 그거였다. 그러나 나라 경제는 여전히 불안하고 내 예금 계좌의 잔고는 점점 줄어들고 있는 터라, 무엇을 우선순위에 둘지 결정하는 것이 또 다른 고민거리가 됐다. 갑자기 나는 아합과 함께 시작했던 처음 지점으로, 어렵사리 해답을 찾아내야 했던 윤리적 문제들에 포위되었던 처음 지점으로 돌아간 것 같았다.

그러던 어느 늦가을, 연일 몰아치는 폭풍우로 우리 집 진입로 일부가 유실됐고, 현관문 아래에 개 한 마리가 지나갈 수 있을 만큼 커다란 구멍이 생겼다. 나는 — 하고 많은 것들 중에 — 개 사료를 좀 더 사기 위해 시내로 향하는 길에 이 구멍을 발견했다. 나는 신경 쓰기 귀찮아서 나중에 집에 와서 고쳐야지, 생각했다. 그런데 개 사료를 사고 있으려니, 그동안 개 먹이를 사대느라 구입하지 못했던 온갖 것들이 떠오르는 것이었다. 집 안에는 아직 가구도 다 구비되지 않았고, 우리는 몇 달째 외식 한 번 하지 못했으며, 신혼여행은 엄두도 내지 못했다. 일을 마치고 집으로 돌아온 나는 마음이 내켜 준비가 될 때까지 저 놈의 구멍을 절대로 고치지 않으리라 마음먹었다. 그날은 월요일이었다. 나는 밤에 구멍을 메우는 대신 소파에 앉아 축구 경기를 보기로 했다. 그렇게 나를 좀 진정시키고 싶었다.

전반전이 진행되는 동안, 오티스가 구멍을 발견했다. 전반전이 끝나고 중간 휴식 시간이 시작된 지 얼마 되지 않았을 때, 우리는 오티스가 현관 앞 계단에서 낑낑거리는 모습을 발견했다. 오티스는 얼음 깨는 송곳에 찔리기라도 한 것 같았다. 앞발에 피가 나고 전신에 깊은 상처가 났으며, 오티스가 가는 곳이면 어디든 졸졸 따라다니는 휴고는 어디로 갔는지 보이지 않았다. 불테리어 종은 통증을 참는 데 도사들이다. 그나마 나름대로 요령이 있으니 이렇게 처참한 몰골로라도 나타난 것이다. 반면에 휴고는 치와와였다.

죄책감이 나도 모르게 나를 문 밖으로 내몰았다. 칠흑같이 깜깜한 밤인 데다 비까지 억수로 쏟아져 내렸다. 나는 옷을 벗고 협곡 마을을 향해 있는 힘껏 달렸다. 아나사지 족은 한때 우리 집 인근의 협곡 마을에 집을 짓고 살았는데, 이후 그들에게 무슨 일이 일어났는지는 아무도 확실하게 알지 못한 채 그저 짐작만 할 뿐이다. 650년 전, 초기 문명사회로 알려진 이 북미 문명사회가 해체됐다. 주요 종교 시설들이 파괴되었다. 출입구마다 바위와 회반죽으로 봉쇄되었다. 거대한 키바들 — 아나사지 교단의 중앙 예배당 — 마다 지붕이 뜯기고 내부 시설이 불에 그슬렸다. 도시 전체가 버려졌다. 그렇게 아나사지 족 자체가 완전히 사라졌다. 하지만 그날 밤 내가 알게 된 사실처럼, 남서부 사막 속으로 사라진다는 건 많은 사람들이 상상하듯 장난으로 한번 그래보는 것이 결코 아니다.

이렇게 폭풍우가 치는 날씨에 이런 협곡을 찾아오다니, 여태도 그런 적이 없었지만 아마 앞으로도 다시는 그럴 일이 없을 것이다. 높은 절벽은 빗물과 핏빛의 진흙과 바위와 돌멩이와 관목들로 뒤덮였고, 그 외에도 별별 것들이 절벽 위에 아무렇게나 처덕처덕 쌓였다. 오랫동안 바싹 말라있던 작은 시내는 물살이 거센 강줄기로 변해 있었다. 이런 날씨에 밖에 나와 있다는 건 더할 나위 없이 위험하고 멍청한 짓이었으며, 나는 진작 집으로 돌아갔어야 했다. 하지만 내가 어떻게 집에 갈 수 있겠는가? 그건 말도 안 되는 소리였고, 나는 휴고와 함께 자주 오르내리던 산 속 작은 시내들을 샅샅이 돌아다녔다. 협곡에 사는 사람들은 양팔을 벌려 손이 닿을 수 있을 정도로 벽과 벽 사이가 좁은 협곡을 설명하기 위해 슬롯slot이라는 용어를 사용한다. 내가 지나가고 있는 협곡은 처음엔 넓었다가 차츰 좁아져서 마침내 아주 좁은 슬롯이 됐다. 나는 좁은 길과 슬롯 사이 어딘가에 다다랐고, 저 밑에는 벌써 시커먼 진흙이 거세게 일고 있었다. 강물이 얼마나 깊은지 알고 싶지도 않았다. 내가 강기슭에 바싹 붙어 모퉁이를 돌다가 주변을 둘러보았을 때, 잣나무 한 그루가 슬롯을 벗어나 거센 물결을 타고 내 머리를 향해 곧장 날아오는 모양이 눈에 들어왔다.

강기슭에서 뛰어내려 진흙 속으로 첨벙 빠졌던 기억이 난다. 무언가가 내 몸을 홱 뒤집었고, 또 무언가가 내 코를 치고 지나간 기억이 난다. 한쪽 어깨가 바위에 부딪쳤고, 물살에 몸이 오도 가도 못했으며, 모르긴 해도 5층 계단쯤 되는 높이에서 정신없이 휩쓸려 내려왔던 것 같다. 손바닥선인장 위로 떨어졌다는 것만큼은 확실하다. 다리와 팔과 등에 가시가 잔뜩 박혔지만, 강 상류 쪽이어서인지 어쨌든 전망 하나는 끝내줬다. 휴고의 모습은 보이지 않았고, 아까 보았던 잣나무가 방금 전 내가 서 있던 자리에서 반대 방향에 있는 암벽들 사이에 박힌 모양만 똑똑히 눈에 들어왔다.

집까지 먼 길을 터덜터덜 걸어 돌아왔다. 한참을 걸으면서 나는, 축구 경기를 보는 바람에 개가 죽게 됐다는 말을 조이한테 어떤 식으로 설명하면 좋을지 고심했다. 그러나 짐작하다시피 걱정할 필요가 없었다. 휴고가 살아서 집에 돌아왔던 것이다. 비록 나보다 훨씬 형편없는 몰골이 되었지만 말이다. 왼쪽 눈 위로 길고 깊은 상처가 났고, 등에도 깊숙이 상처가 베었으며, 온몸 구석구석 물린 자국이 있었다. 휴고와 오티스가 도대체 어떤 놈하고 상대를 했는지 모르겠지만, 빵 상자보다 큰 녀석임에는 틀림없었다(영어권에서는 스무고개 놀이를 할 때 물건의 크기를 알기 위해 관용적으로 '빵 상자보다 큰지'를 물어본다).

다음 날 아침, 나는 진입로를 고친 다음 두 마리 개가 대체 어디에서 공격을 당했는지 찾으러 나섰다. 그 후 몇 주가 지나, 우리 개가 난폭하게 공격을 당한 그날 밤의 것으로 밝혀진 수상한 똥의 출처에 대해 치마요 농부들이 열심히 이런저런 추측을 하는 모습을 보았다.

"오소리야, 오소리." 라울이 말했다.

"멧돼지인 것 같은데." 프랭크가 말했다.

"캘드런 할아버지라니까." 파블로가 말했다. "취하면 꼭 그러잖아, 왜."

케리는 외계인 소행이라고 생각했고, 아르투로는 추파카브라(Chupacabra, 가축을 습격하고 피를 빤다는 미확인동물)의 짓이라고 추측했다. 나는 누구 말을 믿어야 할지 몰랐다.

잠시 후 박사가 우리의 억측들을 바로잡아 주었다.

"스라소니가 그런 거에요." 박사가 말했다. "스라소니 암컷 대장 짓이지요."

스라소니라고? 세상에 누가 스라소니 한 마리한테 이렇게 완패를 당한단 말인가? 하긴, 농담이 아니라 진지하게 하는 말인데, 내가 개똥 때문에 전전긍긍했다는 것도 생각해보면 믿기 힘든 일이긴 하다.

사실상 뉴멕시코 북부에 대한 진실을 말하지 않고 뉴멕시코 북부의 진실을 말할 수 있는 방법은 없다. 솔직히 말해 여긴 정말 이상한 데다. 그리고 분명히 말하지만, 상식대로 이루어지는 일이 하나도 없다. 헤로인 밀매업자들, 오토바이 폭주족, UFO 광신도들, 음모론자들, 뉴에이지 점술가들, 크리스털을 이용한 치유자들, 히피 공동체들, 예술가 공동체들, 지푸라기와 구리를 이용해 재활용이 가능한 저택을 짓는 전위 건축가들, 부활절 주말에 아홉 갈래 채찍을 들고 걸음을 옮길 때마다 자신을 채찍질하며 가두 행진을 하는 가톨릭 통회 수도회Penitentes의 수많은 수사들을 두고 하는 말은 아니다. 아, 그렇다고 내 친구 매트를 두고 하는 말도 절대절대 아니다. 물론 매트를 시작으로 이야기를 꺼내는 것이 상황을 이해시키기에 적절하긴 하겠지만.

나는 여름 한철이 지난 어느 날 매트를 만났다. 우리 집 별채에 전기를 설치해야 했는데, 그러려면 빽빽한 진흙땅과 단단한 돌멩이를 뚫고 깊이 1미터, 너비 30센티미터, 길이 60미터 정도의 구덩이를 파야 했다. 이런 미친 짓을 위해 바로 기계가 필요한 것이다. 기계의 이름은 용도에 어울리게 트렌처trencher라고 불렸고, 모양은 식기세척기에 여섯 개의 전동 사슬톱이 장착된 것처럼 생겼다. 트렌처를 작동시키는 건 마치 야생마를 길들이는 것과 같아서, 내내 튼튼한 작업용 장갑을 꼈는데도 양손의 살갗이 거의 다 벗겨졌다. 더 속상한 건, 이렇게까지 했는데도 아직 구덩이를 완벽하게 파지 못했다는 거다. 나머지는 삽을 이용해 정교하게 작업해야 했다. 정교함이 필요한 이유는 전화선이며 가스관을 피해야 했기 때문이고, 굳이 작업이라는 말을 붙인 이유는 족히 20미터를 삽으로 파야 했기 때문이다. 살갗이 다 벗겨진 손으로는 아무래도 무리여서, 나는 친구의 조언대로 매트를 고용했다. 그땐 아직 그가 매트인지 모를 때였고, 나는 그저 전화번호와 직함 하나만 받아두었다.

"전화 걸어서 '인간 증기삽' 연결해달라고 해."

'인간 증기삽'은 며칠 동안 쉬지 않고 구덩이를 팔 수 있다고 해서 붙여진 매트의 별명이었다. 한 번도 구덩이를 판 적이 없는 사람이라면 이게 얼마나 엄청난 재주가 필요한 일인지 감이 오지 않을 테지만, 이 세상에 삽을 이용해 사람 손으로 땅을 파는 것보다 더 어려운 일은 거의 없으며, 며칠은커녕 몇 시간조차 쉬지 않고 삽질을 하고도 살아남는 사람은 더더욱 없다. 그런데 매트는 지치는 법이 없다고 했다. 잠시도 쉬지 않고 파고 파고 또 판다고 했다. 혹시 소문만 그런 게 아닐까? 소문을 확인하기까지 약간 애로사항이 있었는데, 매트가 내 작업을 맡을지 말지 결정하는 데 조금 애를 먹었기 때문이다. 문제는 그가 일을 하지 않아도 먹고살 만해서가 아니었다. 그가 나에게 제일 처음 한 말은 — 자기를 인간 증기삽이 아니라 매트라고 불러도 좋다고 말한 후 — 자기는 완전히 폭삭 망해서 먹을 것도 다 떨어진 형편이라 내가 전화를 했을 때 신에게 감사를 드렸다는 것이다.

나는 그에게 음식도 제공하고 일당도 주겠다고 말했으며, 아마 목요일부터 일을 시작할 수 있을 거라고 했다.

"이번 주 목요일?" 매트가 말했다. "이틀 뒤?"

나는 그렇다고 말했고, 그는 그날은 액일厄日이라고 말했다.

"그래서 목요일엔 일을 할 수 없다는 거야?"

"그럼, 할 수 없지. 너도 목요일에 일을 하면 안 돼. 그날은 아무도 일을 해서는 안 된다고. 그날은 액일이란 말이야."

"음, 그래 뭐, 얼마나 안 좋은 날인데?"

관련된 신화를 들으니 나도 금세 혹해서 굉장히 혼란스러워졌는데, 전문적으로 움마Umma 달력이라고 알려진 기원전 21세기의 수메르 달력에 목요일이 액일로 나와 있는 모양이었다. 어쨌든 목요일은 별의 위치도 어긋나고, 시기도 상서롭지 못하다는 것이다. 나는 이 말만은 해야겠다고 생각했다. "아니, 지금 먹을 것도 없어서 굶고 있는 판국에, 4천 년이나 지난 쓸모없는 달력 하나 때문에 밥도 돈도 다 거절하겠다는 거야?"

"이 친구 좀 보게." 매트가 말했다. "이 지역이 무슨 힘으로 움직이는지 전혀 모르나 봐."

"으응. 그, 그런가." 내가 말했다.

매트는 이 지역은 땅 자체에 신적인 에너지, 다시 말해 그 능력은 널리 알려져 있지만 원리는 도무지 알 길이 없는 고대로부터 내려오는 일종의 부적이 있다고 설명했다. 그 존재에 대해 정확하게 설명할 수 있는 사람은 아무도 없지만, 매트는 '감정의 증폭기'라는 말로 최대한 이해하기 쉽게 설명했다.

"감정 뭐라고?"

"네가 지금 이 순간 어떤 감정을 느끼든, 이 지역 경관은 그것을 크게 확대해서 보여줘."

"으응. 그, 그렇군." 내가 말했다.

그렇게 해서 금요일이 구덩이를 파기에 좋은 길일로 잡혔고, 매트는 그날 우리 집에 왔다. 소문대로 매트는 이틀 동안 쉬지 않고 땅을 팠고, 매트와의 일은 그렇게 끝났다. 만일 배관공과 배관공이 다녀간 이후에 벌어진 일만 아니었다면, 어쩌면 나는 매트의 경고에 대해 더 이상 생각하지 않았을 것이다. 뭐, 판단은 각자가 알아서 내릴 일이겠지만.

나는 스라소니의 공격이 있은 지 바로 몇 주 후에 정화조를 고치기 위해 배관공을 고용했다. 우리 집에 온 배관공은 대부분의 사람들이 처음 우리 집에 오면 으레 하는 말 — 자기 친척들이 옛날에 우리 집에 살았었다는 — 을 했다. 어느 정도 맞는 말이다. 치마요는 워낙 작은 마을이고 우리 집은 오랜 역사를 지니고 있다. 19세기 후반에 지어진 집이다 보니, 이 지역에 사는 웬만한 사람들은 과거 이 집에 살았던 사람들을 잘 알고 있다. 우리에게 염소 고기 — 개들에게 아주 특별한 식사다 — 를 파는 남자와 가까운 친척 아주머니의 아버지, 우리 집 집배원의 사촌의 누나, 그리고 이 배관공은 자기네 증조할머니의 어머니가 지금 조이가 사무실로 쓰고 있는 방에서 아이를 낳았다고 말하고 있다. 배관공은 그 아기가 태어나자마자 죽었는데 사람들이 아기의 시신을 '옛날식'으로 묻었다는 말도 덧붙였다.

나는 옛날식이 어떤 건지 몰랐지만, 조이가 오이를 심으러 뒷마당에 갔다가 잘못해서 시체를 파게 되는 건 아닐까 상상해보았다. 그러나 배관공은 고개를 저은 다음 우리 집 거실 벽을 향해 저벅저벅 걸어가더니 손바닥으로 벽을 탁 하고 치는 것이었다.

"시신은 바로 여기에 묻혀 있어요." 배관공이 말했다. "바로 옛날식으로요."

이야기는 이렇다. 그 당시, 아기가 죽고 집은 공사 중이어서 아기의 시신을 공사 중인 벽에 매장했다는 것이다.

"액운을 막기 위해서지요." 배관공이 말했다.

"네, 뭐라고요? 오히려 액운을 불러들일 것 같은데요."

"그런 소리 함부로 하는 거 아니에요."

"네?"

"액운에 대해 생각도 하지 말고, 액운이라는 말도 꺼내지 마세요. 이 지역에 신령스러운 힘이 있는 거 몰라요?"

그의 말을 들으니 매트의 경고가 떠올랐다.

"당신도 그 감정의 증폭기니 뭐니 하는 걸 말하는 거예요? 그게 사실이라고 생각하는 거예요?"

"기다려보세요. 기다려봐." 배관공이 말했다.

곧 알게 되겠지만, 배관공의 경고를 이해하기 위해 오래 기다릴 필요는 없었다. 10월 말이 되자 우리가 캘리포니아를 떠난 후 처음으로 치마요의 고립된 생활이 나를 괴롭히기 시작했다. 겨울이 다가오는 것도 어느 정도 이유가 됐을지 모른다. 나뭇가지는 서서히 헐벗기 시작했고, 산 위로 짙은 구름이 내려앉았으며, 회색의 경치는 황량함을 더했으니 말이다. 가장 큰 이유는 우리가 로스앤젤레스를 떠나온 지 약 8개월이 지났다는 사실이었다. 8개월이면 우정이 빛을 바래기에 충분하고도 남을 시간이었다. 캘리포니아에서 친하게 지냈던 사람들은 도대체 언제 캘리포니아로 돌아올 거냐고 더 이상 묻지 않았다. 지금쯤 그들은 우리가 치마요로 이사한 것이 경솔한 결정이었던 것만큼 빨리 돌아오기 힘들 거라고 결론을 내렸다. 눈에서 멀어지면 마음에서도 멀어지는 법. 10월 말이 되자 내 부모님 전화 말고는 거의 전화 한 통 걸려오는 일이 없었다. 그래서 나는 소외감과 외로움을 느꼈고, 무언가가, 정말로 무언가가 이 감정을 증폭시키기 시작했다.

그 일은 서서히 시작되었다. 그리고 그것은 우편물로부터 시작되었다. 6개월 동안 우편 서비스가 완벽하게 잘 이루어진다 싶더니, 그 이후부터 우리 집 우편함은 내내 텅 빈 상태를 유지했다. 어떻게 된 게 청구서 한 장, 편지 한 통, 심지어 마트 쿠폰 하나 날아오지 않았다. 우체국에서는 우리에게 올 우편물을 분실했고, 캘리포니아에서는 우편물을 이쪽으로 회송할 수 없었다. 수차례 서류를 작성하고 전화를 걸어봤지만 아무런 도움이 안 되는 것 같았다. 치마요에서는 휴대전화가 전혀 터지지 않아서 전화 통화를 하려면 일반 전화를 이용해야 했다. 그런데 우편물이 사라진 지 이틀 후, 뉴멕시코 시에서 우리 집 도로를 보수하기 시작했는데 — 전화 회사에서 도로 바로 밑에 전화선을 묻은 다음 도로 보수가 시작됐다 — 인부들이 잘못해서 우리 집 전화선을 계속 끊어가며 보수를 했다. 끊긴 전화선을 완전히 수리하려면 며칠이 걸렸고, 도로 보수 기간 내내 전화선은 계속 끊기고 있는 터라 사실상 우리는 우편물을 분실한 지 얼마 되지 않아 전화까지 불통이 되고 말았다.

곧이어 컴퓨터까지 돌아가며 말썽을 일으켰다. 조이의 컴퓨터는 화요일에, 내 컴퓨터는 목요일에 고장이 났다. 150킬로미터 이내에 맥 컴퓨터 수리점을 찾을 수 없다는 게 문제였지만, 이런 일로 크게 신경 쓰지 말았어야 했다. 컴퓨터를 수리하려면 앨버커키까지 차에 컴퓨터를 싣고 가거나, 아니면 애플 사로 택배를 보내야 했다. 그리고 애플로 택배를 보내려면 애플 쪽에서 우리에게 특정한 상자를 보내야 했다. 제품 보증인지 뭔지 때문이라는데, 그 상자를 이용하지 않으면 컴퓨터를 수리할 수 없다는 것이다. 그런데 공교롭게도 당시 애플과 협력한 유일한 택배사가 DHL이었는데, DHL은 이 지역으로 오려고 하지 않았다. DHL이 안 오니 수리도 못 해, 수리를 못 하니 이메일도 안 됐다.

이제 바깥세상과 연결할 수 있는 통로는 낡은 텔레비전 한 대와 두 개의 이동통신 서비스가 전부였다. 텔레비전은 거실 한가운데 커다란 탁자 위에 놓여 있었다. 그러나 이 지역 수신 상태가 형편없어서 표준 방송은 하나도 나오지 않았다. 우리는 케이블은 신청하지 않았지만, 텔레비전에 DVD 플레이어가 내장되어 있어서 이것을 이용해 영화를 보았다. 아니, 정확히 말해 공포의 그날 밤까지는 그랬다. 그날 밤 조이가 텔레비전 전원 버튼을 누르자, 텔레비전이 공중을 향해 똑바로 튀어 오르더니 30센티미터 앞으로 발사된 후 조이의 양 발 사이 바닥으로 추락하는 것이었다. 그 시간에 나는 60센티미터 떨어진 곳에 서 있었기 때문에 이 과정을 전부 지켜볼 수 있었는데, 정말이지 이 모든 게 벽 안에 매장된 죽은 아기 때문이라고 밖에는 설명할 방법이 없었다. 도대체 이거 말고 달리 어떤 이유를 생각할 수 있겠는가?

그날 이후 이상 기온으로 폭염이 시작됐다. 일종의 지구 온난화의 전조였는데, 겨우 닷새간 지속되었지만 기온은 32도까지 올라갔다. 그러던 어느 날, 조이는 시내로 볼일을 보러 갔고 나는 낮잠이나 자려고 자리에 누웠다. 집 안이 더워 죽을 지경이라 알몸으로 침대에 누웠는데, 잠시 후 개들이 마구 짖기 시작했다. 우리가 자는 동안 개들이 짖는 일이 워낙 잦다 보니, 나는 어떤 소리는 대충 무시하고 넘겨도 괜찮다는 걸 알게 되었다. 그런데 지금 이 소리는 그런 종류가 아니었다. 뭔가 심각한 문제가 있다는 걸 알릴 때 내는 소리였다. 나는 개들의 경고음을 듣고 얼른 침대를 박차고 나와, 아무거나 가장 가까이에 놓인 무기로 삼을 만한 것을 손에 쥐고 현관을 향해 돌진했다. 현관문을 열고 두 발자국 밖으로 나왔을 때에야, 내가 몸에 실오라기 하나 걸치지 않은 채 우산을 마구 휘두르고 있다는 사실을 깨달았다. 몇 달 후 우리 집에 택배를 보내주는 여자와 마트에서 마주쳐 그날 상황을 설명하기 전까지, 그것이 우리가 페덱스FedEx를 본 마지막이었다.

다음 날 나는 조이에게 무언가가 우리를 바깥세상과 단절시키려

하는 것 같지 않느냐고 물었다.

"그런가?" 조이가 말했다. "그래도 아직 UPS(미국의 우편 및 화물 운송 회사)가 남았잖아."

우리 집에 온 열세 번째 개의 이름은 벨라 추파카브라였다. 벨라Bella는 이탈리아어로 '예쁜'이라는 뜻이고, 추파카브라는 스페인어로 '염소 잡아먹는 무시무시한 괴물'이라는 뜻이다. 우리의 예쁘고 무시무시한 염소 괴물은 목양견과 핏불테리어의 잡종으로 온몸이 근육질에 완전 시커멓고, 우리 집 담당 UPS 직원이 곧 쓰라린 경험으로 알게 되었듯이, 방어 능력이 무척 뛰어났다. 내가 알몸으로 현관문을 열고 나간 일이 있고 나흘 뒤, 벨라는 UPS 직원을 물었고 이것으로 UPS와도 마지막이었다. 나는 외롭게 시작했다가 결국 세상과 완전히 단절되고 말았다. 그렇게 11월 초가 되자 이 외딴 섬에 우리와 개들만 덩그러니 남게 됐고, 그때부터 상황은 더욱 이상하게 돌아갔다.

여름을 보내는 동안 개들도 점점 늘었다. 조이는 이 개들 대부분이 껍질을 깨고 나오려면 대여섯 달이 걸릴 거라고 말했었다. 조이는 이렇게 말하곤 했다. "11월이 지나면, 그때부터 개들의 진짜 성격을 알게 될 거야." 흐음, 11월이 지나자 정말로 두 가지가 확실해졌다. 여름을 보내는 동안 꽤 많은 개들이 우리 집에 모여들었다는 사실과, 모든 개들이 거리낌 없이 제 모습을 드러내기까지 그 정도 기간이 필요했다는 사실. 이제 대여섯 달이 지났고, 개들은 이제 각자의 성격을 드러내기 시작했다. 그 차이를 설명하는 가장 쉬운 단어는 폐소공

포증이었다.

그해 가을, 어쩐지 집이 좁아진 느낌이었다. 침실이 사라진 것 같기도 하고 개의 수가 더 늘어난 것 같기도 했다. 나는 조이에게 그런 것 같지 않느냐고 물었다. 물론 침실이 사라지지도 않았고, 조이는 우리가 개를 더 데리고 오지는 않았다고 확신하는 것 같았다. 원인은, 우리가 이전에 추가로 데리고 온 개들이 갑자기 자기 존재를 드러내기 시작했으며, 그러한 표현의 일환으로 공간을 널찍하게 차지하게 된 데 있었다. 우리가 외부 세계로부터 고립된 후 이 섬 생활에서 얻은 첫 번째 교훈은, 이 집이 징그럽게 북적거린다는 것이었다.

두 번째 교훈은 이 무리들의 성격에 관한 것이었다. 우리는 단순히 개들의 성격이 여러 가지라는 사실만 알게 된 것이 아니다. 우리가 깨달은 사실은 특정한 성격 하나가 유독 많아졌다는 것이다. 7월에 나타난 그는 작은 도베르만 종이었다. 조이는 그를 버디Buddy라고 불렀지만, 심리적 충격이 사라져 그가 본색을 드러내기 시작했을 때 즈음 나는 그를 '주둥이가 박살난 변강쇠'라고 부르고 있었다. 이 '주둥이가 박살난 변강쇠'는 아무 데나 영역 표시를 하려고 드는 한창때의 난폭한 개라서, 결국 에스파뇰라의 동물보호소로 보내졌었다. 개들은 본능적으로 영역 표시를 하는데, 조련사들은 여러 가지 힘든 일들 가운데 가장 힘든 일로 이 본능을 없애는 작업을 꼽는다. 어떤 개들은 수직의 표면에 적당한 냄새만 나도 바로 한쪽 다리를 들어 올려 자신의 영역임을 표시한다. 그런데 우리의 '박살난 주둥이'님은 그마저도 선택사항이 아니었다. 그는 아무 데나 오줌을 싸댔는데, 내가 그를 '박살난 주둥이'라고 부른 건 그래서가 아니었다. 그가 이런 이름을 얻게 된 건 얼굴의 절반을 잃어버렸기 때문이다. 무언가가 그의 얼굴을 베어 물었는데, 나중에 다시 회복이 되긴 했지만 과히 보기 좋은 모습이 아니었다. 턱은 어긋났고 입은 비뚤어졌다. 이빨 하나가 한쪽 콧구멍 밖으로 자라고 있었고, 콧구멍도 하나뿐이었다. 게다가 그의 음경은 지금까지 내가 본 개의 음경 가운데 가장 컸다. 그의 음경을 처음 봤을 때, 우리는 음경발기 지속증이라는, 수술을 해야 고칠 수 있는 응급 상황인 줄 알았다. 그런데 그가 자신의 진가를 제대로 발휘했을 때, 그의 음경이 잠시도 운동을 멈추는 법이 없다는 걸 알았다. '박살난 주둥이'는 우리 집의 모든 수컷 개들과 성교를 하면서 나머지 이름을 얻었다.

그는 소위 라틴계 연인Latin lover의 개 버전이었다. 박살난 주둥이는 우리 집 수컷 개들을 한 마리 한 마리 전부 달아오르게 만들고는 다시 처음으로 돌아가 또다시 흥분시키기 시작했다. 전부 수컷만 상대했다. 며칠 동안 그는 휴고와 사랑에 빠지는가 싶더니, 이내 데이미언으로 상대를 바꾸었고, 얼마 후엔 레오와 사귀었다. 원하는 수컷이 누구든, 일단 그는 갈망하는 듯한 눈빛으로 상대를 뚫어져라 바라본 다음, 그를 줄기차게 쫓아다니고, 그의 털을 끊임없이 매만졌다. 그럴 때 그의 모습은 사랑의 열병에 푹 빠져 상사병에 걸린 십대 소년하고 똑같았다. 그리고 사랑으로 속을 태우는 대부분의 십대 소년들처럼, 그도 성적으로 엄청 흥분된 상태였다.

박살난 주둥이는 자기 애인과 틈만 나면 성교를 했다. 대부분의 연구원들 말에 따르면, 수컷과 수컷의 성교는 우성에게 늘 있는 일이다. 이러한 태도의 예는 어디에서나 볼 수 있다. 작가이자 행동수정 전문가인 레나 머리Rena Murray는 그녀가 발행하는 회보《개의 종류별 충고*Paw Persuasion Pointers*》에서 다음과 같이 주장한다. "개가 성교를 하고, 성교를 위해 다른 개 위에 올라타고, 다른 개의 앞을 가로 막으며 관심을 끄는 행위는 모두 진지하게 이루어지며 개의 우위 문제로 발전한다. 만일 이 문제가 제대로 다루어지지 않을 경우 대부분의 개들은 공격적인 모습을 보일 것이다." 그러나 박살난 주둥이는 우위니 뭐니 하는 것에 관심이 없었고, 마찬가지로 공격에 대해서도 전혀 관심이 없었다. 어쨌거나 그는 순수한 바람둥이였으니까. 사실 그는 자기 남자 친구 등 위에 올라탄 적도 거의 없었다. 그저 근처에서 허공에 흘레질하는 것만으로도 좋다고 싱글벙글이었다. 그리고 오르가슴을 느낄 때까지 연신 그렇게 미소를 짓곤 했다. 게다가 그 자세 그대로 오래 있을 수도 있었다. 이틀도 좋고, 사흘도 좋고, 제 기분 내키는 대로 한참 동안 같은 자세를 유지했다.

수컷끼리 짝을 바꿔가며 흘레붙는 개가 박살난 주둥이만이 아니었다. 우리는 동성애자 개들을 데리고 있었다. 그것도 아주 많이. 박살난 주둥이는 미샤를 사랑했고 미샤는 솔티를 사랑했기에, 내가 집에 여유 공간이 줄어들었다고 말했을 때 심리적으로도 그렇게 느꼈지만, 실제로 욕실에 한번 가려면 흘레붙는 이 괴상한 삼각형 주위를 빙 돌아서 가야 했다. 휴고는 남자 친구를 사귀고 싶으면 항문과 고환을 핥는다. 그는 상대의 털을 손질하지 않으며 오직 성감대에만 집중한다. 스쿼트는 — 이걸 어떻게 말해야 할지 모르겠는데 — 남자 역할을 하는 여자 동성애자다. 다그마도 마찬가지. 헬가는 동성애자 수컷만 좋아하는 우리의 전속 패그해그(fag hag, 게이 남자들과 어울려 다니는 이성애자 여자)다. 한편 데이미언은 드래그 퀸(drag queen, 여장 차림을 좋아하는 남자 동성애자)으로, 이 곱사등이 치와와께서는 새된 소리를 내고 오페라에서처럼 난리법석을 떨며 치장에 지나치게 까다로운 경향이 있다. 데이미언은 자기가 좋아하는 겨울 스웨터를 발견하면 집 안을 한 바퀴 행진하는데, 그럴 때면 우리는 개들의 여장 남자 패션쇼를 보는 것만 같다. 우리 집에 사는 구조된 개들로 텔레비전 미니 시리즈를 만든다면, 지난여름은 〈초원의 집〉이 됐을 테고, 우리가 바깥세상으로부터 고립되었을 무렵엔 〈이것이 진짜 세상이다: 샌프란시스코 편〉(미국 MTV의 리얼리티 방송 시리즈의 세 번째 시즌으로, 다양한 부류의 낯선 사람들이 몇 개월씩 함께 생활하는 모습을 보여준다)쯤 됐을 거다.

성 혁명의 등장은 나에게 호기심을 불러일으켰다. 아니, 그 많고 많은 개성이 왜 하필이면 성적 취향으로 표현된 것일까? 그렇게 많은 성적 취향들을 다 놔두고 왜 하필 동성애였을까? 나는 이 문제의 해답을 찾으려면 심리학자들의 성격 평가 방식에서부터 시작하는 것이 가장 좋은 방법이라고 생각했다. 1933년 미국 심리학회의 한 연설에서 루이스 서스톤Louis Leon Thurstone은 아직 시작 단계에 이르지 않은, 인간 심리에 대한 가장 포괄적인 연구 작업에 대해 처음으로 언급했다. 연구원들의 작업은 인간의 기질을 묘사하기 위해 사용된 모든 영어 단어들을 확인하고 분석하고 분류하는 것이었다. 이 작업을 모두 마쳤을 때 그들은 우리가 사용하는 그 많고 다양한 언어들이 현재 '5대 성격 특성the Big Five'이라고 하는 다섯 가지 성격 특성으로 이루어져 있음을 발견했다. 5대 성격 특성은 본래 이론적인 범주로 나누기 위해 마련한 것이지만, 그 타당성이 깊이 입증되어 아직 더 나은 모형을 발견하지 못했다.

5대 성격 특성은 개방성, 성실성, 외향성, 친화성, 정서적 안정성으로 분류되며, 이 요소들을 궁극적으로 '생존을 위한 전략'으로 보는 것이 도움이 된다. 심리학자 제리 위긴스Jerry Wiggins는 그의 저서 《5대 성격 특성 모형*The Five-Factor Model of Personality*》에서 모든 자동차들은 네 개의 바퀴와 하나의 브레이크 장치와 방향 조종 장치로 구성되며, 이런 부품들을 통틀어 우리는 대충 '자동차의 본질'이라고 설명한다. 이와 같은 방식으로, 모든 인간은 두 개의 다리와, 다른 손가락들과 마주 볼 수 있는 엄지손가락과, 비교적 — 다른 영장류에 비해 — 털이 없는 몸통으로 이루어져 있으며, 이런 모습을 마찬가지로 '인간의 본질'이라고 여긴다.

> 자동차를 디자인할 때 엔지니어는 '자동차의 본질'과 부품들의 다양한 차이점을 아주 정교하게 고려해야 한다. 그러나 판매할 자동차를 선택할 땐 '자동차의 본질'은 모든 자동차가 갖추고 있는 성질이므로 고려할 필요가 없다. 선택에서 중요하게 다루어야 할 점은 오히려 자동차들 간의 **차이**들 — 차가 큰지 작은지, 힘이 좋은지 약한지, 연비가 좋은지 나쁜지 등 — 이다. … 마찬가지로 우리가 짝을 선택하는 것과 같은 사회 적응 문제들에 부딪칠 때, '마주 볼 수 있는 엄지손가락'이나 '두 개의 다리가 있음' 따위를 주요한 선택 기준으로 삼는다는 건 너무나 터무니없을 것이다. 드문 경우를 제외하면 모든 배우자감은 이런 특징들을 지니고 있을 테니 말이다. 마주 볼 수 있는 엄지손가락을 지니고 있다는 것이 인간 본질에서 상당히 중요한 부분인 건 맞지만, 그럼에도 불구하고 배우자를 찾는 여자가 이런 식으로 생각하지는 않는다. '우와, 드디어 끌리는 남자를 찾았어, 그 사람은 마주 볼 수 있는 엄지손가락을 갖고 있어!' 자연선택을 결정하는 요소에 상수constant는 해당되지 않는다. 자동차를 선택하는 것과 마찬가지로 개개인의 차이가 중요하게 여겨지는 것이다.

그가 말하는 이 차이란 '5대 성격 특성'을 바탕으로 한 각양각색의 모든 조합이다. 이 차이들이 하필 성적 취향으로 드러나는 이유는, 배우자를 선택할 때 장래 배우자감이 나의 기본적인 욕구에 대비할 능력이 있는지 판단하기 위한 방법으로 상대방의 태도를 평가할 필요가 있기 때문이다. 생식은 기본적인 욕구에 속하므로 성적 정체성은 성격의 하위 범주가 된다. 박살난 주둥이를 예로 들어보자. 그의 5대 성격 유형은 대략 이런 식으로 이루어진 것 같다. 그는 개방적이고 친화력이 좋으며(수많은 연인들을 다 받아들이고 그들 모두에게 엄청 싹싹하다) 외향적(자기 연인들을 매료시킬 줄 안다)이지만, 성실과 거리가 멀고(수많은 연인들을 두루 거치며 사랑을 불태운다) 정서적으로 안정되지 못하다(마찬가지로 수많은 연인들과 바람을 피우는 걸 예로 들 수 있다). 그러나 이러한 성격 유형이 박살난 주둥이에게는 완벽하게 균형을 이루는데, 실제로 그가 추구하는 것은 **단기간의 정사** short-term mating로 알려진 생존 전략이기 때문이다.

다윈의 관점에 따르면, 생존을 위한 시합에서 이기는 방법은 유전자를 널리 퍼뜨리는 것이다. 그러기 위해 수많은 방법들이 이용되며, 가장 잘 알려진 방법으로 일부일처제와 일부다처제가 있다. 과학자들은 두 가지 전략 아래에 깔린 심리를 이해하고자, 각각과 관련된 성격 특성에 대한 중요한 연구를 진행했다. 그 결과, 전반적으로 개방성과 외향성이 높고 성실성과 정서적 안정성이 낮은 인간은 그렇지 않은 인간에 비해 많은 애인을 두는 경향이 있다는 사실이 밝혀졌다. 이런 성향을 지닌 어린아이를 성인기까지 추적해보면, 이 아이가 성인이 되었을 때 많은 애인을 사귀며 장기적인 관계를 거의 맺지 못한다는 걸 알게 될 것이다. 더욱이 인간을 대상으로 한 자료가 동물을 대상으로 한 자료와 일치하는데 — 박살난 주둥이가 증명하듯이 — 일부다처제는 종에 관계없이 여전히 실행 가능한 선택사항이기 때문이다. 그리고 조이와 내가 발견한 것처럼, 일부다처제와 일처다부제 모두 성적 취향과 관계없이 여전히 실행 가능하다.

그리고 이 성적 취향은 일부에서 암시하듯 변태적인 것이 아니다.

각 종교의 보수주의자들은 동성애에 대해 '자연을 거스르는 혐오스러운 취향'이라고 말하지만, 이는 대단히 잘못된 견해다. 동성애는 자연 전체에서 볼 수 있다. 개, 청둥오리, 갈매기, 돌고래, 들소, 코끼리, 사자, 양, 도마뱀, 잠자리, 그 밖에 약 4백여 종의 동물들이 동성애적 성향을 보인다. 2년 전, 샌프란시스코 동물원에 사는 수컷 펭귄 한 쌍이 서로 깊이 사랑에 빠져 함께 알을 품은 일이 있었다. 기린들은 수컷하고만 신 나게 즐긴다. 반면 일본원숭이들은 암컷끼리만 사귄다. 우리와 가장 가까운 동족인 보노보는 할 수 있는 때면 언제든 무슨 수를 써서라도 상대를 가리지 않고 성행위를 즐긴다. 하지만 다윈의 관점이 옳고, 진화가 계획적으로 경쟁을 통해 이루어지는 것이며, 게임에서 이기는 방법은 유전자를 퍼뜨리는 것이라면, 동성애가 왜 문제가 되는 것일까?

한동안 유전적 돌연변이가 그 답이 되어주었다. 그런데 스탠퍼드 대학교의 진화생물학자 조안 러프가든Joan Roughgarden은 1997년 샌프란시스코에서 열린 게이 프라이드 퍼레이드Gay Pride Parade에서 가두행진을 하기로 결정한 후, 동성애자들의 수에 깜짝 놀랐다. 그녀는 다음과 같이 말했다. "아무리 낮게 잡아도 스무 명 가운데 한 명은 동성애자라고 봐야 할 것이다. 하지만 이 수치가 현실에서 드러나는 방식은 별개의 문제였다. 나는 유전자 돌연변이에 의해 발병되는 가장 일반적인 질환인 헌팅턴 질환이 십만 명 가운데 한 명꼴로 나타났다는 데 생각이 미쳤는데, 그렇지만 이 견해가 옳다고 하기에는 세상에 동성애자가 너무나 많다. 발생 빈도가 이렇게나 높은데도 동성애적 취향이 변태적인 유전자 때문이라니, 말도 안 되는 주장이다. 동성애는 나름의 목적에 기여해왔음에 틀림없다."

러프가든은 동성애적 성향은 자연계 모든 곳에 적응하며 지속되어온 것인 만큼, 이것은 적응형질(adaptive trait, 생물이 생명 유지를 위해 환경 변화에 따라 형태, 기능 등을 변화시켜 환경에 순응하는 형질)이 분명하다는 생각으로부터 출발했다. 동성애는 사라지기는커녕 수백만 년 동안 지속되어온 자연선택에 의해 조심스럽게 지켜져왔다. 더욱 희한한 사실은, 어떤 종이 '고등한' 것처럼 보일수록 동성 커플에 대한 선호가 보편화된다는 것이다. 러프그린은 동성애적 성향은 사실상 고등한 동물 집단의 숨길 수 없는 **주요한** 징후라고 여기며, 그의 저서 《진화의 무지개*Evolution's Rainbow*》에서 다음과 같이 주장한다. "사회 체계가 복잡하고 정교할수록 동성애와 이성애가 혼재될 가능성이 높다."

이 같은 견해는 다윈주의의 기본 이론 가운데 하나와 상충된다. 진화론에 따르면, 수컷과 암컷의 관계는 원활한 번식을 돕는 무언가로 정의되는 성 선택sexual selection에 의해 지배된다고 한다. 대부분의 수컷은 암컷에 접근하기 위해 경쟁하고, 암컷은 최고의 수컷을 선택함으로써 경쟁한다. 성 선택의 전형적인 모델은 언제나 공작이 차지해왔다. 왜 어떤 새는 디트로이트 시만큼 넓게 꼬리를 펼쳐가며 생존에 해가 될 정도로 자신을 꾸미는 걸까? 다윈은 그 이유가 암컷의 선택에 있다고 짐작했다. 진화 과정의 어느 시점에서 공작의 암컷들은 커다란 꼬리가 섹시하다고 판단했다. 그래서 커다란 꼬리를 가진 수컷들은 가장 활발하게 섹스를 했고, 그렇게 해서 낳은 새끼는 더 큰 꼬리를 갖게 되었으며, 그런 식으로 오랜 시간이 흘러 마침내 아무짝에도 쓸모없는 긴 신부의 옷자락을 엉덩이에 턱 하니 붙이고 있는 오늘날의 공작 형태가 된 것이다. 일단 유전자가 발견되자 과학자들은 더 활발하게 연구를 진행했다. 그들은 이 신부의 옷자락이 번식을 위해 최고의 DNA를 필요로 하는 값비싼 의상이었음을 깨달았다. 이 유전자는 암컷 공작들이 노리던 것이었으며, 이들이 수컷의 꼬리를 우선적으로 편애했던 이유도 그래서였다.

나중에 몇 가지 문제들이 제기되었는데, 그 가운데 상당수는 도쿄대학 연구원인 마리코 다카하시Mariko Takahashi가 인도공작의 야생종 집단을 수년 동안 관찰한 후 발견한 내용이었다. "우리는 암컷 공작들이 정교한 깃털을 지닌 수컷 공작을 선호한다는 어떠한 증거도 발견하지 못했다." 그녀는 2008년 《동물 행동*Animal Behavior*》에 발표한 논문에서 이같이 밝히고, 이후 다른 관련 연구들에 대해 언급하면서 — 러프가든의 결과를 입증하는 연구 자료들도 있지만, 수컷 꼬리의 크기 변화가 암컷의 선택으로 이어진다는 것이 과연 가능한지에 대해서는 충분한 결과를 얻을 수 없었으며, 심지어 커다란 꼬리가 수컷 유전자의 질과 관련이 있다는 증거는 전혀 발견하지 못했다 — 이제는 사실을 솔직히 받아들여야 할 때라고 결론을 내렸다. 즉, 성 선택은 우리가 오랫동안 혐의를 두었던 자연선택의 동인이 아닐지도 모른다는 사실 말이다.

러프가든은 다윈이 성공의 기준을 밝히는 데 결정적인 실수를 했다고 주장한다. 당시는 유전자 감식에 의한 친자 확인 검사가 없었기 때문에 성 선택은 **자손의 수**보다는 **짝짓기의 질**을 근거로 평가되었다. 그녀는 《온화한 유전자*The Genial Gene*》에서 다음과 같이 주장한다.

> 짝짓기가 이루어지지 않으면 새끼를 낳을 수 없다는 건 분명한 사실이지만, 짝짓기 자체의 질은 기른 새끼의 수와 매우 관계가 멀다. 그럼에도 불구하고 성 선택 이론은 언제나 생식을 위한 사회적 행동이 '짝짓기 체계'로 이루어져 있다고 언급한다. 짝짓기 체계 내에서 진화 과정의 변화는 이제 '짝짓기 성공'의 차이에서 비롯되고, 특정한

행동들은 그들이 짝짓기의 빈도를 통제하고 극대화하는 데 기여하는 방식에 의해 이해된다. 암수컷의 사회적 역학은 이제 수컷을 위한 '제한된 자원'으로서 암컷을 중심으로 돌아가는 것처럼 보인다. 따라서 수컷은 암컷과 짝짓기할 기회를 얻기 위해, 혹은 그저 암컷 자체에 대한 통제력을 얻기 위해 서로 경쟁해야 하고, 암컷은 새끼의 유전적 품질을 극대화하기 위해 수컷을 선택한다. 그러므로 성 선택은 번식의 한 요소, 즉 짝짓기 자체를 목적으로 승격시키는 실수를 범한 것이다.

그러므로 러프가든은 성 선택을 내다 버리고 대신에 **사회적 선택** social selection을 선택한다. 사회적 선택이란 연애에서 애무로, 애무에서 성행위로 이어지는 모든 '생식을 위한 사회적 행동'을 '자손을 생산하기 위한 체계'의 일환으로 여긴다. 이러한 체계에서는 집단 전체가 가장 우수한 자손을 생산하기 위해 노력하기 때문에, 개개인의 경쟁이 아니라 협력적인 팀워크가 진화의 근거가 된다. 조나 레러Jonah Lehrer는 《시드*Seed*》 매거진에서 다음과 같이 주장한다. "러프가든이 내세우는 새로운 이론의 장점은 다윈의 성 선택설보다 성적 태도에 대해 훨씬 광범위하게 설명할 수 있다는 것이다. 레즈비언 검은머리물떼새와 게이 산양을 생각해보자. 이들의 동성애적 성향은 사회적 협력, 다시 말해 괜한 갈등을 피하기 위한 즐거운 방식의 서곡에 불과하다."

이 모형에 따르면, 동성끼리의 성행위는 기분을 좋게 하고 협력적인 유대감을 확립하기 위한 접촉 행위로, 마치 몸단장의 다른 형태와 같은 역할을 하며 중요한 의사소통 방식이 된다. 그리고 여기에서 핵심은 바로 유대감이다. 러프가든은 다음과 같이 말한다. "두 마리 침팬지가 돌멩이로 상대방의 머리를 내려치기보다 서로 협력하는 모습을 보게 될 가능성이 훨씬 많은 이유가 그 때문이다." 마찬가지로 우리가 동물보호소에서 동성애적 행위를 그토록 자주 목격하게 되는 이유도 바로 그 때문이다. 우리 동물 중에는 동족 관계가 전혀 없으며, 따라서 혈연관계를 바탕으로 한 이타주의는 있을 수 없다. 그러나 동성애적 행위가 사회적 협력을 부추기는 촉각에 의한 의사소통의 한 형태라고 간주될 수 있다면, 그것은 확실한 생존 전략이며 특히나 우리처럼 다양한 종이 모인 집단에서는 더더욱 그렇다.

그래서 섬 생활의 세 번째 교훈은 이거다. 이곳은 어느 땐 열대의 낙원이지만, 때로는 불타는 금요일 밤 보이즈 타운(Boys Town, 1918년 미국 네브라스카 주 오마하 시 근교에 건설된 고아, 불량아 수용소)의 디스코 클럽이 되기도 한다는 것.

동성애 성향의 개는 분명 호기심거리였다. 이타적인 개 또한 호기심거리였다. 바깥세상으로부터 고립된 생활도 호기심거리였다. 이타적인 동성애 개들과 바깥세상으로부터 고립된 채 산다는 건 이상해도 너무 이상했다. 하지만 이런 사실들이 아무리 별나고 이상하다 한들, 솔직히 우리 보호소에 있는 이타적인 동성애 개들 대다수가 치와와라는 사실만큼 희한하다고는 볼 수 없었다. 치와와, 그래, 이 녀석들은 정말 별나다. 그렇지만 치와와가 아무리 별나기로서니 — 그 특이한 영광에도 불구하고 — 우리가 치마요에서 첫 번째 겨울을 보내는 동안, 언제든 어디서든 어떻게든 우리의 치와와들을 끔찍하게 좋아하기로 결심했다는 사실에 비하면, 쳇, 새발의 피였다.

그래, 뭐, 도저히 믿어지지 않는다는 거, 나도 안다.

하지만 어쨌든 이렇게 얘기를 시작하는 게 좋겠다. 세상에서 가장 작은 개가 실은 멕시코에서 제일 큰 주의 이름을 본떴다고. 치와와 주는 크기가 거의 영국만 하다. 그리고 같은 이름의 개들이 1850년 멕시코에 있는 한 왕궁의 폐허 속에서 발견되었다. 이 왕궁은 아즈텍 족의 통치자 몬테수마 1세Montezuma I에 의해 세워졌지만, 역사학자들은 치와와 품종이 그가 통치한 연도보다 약 천 년 전에 시작되었다고 믿는다. 서기 15세기로 거슬러 올라가면 치와와와 비슷한 모습의 작은 개들을 조각한 마야의 조각상들이 있다. 마야인들은 이 개들을 테치치techichi라고 불렀으며, 톨텍 족이 마야 족을 정복했을 때 그들은 테치치에게 무척 호감을 가졌다. 톨텍 족은 테치치를 집으로 데리고 가 애완동물로 키웠고 종교 예식에 이용하기 시작했다. 다음으로 그들을 테치치라고 부른 민족은 아즈텍 족이었다. 아즈텍 족은 톨텍 족을 정복한 후, 이 개들이 죽은 자들의 영혼을 내세로 인도하는 능력을 지녔다고 믿어 테치치의 신성한 지위를 한층 더 격상시켰다. 그리하여 아즈텍 족들은 죽은 병사를 매장할 때 종종 살아 있는 테치치를 같이 묻었다.

이런 식으로 테치치에게 영험한 힘이 있다고 믿은 사람들은 대체로 아즈텍의 지배층이었다. 그보다 낮은 계층의 사람들은 밤에는 침대를 덥히고 다음 날엔 식탁에 올리기 위한 보다 평범한 이유로 테치치를 곁에 두었다. 이러한 목적을 위해 테치치는 스페인 사람들이 전부터 남아메리카에 들여온 차이니즈 크레스티드라는 품종과 교배되었다. 이 교배는 꽤 도움이 되었다. 테치치는 중간 크기에 털이 길었고 차이니즈 크레스티드는 그보다 작고 털이 없어서, 둘이 교배되어 태어난 잡종은 통제하기도 더 쉽고(더 작으니까) 요리를 준비하기에도 더 쉬웠다(털이 없으니까). 이렇게 오늘날 우리가 치와와라고 알고 있는 품종이 바로 이 잡종의 후손이다.

아까도 말했듯이, 처음 조이를 만났을 때만 해도 나는 치와와에게 거의 관심이 없었다. 나는 남자다움을 노골적으로 과시했고(진정한 남자라면 작은 개를 좋아하지 않지), 약 십 년간 로스앤젤레스에 살면서 이 과시욕은 더욱 커졌으며(작은 개는 패션 액세서리로나 키우는 거 아닌가), 나중에는 직업적인 문제로 아예 가까이할 수도 없었다. 작은 개들은 대체로 사납게 짖어대는 경향이 있는데, 시끄럽게 깽깽거리는 개를 주위에 십여 마리나 두었다간 글을 쓰기가 무척 어려워질 테니까 말이다. 이런 사태를 피하기 위해, 지난여름 나는 다 허물어져가는 헛간을 나름대로 버젓한 사무실로 꾸몄다. 우리가 염소의 헛간이라는 아주 적절한 이름을 붙여준 나의 새 사무실은 집에서 약 300미터 정도 떨어진 곳에 있었다. 어도비 벽돌로 지어진 이 헛간은 벽의 두께가 60센티미터나 됐다. 벽도 두껍겠다 집까지 거리도 멀겠다, 치와와의 난리법석을 차단하기에 충분했다.

개들의 수가 점점 늘어나자, 고요함을 선호하는 내 취향을 존중하기 위해 조이와 나는 개의 크기별로 구호 활동을 분리하기 시작했다. 나는 큰 개들을 맡았고 조이는 나머지 개들을 맡았다. 낮에는 큰 개들이 나와 함께 염소의 헛간으로 내려왔고, 나머지 개들은 조이와 함께 집에 있었다. 우리는 따로 산책을 나갔고 다른 시간대에 따로 식사를 했으며 — 치와와들은 낯선 큰 개들이 옆에 있으면 잘 놀라기 때문에 — 그러다 보니 화목한 식구이기보다 분열된 가정에 더 가까워졌다. 그러나 겨울이 찾아오고 마을의 코요테들이 점점 굶주려 공격적이 되면서부터 상황이 달라지기 시작했다. 우리는 마을 들판에서 코요테의 발자국을 발견했고 코요테들이 이른 아침부터 먹이를 찾기 위해 울부짖는 소리를 들었다. 조이가 치와와들을 데리고 황무지를 산책하고 있을 때 코요테들이 두어 차례 몰래 접근해온 적도 있었다. 우리는 이런 식으로 우리 개들을 잃고 싶지는 않았지만 치와와란 품종은 코요테의 활동을 무심하게 넘기기에는 선천적으로 지나치게 신경질적이다. 이 문제를 해결할 방법은 단 하나, 큰 개들이 작은 개들을 돌보는 법을 배우길 기대하며 모두 다 같이 산책을 시작하는 것이었다.

제일 먼저 작은 개를 돌본 개는 벨라였다. 암컷인 벨라는 핏불테리어와 목양견의 잡종으로 그야말로 완벽한 조합이었다. 핏불테리어들은 일반적으로 위험으로부터 보호하는 기질을 타고난 품종이고 목양견들은 목축을 목적으로 양떼를 지키는 품종이다. 그러니까 이들은 보호가 본능이다. 따라서 벨라는 양을 몰든 치와와를 몰든 상관없었다. 그저 한결같이 진지하게 자신의 책임을 다할 뿐이었다. 우리가 길을 나설 때면 개들은 아주 길게 널찍널찍 한 줄로 늘어선다. 가장 재빠른 박살난 주둥이가 항상 선두에서 길을 안내한다. 가장 뚱뚱한 스쿼트가 늘 뒤에 처진다. 나머지 개들은 그 사이에서 신 나게 뛰어놀며 따라간다. 그런데 우리가 다 함께 하이킹을 한 지 세 번째 되는 날 즈음부터, 벨라가 치와와들 주변을 맴돌며 순찰하면서, 열을 이탈하거나, 뒤에 처지거나, 코요테의 점심거리가 된 개가 없는지 확인하는 것이었다.

그때부터 우리는 벨라에게 마구 관심을 쏟게 되었는데, 나머지 큰 개들도 그 관심을 일부라도 받고 싶었던 건지, 아니면 그들도 이제 자기 역할을 이해하기 시작해서 그랬는지 모르겠지만, 얼마 안 있어 큰 개들 전부가 작은 개들을 보호하는 모습을 보여주었다. 얼마 후부터 아합과 레오가 치와와들의 측면을 수비했고, 오티스는 무리의 한가운데에서 치안을 유지했다. 이 모든 광경이 희극적인 결과를 낳았다.

테치치는 무리 지어 다니는 사냥개로 시작했다. 따라서 치와와들은 이런 기질을 물려받았다. 내가 치와와를 지독하게 싫어하는 이유 가운데 하나는 이들의 겁 많고 방정맞은 성격 때문이었다. 하지만 치와와들을 한 무리로 데리고 있다 보면 이런 생각은 말끔히 사라질 것이다. 무리 지어 있을 때 치와와들은 혼자 있을 때보다 훨씬 용감무쌍해진다. 게다가 자기보다 몸집이 큰 개들이 옆에 딱 붙어서 보디가드 역할까지 해주니, 이들의 기세가 어찌나 등등해졌는지 거의 미친 녀석들 같았다. 땅바닥에 구멍이라도 나 있으면 치와와들은 이게 뭔가 싶어 살펴대느라 난리도 아니다. 어떤 구멍 안에는 스라소니나 곰이 살고 있을 수도 있는데 말이다. 때때로 목장 주인들이 자기네 소를 황무지에 풀어놓을 때가 있다. 이 작은 녀석들은 혼자 다닐 땐 소 한 마리만 봐도 숨을 곳을 찾아 도망가느라 바쁠 거면서, 큰 개들이 옆에서 떡하니 지켜주고 있으니까 소 다리 사이로 돌진하질 않나, 소의 발목을 물질 않나, 시끄럽게 짖어대서 소들을 다른 풀밭으로 쫓아내질 않나, 이젠 뭐 아주 겁도 없이 소들에게 대들기 시작했다.

생전 처음 보는 이런 무모한 행동들에 조이는 다소 불안해했지만 나는 감격스러웠다. 우리가 황무지를 향해 새로운 여행을 떠날 때마다 치와와들은 점점 용감해졌다. 그 모습을 보고 있노라면 마치 내 자식들이 잘 자라서 제대로 진가를 발휘하는 모습을 보고 있는 것만 같았다. 산간 오지를 하이킹한 지 한 달이 지나자, 치와와들은 이제 소들은 안중에도 없었고 큰 개들에 대해서도 전혀 겁을 먹지 않았다. 진짜 재미있는 일은 지금부터였다. 얼마 안 있어 우리의 도보 여행은

A지점부터 B지점까지 슬렁슬렁 왔다 가는 것이 아니라, 오가는 내내 아예 럭비 경기를 하기에 이르렀다.

여름에만 해도 치와와들은 자기들끼리는 거의 반 미친 것처럼 노는 한이 있어도 레슬링 경기만큼은 개들의 크기별로 치렀었다. 그런데 단체로 하이킹을 시작한 다음부터는 크기고 뭐고 상관없이 아무 때나 레슬링이 벌어졌다. 작은 개는 작은 개들대로 떼거지로 모여서 큰 개들에게 대들었고, 큰 개는 큰 개들대로 작은 개들을 몰아내기 바빴다. 치와와 다섯 마리가 경사진 작은 협곡 아래로 사라져서는 핏불테리어 가운데 하나가 자기들을 찾으러 다가올 때까지 몰래 숨어 기다렸다가, 마침내 핏불테리어가 다가오면 이때다 하고 덮치는 기습 공격은 예사가 됐다. 우리는 더 센 놈이 더 작은 놈을 이기게 놔두는 역할 전환 현장도 목격했고, 자그마한 치와와가 불테리어와 레슬링하기로 결심했을 때 전문 용어로 자기열등화self-handicapping라고 하는 현상이 일어나는 것도 여러 차례 목격하기 시작했다.

오티스는 기젯보다 체중이 27킬로그램이나 더 나가지만, 공정하게 경기를 치르기 위해 등을 대고 누워 한 발로만 싸운다. 바닥에 굴러 자기보다 덩치가 작은 동물이 자기 '위'에 올라가게 하는 태도야말로 자기열등화다. 한 발만 사용하는 것 역시 자기열등화다. 그러나 오티스의 경우는 이보다 좀 더 심하다. 오티스는 한 발로만 싸우는 반면, 기젯은 이빨까지 포함해서 가진 무기를 총동원해서 싸우는 것이다. 정말로 이따금 기젯은 오티스의 얼굴을 물고 놓을 생각을 하지 않는다. 그럴 때면 오티스는 그 자리에서 벌떡 일어나 마치 기다란 털 귀걸이마냥 기젯을 달랑달랑 매단 채 뽐내며 걷는 걸 좋아한다.

싸움놀이는 포유동물 사이에서 상당히 흔하게 볼 수 있는데도, 과학자들이 이러한 행동을 이해하는 데에는 놀랄 만큼 오랜 시간이 걸렸다. 지난 세기의 대부분을 보내는 동안, 과학자들은 자연에 대해 인정사정 봐주지 않는 치열한 세계라고 여겼고, 양육에 대해 적자생존의 관점으로 보았다. 따라서 새끼들끼리의 싸움놀이를 다 자란 동물이 됐을 때 벌이는 진짜 싸움을 위한 연습이라고 생각했다. 그러나 약 20년 전, 콜로라도 대학교의 생물학자 마크 베코프와 아이다호 대학교의 동물행동학자 존 바이어스John Byers가 이러한 가정들에 대해 다시 생각하기 시작했다. 그들이 알고자 하는 것은, 싸움놀이가 진짜 싸움을 위한 훈련이라고 가정한다면, 새끼들의 법석대는 소동과 다 자란 동물들의 진지한 싸움 사이에 어떤 연관성이 있는가 하는 것이었다. 싸움을 가장 잘하는 새끼들은 자란 후에 가장 우세한 어른 동물이 되었을까? 공격성이 별로 없는 어린 동물들은 순종적인 어른 동물이 되었을까? 무엇보다, 실제로 싸움놀이는 전투를 위한 연습이었을까, 아니면 뭔가 다른 것을 하고 있었던 걸까?

이에 대한 해답을 찾기 위해 그들은 다람쥐원숭이의 싸움놀이에 관한 지난 40년간의 연구를 재검토하기 시작했다. 그리고 그 즉시, 오랫동안 놓치고 지나친 사실에 대해 확실하게 알게 되었다. 즉 다람쥐원숭이들은 실제 싸움을 할 땐 서로를 물지만 놀이를 할 땐 무는 일이 거의 없다는 것이다. 정확한 동작 유형이 반복될 때에야 근육 기억력이 활성화될 수 있고, 근육 기억력이 활성화될 때에야 연습을 통해 실력이 완성되는데, 놀이와 싸움이 별개라면 문제가 있다. 이 외에 다른 문제들도 있었다. 어린 시절에 가장 잘 놀던 원숭이가 어른이 되어 싸움에서 이기는 것도 아니고, 청년기에 싸움놀이를 가장 잘한 원숭이가 다 자란 후에 진짜 싸움을 가장 잘하는 것도 아니었다. 사실상 연구 결과를 샅샅이 뒤져보았지만 싸움놀이와 진짜 싸움 사이에 거의 아무런 연관성을 발견하지 못했다.

다음으로 그들은 연구를 확장해 다른 종들에 관한 자료를 조사했다. 결과는 마찬가지였다. 이후 워싱턴 주립대학교 신경생리학자 자크 판크세프Jaak Panksepp가 공격할 때의 신경회로와 놀이할 때의 신경회로가 완전히 다르다는 사실을 발견했다. 연구를 위해, 공격적인 행동을 증가시키는 것으로 알려진 테스토스테론을 동물에게 투여해 봤지만 사실상 이로 인해 놀이에 방해를 받았으며, 공격성을 억제하는 약물을 투여했지만 공격성을 감소시키는 데에는 아무런 영향을 미치지 않았음을 발견했다. 이 같은 결과를 확인한 베코프와 바이어스는 한 발 뒤로 물러나 다른 문제를 제기했다. 싸움놀이가 진짜 싸움을 위한 훈련이 아니었다면, 도대체 동물들이 싸움놀이를 하는 목적이 뭘까?

그 목적은 다름 아닌 도덕과 관련이 있다는 사실이 밝혀졌다. 오티스와 기젯을 예로 들어보자. 오티스는 우리 보호소의 최고령 우두머리 거주자다. 그런데 이 대장 수컷이 왜 자기열등화 현상을 보이는 걸까? 그것도 굳이 약점을 드러내 보이려고 필사적으로 애를 써가면서? 연구 자료들이 제시하는 바는, 그 목적이 약점을 드러내려는 것이 아니라 기꺼이 져준다는 걸 보여주기 위해서라는 것이다. 콜로라도 주립대학교의 동물행동학자 템플 그랜딘Temple Grandin은 그의 저서 《동물행동 번역*Animals in Translation*》에서 이렇게 이야기한다. "모든 동물이 자기열등화 현상을 보인다는 사실은 싸움놀이의 목적이 싸워서 이기는 법을 가르치려는 것이 아니라, 이기는 법과 **함께** 지는 법을 가르치려는 것일지도 모른다. 어떤 동물도 처음부터 우세한 위치에서 시작하는 동물은 없으며, 고령까지 산다고 해서 우세한 위치에 오르는 것도 아니므로, 아마 모든 동물들은 지배적인 역할과 복종하는 역할을 동시에 익혀야 할 필요가 있을 것이다."

그리고 어쩌면 이 말은 우리 집 동물들 같은 동물 무리에게 훨씬 중요한 말일지 모른다. 우리 집에는 오티스보다 큰 개도 있고 작은 개도 있는데, 오티스는 자기 볼에 기젯을 매달고 주변을 행진함으로써, 이곳에서는 힘이 곧 정의가 아니라는 걸 모든 개들에게 알려주고 있는 것이다. 스스로 복종하는 모습을 보여줌으로써 다른 개들에게 모두들 안심해도 좋다고, 우리 모두 한 집단의 구성원이므로 몸집이 크든 작든 힘이 세든 약하든 체력이 강하든 약하든, 각자의 욕구는 공평하게 충족될 거라고 말해주고 있는 것이다. 기본적으로 오티스는 정치인들이 아기에게 입을 맞추는 것과 같은 행동을 하고 있는 건데, 즉 자신의 도덕성을 그런 식으로 알리는 것이다. 베코프는 이것이 동물들이 벌이는 시합의 주요한 기능이라고 주장하며, 그의 저서 《놀이하는 동물들*Animals at Play*》에서 이렇게 말한다. "어린 동물들은 시합을 통해 집단생활의 규칙들 — 의사소통 방법이라든지 상대방과 '대화하는' 방법 — 을 익힌다. 그들은 협동하는 방법과 공정하게 처신하는 방법을 익힌다. 야생의 삶은 거칠다. 혼자일 땐 더욱 거칠고 힘들기 때문에, 그들은 놀이를 통해 유대감과 공동체 의식을 형성한다."

이 내용은 우리에게 딱 들어맞는 말이다. 하이킹을 하려고 길을 나서다 보니 위험하고, 위험하니까 협동심이 필요하고, 협동을 하려고 보니 싸움놀이가 생기고, 싸움놀이를 하다 보니 다 같이 행동 기준을 협의하게 되고, 이렇게 기준을 마련하다 보니 공동체가 생기는, 이러한 일련의 모든 과정이 우리를 더욱 단단하게 똘똘 뭉치게 해주었다. 성 혁명이 있는 그대로의 모습으로도 충분히 안전하다는 걸 모든 개들에게 알려주었다면, 집단 하이킹은 함께일 때 안전하다는 걸 모두에게 알려준 것 같았다. 그리고 이런 엉뚱한 결과들을 바탕으로, 오래지 않아 내 낡은 편견들이 서서히 사라지기 시작했다. 작은 개들과 하이킹을 나선 다음부터 나는 작은 개들과 함께하는 시간을 정말로 즐기기 시작했다. 이런 말을 하면 어떻게 들릴지 잘 알지만, 나에 대해 아무런 오해가 없으리라는 가정하에 속 시원히 한번 말해보겠다. 나 스티븐 코틀러는 건정한 정신과 육체의 소유자로 이성애자이고, 축구와 위스키와 플란넬 스커트를 좋아하며, 자동차의 수동 변속기를 작동할 줄 알고 중장비도 운행할 줄 알며, 한때 미그17 전투기도 조정해봤고, 등산 경험은 물론 열대우림에서도 살아난 몸이시며, 뱀이니 거미니 하는 따위 하나도 무서워하지 않는 사람으로서 모두에게 큰 소리로 공표하노니, 와우, 난 정말 치와와들에게 완전히 홀딱 반하고 말았다.

도대체 이유가 뭐냐고 물으신다면, 열두어 마리의 치와와들 곁에서 지내노라면 속상하고 불쾌할 새가 아주, 전혀, 눈곱만큼도 없기 때문이라고 말하겠다.

5
안락사

오, 주여, 당신께 수없이 많은 기도를 올렸는데도 우리는 계속 전쟁에서 패하고 있습니다. 내일 우리는 또다시 아주 치열한 전투를 치르게 될 것입니다. 간절히 바라오니 우리에게는 당신의 힘이 절실하게 필요하오며 그래서 이렇게 기도를 드리지 않을 수 없사옵니다. 내일 벌일 전투는 우리에게 대단히 중요합니다. 또한 그 자리는 아이들이 나설 곳이 못 되오니, 우리를 돕기 위해 당신 아들을 보내지 말아주십사 간절히 청하옵니다. 부디 당신이 직접 와주시옵소서.

– 1876년 아프리카너(Afrikaner)와의 전쟁을 앞둔 그리콰 족(Griqua)의 지도자 코크(Koq)의 기도

포니걸Pony Girl은 함께 어울리는 즐거움을 확실하게 알려준 작은 개들 가운데 하나였다. 암컷인 이 개의 이름은 힌턴(S. E. Hinton, 미국의 청소년 소설 작가)의 소설《아웃사이더 *The Outsiders*》의 등장인물 포니보이Ponyboy와 "상황이 온통 험난했지만 차라리 그편이 더 나았다. 덕분에 저 자식도 인간이었다고 말할 수 있었으니까" 같은 구절에 대한 경의의 표시였다. 우리의 경우 '저 자식'은 정확히 말하면 계집아이이자 한 마리 개지만, 어쨌든 우리에게는 저 자식이 더 이해가 빠르다.

포니걸은 늦여름에 우리 집에 왔으며, 그레이하운드와 치와와의 잡종으로 안 그래도 정신 사나운 보호소를 아수라장으로 만드는 데 단단히 한몫했다. 포니는 온몸 여기저기 어찌나 처참하게 물리고 부러졌던지, 심하게 학대받은 개들을 대상으로 한 조이의 장기 계획 — 고통과 두려움을 제거하고 인간이라는 종에 대해 좋은 기억을 심어주겠다는 — 에 험난한 산이 되었다. 포니가 우리 집에 온 지 처음 3개월 동안, 포니의 기억은 온통 조이의 옷장 뒤에 있었다. 포니는 신발 옆이나 청바지 밑에 숨어 갈색 눈동자만 겨우 빠끔 내밀 뿐이었다. 녀석의 눈동자는 아무것도 숨기지 않았다. 겁에 질려 옷장 뒤에 숨은 개를 어떻게 하면 편안하게 해줄 수 있을까, 하는 문제는 개 구호자라면 누구나 정말 알아내고 싶은 문제다. 조이는 전문가들, 다른 구호자들, 답을 알겠다 싶은 사람이라면 누구에게나 찾아가 이 문제를 상의했다. 그들과의 토론에서 개의 행동학, 애완동물의 심리, 인지신경과학, 민간요법, 최선을 다해 짜낸 추측 등 온갖 내용이 망라되었다. 조이는 궁리에 궁리를 거듭한 결과, 대화가 최선의 방법일지 모른다고 결론을 내렸다. 그래서 하루에 40분씩 옷장 앞에 앉아 포니와 이야기를 했다. 날씨 이야기, 세계정세, LA 레이커스 팀의 경기 내용 등.

크리스마스 무렵, 어쩌면 레이커스 팀이 선전을 하고 있어서였는지, 포니는 옷장 밖으로 나와 거실을 총총히 걸어와서는 소파 위로 깡총 뛰어오르더니 조이의 무릎 안으로 폭 파고들었다. 그날 저녁 우리는 샴페인을 엄청 마셨다. 하지만 우리의 축하식은 오래가지 못했다. 3주도 지나지 않아 포니는 음식을 입에 대지 않기 시작했다. 그러더니 얼마 후에는 걷지도 않았다. 조이는 포니를 데리고 박사에게 갔고, 그녀는 종양을 발견했다. 포니는 무척 고통스러워했는데, 구호의 주된 목표 가운데 또 다른 하나가 개의 생명을 연장하는 것이 아니라 고통을 덜어주는 것이기 때문에, 포니의 고통은 우리에게 큰 숙제였다. 그러니까 당장 수술을 시키든지 당장 안락사를 시키든지 해야 했다. 설상가상으로 수술은 비용이 많이 들었다.

돈이 문제였다. 이곳에서는 아무도 프리랜서 작가를 고용하려 하지 않았다. 여차하면 LA로 돌아갈까. 그곳이라면 아무 글이나 닥치는 대로 써주는 글쟁이를 늘 찾고 있을 테니까. 영화 제작사, 광고대행사, 홍보 회사, 전부 그런 글쟁이의 도움을 필요로 할 테니까. 하지만 이 근처에 사는 농부들은 농기구 회사의 도움이나 필요할까 내 도움 따위는 아무도 필요하지 않았다. 통장에 들어 있는 잔고는 두 달치 주택 대출금을 갚고 이런저런 청구서를 지불하고 나면 끝이었다. 포니가 수술할 경우 예금 전액을 탈탈 터는 것도 모자라 어디서 돈을 더 빌려와야 했다. 그러므로 포니의 생명을 구하게 되면 우리의 구호 활동이 위기에 처할지 모를 판국이었다. 시사 프로에 나올 법한 절체절명의 위기 상황이었으며, 내 평생 한 번도 부딪쳐본 적 없는 문제였다.

조이가 처음 이 소식을 알려주던 날 밤, 나는 너무 속이 상한 나머지 단지 결정을 내릴 시간을 벌려는 이유로 조이에게 괜히 시비를 걸었다. 그 당시 집 전화를 다시 사용할 수 있게 되어, 나는 그 시간을 이용해서 오랫동안 연락을 하지 않고 지낸 사람들에게 죽 전화를 걸어 조언을 구했다. 그들은 마치 약속이나 한 듯 한목소리로 이야기했다. 모두들 포니를 안락사시키는 것이 최선이고 올바른 일이라고 생각했다. 심지어 어떤 사람들은 이건 고민거리도 아니라고 믿었다. 그들과 대화를 하는 내내, 나는 줄곧 불같이 화를 내고 있는 내 모습을 보았다. 친구들은 차분차분 이야기하며 안락사를 제안했고, 나는 큰 소리로 떠들면서 그런 소리 하려거든 나가 뒈져버리라고 고함을 질렀다. 어휴, 이러니 수술비를 어떻게 구한담.

조이가 나에게 동물보호소를 방문해보라고 처음 제안한 날 이후로, 나는 개들과 어느 정도 감정적인 거리를 유지하려고 노력해왔다. 그러니까 이런 종류의 어리석은 결정을 내리지 않을 딱 그 정도의 거리를 말이다. 하지만 레오와 차우와 기젯과 오티스와 동성애자 개들과 이타주의자 개들과 이 섬 생활과 무한 게임과 그 밖에 벼라별 문제들을 다 겪으면서, 나는 번번이 그 선을 넘었다. 사실대로 말하면, 심지어 우리는 더 이상 이 개들을 개라고 여기지 않았다. 우리는 이들을 가족이라고 생각했다. 내 가족의 생명을 구하기 위해 집이라도 팔아야 한다면, 나는 기꺼이 내 집을 팔겠다고 나섰을 게 틀림없었다.

결론은, 내가 집을 걸 필요는 없었다. 조이가 엘리스에게 전화를 걸었고, 엘리스가 기금 모금 경로를 알아보아 기꺼이 수술비를 충당해줄 의료 후원자를 찾았다. 후원자를 찾은 건 잘된 일이었지만 암의 진행 상태는 생각보다 심각했다. 박사는 우리에게 암이 재발하는 건 시간문제라고 말했다. "나이든 개들을 많이 키워보셨잖아요. 나이든 개들에게 일어날 수 있는 일이에요."

그때 번쩍하고 떠오르는 생각이 있었다. 우리는 어떤 성과를 얻기 위해 노력하고 있었다는 것을. 내심 이 사실을 알고 있었지만 꽤 오랫동안 용케 외면해왔다. 그런데 이제 박사의 입을 통해 이 말을 듣게 된 것이다. 그러니까 이 모든 과정을 겪으면서 내가 깨달아야 하는 건, 포니가 살았다는 경이로운 사실이 아니라, 조만간 우리 개들 가운데 하나가 우리 곁을 떠나리라는 엄연하고 분명한 현실이라고 말이다. 그 순간, 나는 개 구호 활동은 사실상 죽음의 경기라는 사실을 알게 됐다. 그리고 또 바로 그 순간, 이것이 경기라면 나야말로 이 경기에 출전할 선수로 적격이 아닐까 하는 생각이 들기 시작했다.

76번 주도로는 에스파뇰라 도심 동쪽에서 시작해 치마요 시내를 지나는 아스팔트 도로인데, 상그레 데 크리스토 산맥을 향해 굽이굽이 들어가려면 아찔한 급커브 길로 이루어진 이 길을 지나야 한다. 이 도로는 앞이 보이지 않는 모퉁이를 수시로 만나고, 곳곳이 움푹움푹 파인 데다, 음주 운전자들이 우글우글하다. 그러다 보니 중장비와 혈중 알코올 수치를 넘어선 과속 운전자가 충돌해 타이어가 도로를 미끄러지면서 내는 끼익 하는 소리, 금속이 부서지면서 내는 우지끈

하는 소리를 최소한 일주일에 한 번은 듣게 된다. 이런 일들이 비일비재로 일어나는 뉴멕시코 주의 리오 아리바 카운티는 음주 운전으로 인한 사망 사고 관련 통계 자료에서 항상 1, 2위를 다툴 뿐만 아니라, 주변 지역에서 일어나는 헤로인 밀수 거래량으로 인해 역시나 주 평균 두세 배 이상의 살인 사건이 발생한다. 1990년대 후반에 치마요의 마약 전쟁은 국가적인 뉴스거리였으며, 신문들은 저마다 갓길에 버려진 사체들에 대해 보도하곤 했는데, 이때 주로 등장하던 도로가 바로 이 76번 도로였다.

뉴멕시코 주와 마찬가지로 멕시코에도 죽은 이들을 제대로 기리지 않으면 망자의 영혼이 죽음을 맞은 자리에 오래도록 머문다는 전통이 전해 내려오고 있다. 망자를 제대로 기리기 위해 사람들은 대개 커다란 십자가 아래에 놓인 그릇에 꽃과 초, 성모 마리아와 관련된 성물들을 한 세트로 갖추어 올려놓는다. 그래서 이 지역에서 방향을 이야기할 땐 종종 "왼쪽에서 네 번째, 아니 다섯 번째 십자가"에서 좌회전하라는 식으로 설명한다. 십자가들 옆에는 76번 도로를 어지럽히는 것이 한 가지 더 있는데, 바로 죽은 개들이다. 간혹 실수로 집을 나왔거나 길을 잃어 이곳에서 죽음을 맞은 개들도 있지만, 개의 약값이며 사료비를 댈 여유가 없다는 걸 문득 깨달은 주인이 이곳에 내다 버리는 경우가 대부분이다. 그 나머지는 술에 취한 운전자들이 맡는다. 동물 구호자들은 아무리 잔인한 현장이라도 외면하기 어렵지만, 도로 전체에 짐승의 내장이 널브러진 처참한 현장은 더더욱 외면하기 어렵다.

하지만 우리는 도로의 처참함을 전혀 알지 못했다. 적어도 첫 번째 겨울이 올 때까지는 그랬다. 뉴멕시코 주 대부분의 도시와 달리 치마요는 사막 지대가 아니다. 에스파뇰라 계곡은 로키 산맥 남쪽 측면과 헤이메즈 화산 지대 동쪽 측면의 주요 배수구 역할을 한 덕분에, 눈이 녹아서 생긴 물이 흘러들어 여름 내 이 일대가 온통 짙푸른 초록으로 우거진다. 그러나 나무들이 잎을 모두 떨어뜨리고 겨울이 찾아오자 계곡은 그 매력을 잃었고, 한때 꽁꽁 감춰두었던 본색이 적나라하게 모습을 드러냈다. 대학살 현장을 가리던 나뭇잎이 사라지면서, 우리는 수많은 개들이 길 양쪽을 따라 죽 쌓여 있는 모습을 발견하기 시작했다. 너무 많아서 이루 셀 수도 없을 지경이었다. 내가 뉴멕시코에 살 집을 구하기 위해 캘리포니아를 떠나기 전, 조이가 부탁한 내용은 딱 하나, 개들이 안전하게 지낼 장소를 알아보라는 것이었다. 나무가 모두 잎을 떨구자, 나는 이 약속을 제대로 지키지 못한 게 아닌가 슬슬 걱정이 되기 시작했다.

나뭇잎들이 그동안 잘도 감추었던 또 한 가지는 가난이었다. 나무가 옷을 벗은 덕분에 우리는 다른 집 마당을 들여다볼 수 있었는데, 정말이지 볼 게 너무 없었다. 이 지역 작가 첼리스 글렌디닝Chellis Glendinning은 그녀의 저서 《치바 : 세계 헤로인 무역을 담당한 어느 마을 이야기*Chiva: A Village Takes on the Global Heroin Trade*》에서 이 마을을 이런 식으로 묘사한다.

> 먼저 나는 리오 아리바가 '제3세계'의 시골이라는 말로 이 마을에 대한 설명을 시작하겠다. 2000년 미국 인구조사에 따르면, 매사추세츠 주 크기만 한 이 지역에 거주하는 인구는 겨우 3만 4000명에 불과하다. 그 가운데 73퍼센트가 스페인 사람이거나 멕시코계 미국인이고, 14퍼센트가 아메리카 원주민의 자손이며, 12퍼센트가 유럽계 미국인이다. 한편 주민의 4분의 3이 스페인어를 말하거나 테와 족, 나바호 족, 아파치 족의 본토 어를 사용한다. 또한 이 지역은 '제3세계'의 빈

곤을 겪기도 한다. 1990년대에 평균 가구당 수입은 1만 4263달러였으며 — 대부분의 마을에서 1인당 수입은 5000달러 미만이었다 — 매년 상그레 데 크리스토 산맥과 헤이메즈 산맥 사이의 계곡에 눈이 흩날릴 때면 실업률이 20퍼센트까지 증가한다.

실업률과 더불어 겨울에 증가하는 것이 하나 더 있는데, 바로 폭력이다. 《리오그란데 선》 지는 끔찍한 사건들로 지면이 빽빽하게 메워졌다. 지역 폭력배들은 화염병을 줄줄이 던지며 전쟁을 시작했다. 소유주들의 피부색이 다르다는 이유로 박스&메일Box & Mail이라는 택배 회사가 완전히 불에 타버렸다. 이후 이동주택 두 채도 완전히 타서 잿더미가 됐는데, 거주자들은 달아났지만 키우던 개들은 썩 운이 좋지 못했다. 나는 이건 사고일 뿐이라고, 사람들이 동물에게 무슨 원한이 있어서 그런 건 아니라고 믿어보려 했다. 이후 몇몇 아이들이 소에게 휘발유를 들이붓고 불을 붙여 불태운 사건이 일어났다. 이에 질세라 독극물 사건이 터졌다. 독극물에 오염된 고기가 울타리 너머에 버려졌고, 많은 애완동물이 죽어갔다. 그저 개들이 안전한 곳이기만 하면 된다고 조이가 그렇게 신신당부를 했건만. 그렇지만 나는 기어코 이 약속을 지켜냈다. 암, 그렇고말고.

이제는 이 마을이 너무 무서워져서 어떻게 하면 이 지역을 떠날 수 있을지가 토론 주제가 될 정도였다. 토론은 금방 끝났다. 가뜩이나 경제 사정도 바닥인데, 집은 은행에서 대출받은 금액에 비해 훨씬 낡았다. 그래서 집을 파는 것도 어려웠고 이사도 불가능했다. 1월 초에 폭설이 내렸지만 별 도움이 되지 않았다. 1월 말쯤 기온은 영하에 가까웠는데, 캘리포니아에서 온 두 바보는 아무리 옷을 껴입어도 도무지 체온을 유지할 수가 없었다. 2월 초에 우리는 열 마리의 개와 함께 오리털 이불 세 개를 덮고 침대에서 잠을 자기 시작했다. 2월 중순에는 둘 다 몇 달째 백수로 지내는 바람에 집 안 전체에 난방을 할 돈이 충분하지 않았다. 돈을 절약할 방법은 하나밖에 없다는 걸 두 사람 모두 잘 알고 있었다. 개들을 다른 곳에 보내야 했다.

그때까지 우리는 개를 다른 곳에 보내야 한다는 걸 받아들이기가 몹시 힘들었다. 개 구호 활동은 네트워크 게임이다. 개들에게 집을 찾아주고 싶다면, 사람을 많이 아는 사람을 많이 아는 사람을 많이 알아두는 게 도움이 된다. 하지만 이 마을에 온 지 얼마 안 된 우리 같은 사람이 사람을 많이 알 리가 없었다. 그리고 뉴멕시코의 개 구호자들은 캘리포니아의 구호자들처럼 조직이 체계화되어 있지 않아서 과거에 있었던 네트워크와 연계할 수가 없었다. 하지만 궁하면 통한다고, 우리는 아무나 만났다 하면 우리 개들에게 관심을 갖게 하려고 개들의 장점을 잔뜩 늘어놓기 시작했다.

2월에 조이는 바로 얼마 전에 노령의 개를 잃어버린 한 여자를 헬스클럽에서 만났다. 여자는 다른 개를 들일 준비가 되어 있는지 어떤지 스스로도 아직 잘 모르는 상태에서 레오에 대한 이야기를 듣고 아무튼 레오를 만나보기로 했다. 우리가 개들을 입양 보낼 수밖에 없는 처지긴 하지만, 나는 이 생각에 반대였다. 기왕 보내려면 베란다 한쪽 옆에 재운 지 한 달이 안 된 개를 보내야 하는 거 아니야? 그러니까, 음, 치와와를 보내면 되잖아? 물론, 레오가 치와와의 여섯 배를 먹어치웠고 우리는 현재 돈을 절약해야 한다는 걸 충분히 알고도 남았지만, 나는 레오에게 정이 깊이 들었던 것이다.

조이는 돌아오는 토요일로 만날 날짜를 정했고, 어쩌면 내가 따라가고 싶어 할지도 모른다고 생각했다. 헉, 그럴 리가. 나는 조이를 따라가는 대신 마을을 벗어나 쓰지 않아도 될 돈을 썼고, 조이의 중매가 성사되지 않아 내가 집에 돌아오기 전에 레오와 함께 먼저 와 있길 바랐다. 하지만 조이의 노력은 실패하지 않았다. 내가 집을 비운 사이 레오는 새 집을 갖게 됐다. 조이는 좋아서 어쩔 줄을 몰랐다. 하긴, 8개월을 이리 뛰고 저리 뛴 끝에 드디어 간신히 개 한 마리를 입양 보냈으니 그러는 것도 당연했다. 나는 전혀 행복하다고 말할 수 없었다. 레오가 보고 싶었다. 시간이 지나자 레오가 정말 보고 싶었다. 시간이 더 지나자, 레오가 너무너무 보고 싶어 미칠 것만 같았다.

다음 차례는 우키였다. 우키는 시추 종으로, 10월에 에스파뇰라 동물보호소에 도착했다. 보통 때 같으면 우키를 데리고 오는 건 생각도 하지 않았을 거다. 조이는 '최악 중에 최악의 상태'인 개들, 다른 곳에서는 도저히 기회를 얻지 못할 개들을 좋아하지만 우키에게는 아무런 문제가 없었기 때문이다. 게다가 우키는 순종이었고 순종은 언제나 수요가 있다. 하지만 조이가 개들이 살 집을 본격적으로 찾아 나선 지도 제법 오래되어, 나는 우키라면 거뜬히 입양에 성공할 수 있을 테니 그냥 우키를 데리고 오자고 말했다. 그러나 경기가 워낙 좋지 않은 탓에 아무리 우키 같은 순종 개라도 입양이 쉽게 이루어질 리 만무했다.

그 바람에 우키는 계속 우리 집에 붙어 있게 됐고, 나는 점점 녀석에게 정이 들었다. 우키는 털도 복슬복슬하고 성격도 다정다감한 게 완전 내 타입이었다. 두 달이 지나자 우키에게 집을 찾아주기 어렵다는 사실이 나에게는 아주 잘된 일이 됐다. 그렇지만 순종은 순종. 조이는 우키의 사진을 캘리포니아 구조 웹사이트 두어 군데에 올렸다. 레오가 떠난 지 며칠 후, 샌디에이고에 사는 한 여자에게서 전화가 왔다. 여자는 열렬한 시추광이어서 우키를 입양하기 위해 기꺼이 남서부를 가로질러 운전을 하고 오겠다고 했다.

"정신 나간 거 아니야?" 내가 기껏 할 수 있는 말은 이것뿐이었다.

이렇게 우키가 떠나자 나는 레오를 그리워했던 것과 거의 마찬가지로 우키가 보고 싶었다. 나는 걸핏하면 신경질을 냈다. "개 구호라면 이제 신물이 난다, 신물이 나." 몇날 며칠을 이렇게 구시렁거리며 집 주변을 돌아다녔다. 사실이 그랬다. 두 마리 개 모두 버림받은 과거가 있었다. 나는 지난 몇 달 동안 이 개들에게 다시는 버림받는 일이 없을 거라고 확신을 주고 또 주었었다. 그런데 결국 또 이렇게 버림받게 하다니. 물론 두 녀석이 갈 곳은 아주 훌륭한 가정이었지만 애들이 그걸 알 리 없었고, 떠나는 날 우키의 얼굴 표정은 내가 본 그 어떤 표정보다 슬펐다. 나는 우키가 미치도록 보고 싶은 건 말할 것도 없고, 내가 그를 배신한 것 같은 기분이 들었다. 마치 내가 개들에게, 사랑에 빠졌다가 차이고 다시 사랑에 빠졌다가 버림을 받는 똑같은 악몽을 수없이 되풀이하게 만든 것 같았다. 그러니 아까 말한 것처럼 정말이지 개 구호라면 신물이 날 수밖에 없었다.

우키가 떠난 지 일주일가량이 지났는데도 내 몸과 마음은 여전히 몹시도 지치고 맥이 빠진 상태였다. 나는 도저히 견디지 못하고, 이제 개들에게 집을 찾아주는 일일랑 그만두면 안 되겠냐고 조이에게 부탁했다.

"잠시만 쉬자." 내가 말했다. "내 기분이 정상으로 돌아올 때까지만 쉬자고."

내가 이런 말을 한 게 일요일이었다. 다음 날이 되자 기분이 조금 나아졌다. 잠정적으로 집행유예를 받았다는 사실만으로도 가슴을 묵직하게 내리누르던 짐을 벗어던진 것 같았다. 화요일에는 제법 행복하다고 할 수 있을 만큼 기분이 회복됐지만, 나중에 돌이켜보니 앞으로 무슨 일이 닥칠지 짐작도 못 했기에 가능했다. 다음 날은 수요일.

그날, 아합이 다리에 힘이 풀려 주저앉았다. 목요일엔 몹시 고통스러워하며 몸을 웅크렸고, 금요일에 병원에서 진단을 받았지만 일요일까지도 대수롭게 여기지 않았다. 그러나 아합의 내장은 썩을 대로 썩어 있었고, 폐색이 일어났으며, 창자가 아래로 쑥 빠졌다. 월요일에는 박사조차도 아합을 구할 수 없었다. 아합은 수술대에 오르기도 전에 사망했다. 그제야 나는 똑똑히 알 수 있었다. 내가 다시 제정신으로 돌아오려면 아주 길고 긴 시간이 걸리리라는 것을.

프로이트는 애도의 과정에는 "삶에 대한 평범한 태도로부터의 엄숙한 일탈이 포함된다"라고 말했다. 역시 대학자의 말은 뭐가 달라도 다르다. 아합의 죽음을 맞은 지 몇 주가 지났는데도, 나는 별것 아닌 일상적인 일들을 제대로 해내지 못하는 내 모습을 발견하곤 했다. 기억력은 수시로 깜박깜박했고 정신도 나간 지 오래였다. 잠을 자지도, 글을 쓰지도, 운동을 하지도 못했으며, 통화를 하거나 친구를 방문하지도 못했다. 대신 담요를 둘둘 말고서 베란다에 놓인 낡은 안락의자에 앉아, 헐벗은 나무들과 도무지 끝이 나지 않을 것 같은 겨울을 멍하니 바라보며 대부분의 시간을 보냈다.

나처럼 이런 사연들이 얼마나 많은데도, 지난 세기 대부분의 기간 동안 많은 심리학자들은 애완동물과의 사별로 인한 슬픔을 다룬다는 건 너무나 터무니없다고 생각했으며, 따라서 이런 주장에 반대하는 심리학자들은 관련 연구를 위해 아무런 기금도 얻을 수 없었다. 그러나 개인적인 진술들이 지속적으로 축적되었고 얼마 후 가설들이 조금씩 쌓이기 시작했다. 연구원들은 의인화와 감정전이를 시도하기도 하고, 대리 자녀에 관한 다양한 이론들을 제시하기도 했지만, 아무것도 받아들여지지 못했다. 1980년대 초반, 마침내 과학자들은 이 문제에 진지하게 접근하기 시작했다. 이 같은 사별 형태를 조사하기 위해 애완동물의 죽음에 관한 설문지Pet Loss Questionnaire, 애완동물과의 애착에 관한 평가지Pet Attachment Worksheet, 애완동물과의 애착에 관한 렉싱턴 척도Lexington Attachment to Pet Scale 같은 심리 측정 도구들이 특별히 고안되었다. 현재 수백만 건의 연구가 이루어지고 있고, 이에 관한 결론들이 캐나다의 심리학자 아니크 라베르뉴Annique Lavergne의 최근 논문에 잘 요약되어 있다. "이 결과들을 전체적으로 살펴보았을 때, 반려동물의 죽음에 따른 슬픔은 어디에서나 볼 수 있는 매우 당연한 현실이다."

참나, 장난하나, 이건 누구나 다 아는 사실이잖아.

그러나 시간이 지나면서 애완동물의 죽음으로 인해 가장 크게 고통을 받는 사람은 여자들과 노인들, 혼자 살거나 아이가 없는 사람들이라는 식의 오랜 통념들에 의문이 제기되고 있으며, 더불어 애완동물의 죽음은 개개인의 사정과 관계없이 모든 사람에게 똑같이 영향을 미친다는 새로운 의견들이 속속 등장하고 있다. 그리고 그 영향은 상당히 크다. 심리학자들은 가장 일반적인 사별 형태를 구별하기 위해 **비복합적 슬픔**uncomplicated grief과 **복합적 슬픔**complicated grief이라는 용어를 사용한다. 비복합적 슬픔은 빨리 극복할 수 있는 종류의 슬픔인 데 반해, 복합적 슬픔은 가령 베란다에 놓인 안락의자에서 좀처럼 움직일 수 없는 식의 슬픔에 대한 전문적인 명칭이다. 오늘날 널리 알려진 연구 결과들 가운데 하나는, 애완동물의 죽음은 비복합적 슬픔보다 복합적 슬픔을 훨씬 더 많이 유발한다는 사실이다. 사실상 애완동물의 죽음으로 인한 슬픔은 대개 가까운 가족을 포함해 인간의 죽음으로 인한 슬픔보다 훨씬 크다.

2008년 UCLA의 심리학자 메리프랜시스 오코너Mary-Frances O'Connor는 이런 현상이 일어나는 이유에 대해 약간의 실마리를 던져주었다. 오코너는 기능적 자기공명영상fMRI을 이용해 복합적 슬픔과 비복합적 슬픔과 관련된 두뇌의 발화 패턴을 조사했다. 그녀는 사랑하는 애완동물의 죽음을 비통해하는 실험 대상자들을 모집한 다음, 그들에게 사별한 애완동물의 사진을 보여주는 동안 그들의 뇌 사진을 찍었다. 그리고 죽음으로 고통받은 경험이 없는 낯선 사람들의 뇌 사진이 기준 측정치로 이용되었다. 오코너는 사랑하는 애완동물의 사진이 뇌의 통증 중추 기능을 활성화시켰으며, 특히 복합적 슬픔으로 고통을 받는 대상자들은 뇌의 측좌핵 — 뇌의 보상계에서 중심 역할을 담당하는 전뇌의 신경세포망 — 에서도 움직임을 보였다는 사실을 발견했다.

뇌의 보상계란 우리가 어떤 일을 잘했을 때 기분을 좋게 하는 신경화학물질인 도파민을 분비시킴으로써 우리에게 그 사실을 알려주는 신경회로망이다. 그 기분이 얼마나 좋은지 느끼려면 코카인만 이용해봐도 알 수 있다. 코카인은 뇌 속에 도파민이 흐르게 한 다음, 도파민을 재흡수하게 해주는 수용 영역들을 차단한다. 항우울제인 프로작도 마찬가지 방식으로 세로토닌의 재흡수를 차단한다. 50년 전 신경생리학자 제임스 올즈James Olds는 쥐의 대뇌 측좌핵에 전극을 대고, 쥐가 뇌를 자극하기 위해 끊임없이 단계를 높이려 한다는 걸 발견했다. 쥐들은 쾌락을 위해서라면 먹고 마시는 활동을 포함해 다른 활동을 일체 등한시했으며, 차라리 굶어 죽으면 굶어 죽었지 도파민과 절대 떨어지려 하지 않았다. 사람도 이와 다르지 않다.

인간은 연상을 통해 학습한다. 새로운 사실을 낡은 생각과 연관시킬 때마다 우리는 도파민이라는 보상을 받는다. 이것은 두뇌의 패턴 인식 시스템이 작동하기 때문인데, 오코너는 복합적 슬픔을 느끼는 동안에는 이 시스템이 역효과를 일으킨다는 사실을 발견했다. "사랑하는 대상이 살아 있을 때, 우리는 그 대상이나 대상을 연상시키는 물건을 봄으로써 보상이 되는 단서를 얻는다. 사랑하는 대상이 죽은 후, 죽음을 받아들이는 사람은 더 이상 신경계의 보상을 얻지 않는다. 그러나 죽음을 받아들이지 않는 사람은 계속해서 그 보상을 갈망하는데, 그들은 어떤 단서를 볼 때마다 여전히 신경계의 보상을 얻기 때문이다." 이것이 복합적인 슬픔을 복잡하게 만드는 이유이며, 코카인 중독 같은 나쁜 습관을 강제로라도 치료해야 하는 이유도 이와 유사하다.

오코너의 연구는 또한 반려동물의 죽음과 관련된 슬픔이 왜 인간의 죽음으로 인한 슬픔보다 클 수 있는지 설명한다. 그 이유는 대부분의 사람들은 다른 사람들과 함께 보내는 시간보다 기르는 애완동물과 함께 보내는 시간이 더 많기 때문이다. 아합은 거의 하루 종일 나와 함께 지내 내 패턴 인식 시스템 속에 단단히 박혀 있었으며, 사방천지가 온통 아합과 관련된 것들 투성이었다. 그래서 아합을 연상시키는 무언가를 볼 때마다 내 뇌는 그와 함께한다는 '보상'을 끊임없이 갈망하지만, 그럴수록 오히려 그의 부재만 떠올릴 뿐이었다.

이렇게 나는 아합을 상기시키는 단서들을 편안하게 받아들일 수 없었다. 그리고 〈내 술잔 속 눈물〉 같은 힐빌리 음악(hillbilly music, 미국 남부 산악 지대의 민요조 음악으로 컨트리 뮤직의 원형)에서 흔히 볼 수 있는 진부한 표현이 아침, 점심, 저녁 가리지 않고 아무 때나 생활 속 깊숙이 자리 잡게 되자 나는 아무래도 개들의 무리 속에서 기운을 차리는 것이 좋겠다고 판단했고, 무리를 이루는 수가 차츰 줄어들자 이제는 정말로 도움을 구할 때가 됐다고 생각했다. 대부분의 성인 남자들이 그렇듯이 나 역시 제일 먼저 엄마에게 전화를 걸었다. 우리 엄마는 사랑스러운 여인이며 격려를 아끼지 않는 다정한 사람이지만, 이런 경우 대개 그렇듯이 아들이 그 많은 개들을 데리고 도대체 앞으로 어떻게 살려고 그러는지 도무지 이해하지 못했다.

"개들 때문에 요즘 네 꼴이 말이구나. 조이가 그러는데 몇 주 동안 안락의자 밖으로는 한 발자국도 나오지 않는다며."

"우리 엄마처럼 며느리 말을 곧이곧대로 믿는 분별 있는 시어머니도 없을 거예요."

"일도 거의 안 한다고 하더구나."

"이건 일이 아니라고 생각하세요?"

"대출금도 못 갚으면서 개 사룟값으로 한 달에 5백 달러를 쓰는 것 같던데?"

엄마는 맞는 말씀만 골라서 하셨지만, 그렇다고 순순히 항복할 내가 아니었다.

"매일 아침 개똥을 밟으면서 하루를 시작한다는 것도 빼놓으시면 안 돼요."

"아이고, 하느님 맙소사." 엄마가 말했다.

그래서 나는 아버지에게, 친구들에게, 그냥 생각나는 아무나에게 돌아가면서 전화를 걸었다. 뭔가 의미 있는 삶을 찾기 위한 노력은 참으로 숭고한 일이라는 데에는 모두들 동의했지만, 그게 정신줄을 놓을 정도일 줄은 아무도 생각하지 못했다.

"그냥 네가 돌보는 개들일 뿐이잖아, 안 그래?" 조슈아가 말했다.

"야, 누가 보면 네가 난민이라도 구하는 줄 알겠다." 마이클이 말했다.

"고아들이라도 돌보는 거냐?" 미카가 말했다.

"네 엄마 속 좀 그만 썩여라." 아버지가 말했다.

그제야 나는 깨달았다. 동물들 때문에 괴로운 내 심정을 해결하려면 동물과 함께 일하는 사람들에게 하소연해야 그나마 좀 도움을 받으리라는 걸. 내 전 여자 친구는 텍사스의 동물원 사육사로 일했고, 내 옛날 룸메이트는 한때 시셰퍼드 해양생물 보호단체Sea Shepherd Conservation Society에서 고래를 구한 적이 있었다. 전 여자 친구는 연락이 되지 않았고, 룸메이트는 찾을 수가 없었다. 그리고 어쨌든 엄마 말이 틀린 건 아니었다. 나는 비참했다. 아무래도 비장의 무기를 꺼낼 때가 된 것 같았다.

비장의 무기는 바로 퍼트리샤 라이트Patricia Wright였다. 현재 뉴욕 스토니브룩 대학교에서 인류학과 교수로 재직하고 있으며, 내셔널 지오그래픽 협회 자연보호신탁 회원이자, 열대지역 보호협회의 상임 이사인 퍼트리샤 라이트는 전 세계의 주요 환경보호 운동가이며 영장류 동물학자들 가운데 한 명으로, 맥아더 재단의 '지니어스 어워드genius award'를 수상했으며, 무엇보다 마다가스카르 섬에 살고 있는 여우원숭이의 새로운 두 종을 발견하고 이들을 보호하기 위해 라노마파나 국립공원Ranomafana National Park을 만드는 데 평생을 바친 것으로 유명하다. 라노마파나 국립공원은 현재 크기가 416제곱킬로미터에 이르며 2007년에 세계문화유산으로 등재되었다. 말하자면, 동물 구조의 세계에서 대의에 헌신한 정도로 계급을 나눈다면 퍼트리샤 라이트는 단연 왕족인 셈이다.

직업상 나는 라이트에 관한 기사를 두어 편 쓴 적이 있는데, 그 덕분에 꽤 친분이 생겨 지금도 가끔 이것저것 물어보기 위해 전화를 건

다. 그러나 지금 내가 물어보려는 건 이제까지와는 완전히 다른 내용이었다. 나는 먼저 일명 '리키의 천사들'이라고 불리는 세 여인, 다이앤 포시Dian Fossey, 제인 구달Jane Goodall, 그리고 비루테 갈디카스Birutė Galdikas의 근황을 언급하며 이야기를 시작했다. 이 세 여인들은 인류학자 루이스 리키Louis Leakey가 자연 상태에서 영장류를 연구하도록 보낸 사람들이다. 지난 몇 년 전 우리는 다이앤 포시가 산악고릴라를 구하기 위해 자신의 목숨뿐 아니라 정신까지 잃었다는 사실을 접했다. 린다 스팔딩Linda Spalding은 그녀의 저서 《정글 속 어두운 장소*A Dark Place in the Jungle*》에서 갈디카스가 겪은 곤경을 알렸다. 갈디카스는 오랑우탄들을 구하기 위해 보르네오 섬에 갔지만 이들을 구할 방법은 단 하나, 즉 마지막 기회라고 생각하고 일종의 계엄령하에서 80마리의 오랑우탄들을 자신의 집에 가두어놓는 수밖에 방법이 없다고 판단했다. 그리고 제인 구달은 어른들의 세계에 완전히 신뢰를 잃고 현재 어린이를 위한 교육 프로그램에 온 힘을 바치고 있었다. 라이트의 업적들은 이 세 여인들이 이룬 업적과 유사하지만, 어쨌든 그녀는 동물을 구하는 동시에 정신도 그럭저럭 온전히 유지하는 반면, 이 세 여인들은 그렇지 못했다. 지금 나에게는 그 이유를 알아내는 것이 무척 중요하게 여겨졌다.

나는 뉴욕에 있는 라이트의 사무실로 전화를 걸었다. 그녀는 별로 주저하지 않고 내 질문에 선뜻 대답했다.

"별로 어려운 일 아니에요." 그녀가 말했다.

"그게 무슨 뜻이죠?"

"저절로 굴러갔으니까요. 그렇지 않았다면 전 틀림없이 미쳐버렸을 거예요."

"뭐가 굴러갔다는 건가요?"

"라노마파나 공원요. 라노마파나에 전부 맡겨버리는 거지요."

나는 라이트에게 더 조언해줄 말이 없느냐고 물었다. 그녀는 잠시 생각하더니 이렇게 말했다. "동물들과 함께 일하다 보면 비통함을 느끼기 마련이에요."

"그러니까요."

"받아들이세요. 그거밖에 방법이 없잖아요. 그냥 받아들이세요."

3월에 나는 단순한 일거리를 찾았다. 조이도 단순한 일거리를 찾았다. 그런데 시간이 지날수록 조이의 일은 내 일보다 힘들어졌다. 조이는 코튼우드 병원에서 박사를 도와 인턴으로 일했다. 셰이디 레인(Shady Lane, 그늘진 오솔길이라는 의미)이라는 딱 어울리는 이름의 도로 위 키 큰 미루나무들 아래에 간신히 마련한 병원은 금방이라도 무너질 것 같은 건물 두 채와 자갈이 깔린 주차장으로 이루어져 있다. 병원 내부에는 대기실 하나, 검사실 둘, 수술방 하나, 약간의 수납공간, 사무실 둘, 그리고 일련의 동물 우리들이 있다. 건물 외관은 비가 새는 지붕으로 덮여 있으며, 시크 다르마Sikh Dharma라는 복합 종교 단지가 한눈에 들어온다. 이곳에는 자신들이 고대 전사의 전통을 잇는 영적 후손이라 믿으며, 그에 따라 행동하기 위해 노력하는 흰색 예복과 흰색 터번을 쓴 남자와 여자들이 모여 살고 있다. 이건 별로 중요한 이야기는 아닌데, 그들은 미니밴을 많이 몬다.

바야흐로 3월, 대부분의 동물들이 출산을 하는 계절이지만, 코튼우드에 있는 개들은 대부분 강아지들이며, 이 강아지들은 대부분 파보 바이러스에 걸려 있었다. 사람들이 예방접종을 위해 7달러를 쓰길 꺼린 결과였다. 박사가 지난번에도 지적했듯이 치마요에는 안락사가 유행처럼 번지는 계절이 있다. 안락사는 상당히 자주 일어나서 오전에 다섯, 여섯, 일곱 차례나 시행됐는데, 이 병원을 거친 개들이 겪는 웬만한 다른 일들에 비하면 대수로운 일도 아니었다.

줄리아는 조이가 이 병원에 근무한 지 4주째에 접어들 무렵 이곳에 왔다. 한때는 보통의 평범한 푸들이었지만, 거리를 떠돌며 굶기를 밥 먹듯 하다 보니 성장이 멈추었고, 윤기를 잃은 털은 잔뜩 엉클어진 채 서로 엉겨 붙었다. 줄리아는 아침에 스쿨버스를 기다리는 동안 그녀에게 돌멩이를 던져 죽이려 달려들던 열 살가량의 아이들을 피해, 에스파뇰라 중심가의 점보 버거 건물 뒤에 숨어 있다가 발견되었다. 돌을 던져 죽이려 했다고? 겨우 열 살짜리 아이들이? 농담이 아니라, 악의 문제가 철학과 신학은 물론이고 개 구호 활동에서 가장 중요하게 대두되는 건 놀랄 일이 아니다.

이 문제는 최소한 고대 이집트 시대로 거슬러 올라가지만, 이에 대해 최초로 명확하게 요약한 사람은 그리스 사상가 에피쿠로스인 것으로 전통적으로 인정되고 있다. "신은 악을 없애길 원하지만 그럴 수 없든지, 없앨 수 있지만 그러지 않든지 둘 중 하나다. 악을 없애고 싶지만 그럴 수 없다면 신은 무능력하다. 악을 없앨 수 있지만 그러길 원치 않는다면 신은 악하다. 신이 악을 없앨 수 있고 정말로 없애길 원한다면 세상에 왜 악이 존재하겠는가?" 이후로 대부분의 주요 철학자들이 그랬던 것처럼 거의 모든 주요 종교에서 에피쿠로스의 역설을 해명하기 위해 줄곧 노력해왔다. 이에 대해 문화 비평가 로저 킴볼Roger Kimball은 한때 다음과 같이 주장했다.

> 나는 이 질문에 대답하자고, 지난 수세기 동안 차고 넘친 잉크의 바다에 내 잉크 방울까지 보탤 생각은 없다. 다만, 나는 이 엄청난 잉크들이 한 가지 대답을 얻기 위해 쏟아져왔노라고 말하고 싶다. 이 문제에 대해 성 아우구스티누스나 토마스 아퀴나스의 현명한 역작들 속에서 아무리 만족할 만한 해답을 얻는다 할지라도, 결국 우리는 이 문제에 반박은 할지언정 이 문제가 영원히 재개될 수밖에 없으리라는 점을 부인하지는 못한다. 다시 말해, 고통의 문제는 쉽게 '해결되지' 않는다. 본질적으로 이것은 지적인 능력으로 풀 수 있는 수수께끼가 아니라〔물론 이에 관한 사고에는 지적인 수수께끼가 수반되지만〕 인간의 삶이라는 모험과 불가분한 관계에 놓인 실존주의적 현실이다. … 결국, 고통의 의미는 '인생의 의미가 무엇일까?'라는 문제의 해답을 통해 비로소 알 수 있는 것이다.

나는 로스앤젤레스를 떠나 뉴멕시코로 이사를 왔다. 나는 조이를 사랑했고 조이는 개들을 사랑했기 때문에 그렇게 했던 거지, 그 밖에 다른 이유는 없었다. 나는 개를 구호하는 일은 에피쿠로스의 역설을 눈앞에서 생생하게 경험하는 일이라는 걸 잘 알고 있었다. 하지만 그리스 비극시인 아이스킬로스는 '지혜는 고통을 통해서만 얻을 수 있다'고 주장했으며, 나는 조이에게 나를 지지해달라고 부탁했다. 그러나 내가 미처 염두에 두지 못한 것이 있었으니, 실제로 얼마나 많은 고통을 겪게 되는가 하는 것이었다. 조이에게 어떤 고통이 닥칠지, 또 나에게는 어떤 고통이 닥칠지 전혀 알지 못했다. 이런 무방비 상태에서 나에게 가장 큰 고통을 안겨준 대상은 엘튼이었다.

도움이 필요한 개들이 너무 많기 때문에, 개 구호자들은 자신의 전화번호를 철저하게 비밀에 부치려는 경향이 있다. 자칫 전화번호가 공개되었다간 도와달라는 요청이 엄청나게 쇄도하게 되는데, 공간도 시간도 돈도 극도로 제한되어 있는 터라 일일이 도와주지 못하는 데서 오는 죄책감 또한 이루 말할 수 없이 크다. 4월 초, 조이가 한 여자의 전화를 받았을 때, 그녀가 우리 전화번호를 어떻게 알게 됐는지 한사코 말하지 않으려 했던 이유도 바로 그래서다. 아마 여자가 말을 했다면, 로스웰의 한 구조 단체와 협력하고 있는 앨버커키의 구조 단체에서 메일을 한 통 받았는데, 치마요에 사는 어떤 여자가 큰 문제가 있는 작은 개들을 그렇게 잘 돌본다는 말을 로스앨러모스에 있는 어떤 동물병원에서 전해 들었다더라는 이야기를 하려고 했을 것이다. 조이가 바로 그 여자였고, 엘튼이 바로 그 개였으며, 바로 여기에서부터 일이 꼬이기 시작했다.

가정해보자면 엘튼은 간질을 앓는 치와와 종의 개였을 것이다. 전 주인은 한 달에 25달러 정도의 치료비를 댈 형편이 안 될 정도로 몹시 가난했을 것이다. 그래서 지금 조이가 전화를 받게 된 거고, 조이는 사진 한 장을 보내달라고 부탁했다. 사진 속의 모습은 꼭 안아주고 싶을 만큼 너무나 귀여운 갈색의 어린 강아지였다. 우리는 여전히 돈도 없고 시간도 없었기 때문에, 나는 이 개를 데리고 오는 건 말도 안 된다고 생각했다. 그러나 조이는 간질은 치료할 수 있는 병이며 따라서 엘튼을 데리고 올 수 있다고 생각했고, 어쨌든 "우리가 할 일이 이런 일이야"라고 말했다.

이렇게 해서 목요일 오후 샌타페이에 있는 트레이더 조라고 하는 마트의 주차장에서 엘튼을 만나기로 했다. 우리는 파란색 트럭을 찾으라는 말을 들었다. 엘튼의 주인이 하도 돈 때문에 어쩔 수 없었다고 구구절절 이유를 댔던 터라, 나는 낡아빠진 소형 트럭만 찾고 있었다. 그런데 웬걸, 그들은 부품 시장에서 구입한 휠캡을 장착하고 유리에는 선팅을 한 따끈따끈한 최신형 닷지 램을 몰고 다가오고 있었다. 개의 상태도 우리가 예상했던 것과 전혀 달랐다. 내 경험상 간질은 마비가 아니라 발작을 일으키는 병인데 엘튼은 뒷다리를 사용하지 못했다. 조이의 경험상 엘튼은 디스템퍼라는 전염병을 앓고 있었다. 더 복잡한 문제는 엘튼의 주인들이 우리가 엘튼을 데리고 가면서 자기들에게 비용을 지불할 거라고 믿었다는 것이다. 우리가 이건 그런 경우와 다르다고 설명을 했는데도, 그들은 여전히 우리에게 기름값이라도 내놓으라고 요구하려 했다.

"아니, 우리가 로스웰에서 여기까지 달려왔는데 기름값은 줘야죠." 그들이 말했다.

파보 바이러스처럼 디스템퍼도 굉장히 고통스럽고 대개는 죽음에까지 이르게 되지만, 얼마든지 예방이 가능한 질병이다. 주인들이 예방접종으로 10달러를 지불할 의향만 있다면 말이다.

"아, 네." 내가 대꾸했다. "로스웰에서 오셨단 말이지요. 최신형 트럭을 몰고 말이에요."

금요일에는 마비 증상이 엘튼의 뒷다리에서 몸통으로 번졌다. 토요일에는 앞다리까지 굳기 시작했다. 다음 날은 일요일이었는데, 우리가 두려운 건 이 마비증상이 엘튼의 뇌로 가기 전에 식도에 번져서, 엘튼이 굶어 죽거나 혹은 굶어 죽지 않으려다 질식사하지 않을까 하는 것이었다. 우리는 고통이 죽음보다 더 괴롭다고 믿기에, 일요일에 샌타페이에 있는 응급 동물병원에 엘튼을 데리고 가서, 다음 한 달치 식비를 그를 안락사시키는 데 지불했다. 월요일에 조이는 다시 코튼우드 동물병원에 출근해서, 파보 바이러스에 걸린 개 여섯 마리와 디스템퍼에 걸린 더 많은 수의 개들을 안락사시키는 일을 도왔다. 그러나 이렇게 지독하게 돈을 요구하는 사람은 아무도 없었다. 화요일에 나는 조이에게 이 일을 그만두자고 간청했다. 마치 요나가 하느님으로부터 숨을 수 있을 거라고 생각한 것처럼 이 일만 그만두면 문제를 해결할 수 있을 거라고 생각하면서. 그러나 이런 경우, 대개 다음 모퉁이를 돌면 고래가 나타난다는 걸 기억하는 편이 오히려 도움이 된다(구약성경에는 하느님의 명령을 거역한 요나가 풍랑을 만나 고래에게 삼켜지는 이야기가 있다).

피에르와 클라우디아는 우리가 뉴멕시코에 와서 처음 사귄 친구들이다. 코니는 클라우디아와 가까운 친구였다. 그녀는 대부분의 시간을 플로리다에서 지내지만, 마지막 남은 재산인 게스트 하우스에서 여름을 보내기로 결정했다. 게스트 하우스는 사과밭 한가운데에 있는데, 코니의 개 리오는 이 사과밭의 모든 나무에 영역 표시를 하고 공놀이도 하겠다는 거창한 계획을 품고 있었다. 리오는 지난 8년 동안 줄곧 코니와 함께 지내왔으며, 앞으로 8년도 늘 함께할 터였다. 어느 날 오후, 전화가 울리는 바람에 코니가 5분도 채 안 되는 짧은 시간 동안 사과밭에 리오만 남겨두지 않았더라면. 실제로, 누군지 모를 낯선 사람이 작은 울타리 위에서 고성능 라이플을 조준해 도대체 아무런 특별한 이유도 없이 골든리트리버를 죽이는 데에는 눈 깜짝할 시간도 걸리지 않는다.

코니는 몇날 며칠을 울었다. 클라우디아도 울었고 조이도 울었다. 그들은 또 다른 살인을 저질러서는 안 된다며 피에르를 말려야 했다. 그들은 피에르에게 동조해서는 안 된다며 나를 말려야 했다. "요즘

이 부근에서 이런 일이 곧잘 일어나고 있습니다." 경찰은 이렇게 말했다. "여러분들이 상상하는 것보다 훨씬 자주 일어나고 있어요." 아, 말도 안 돼. 정말이지 이번 일은 내 한계를 벗어난 것 같아. 이 일은 도저히 상상하기 힘든 일이라고.

사실이 밝혀졌을 땐, 내가 상상도 할 수 없는 몇 가지 정황들이 더 있었다.

대부분의 강아지 공장들은 철망으로 만든 우리 안에 여러 마리의 개들을 우겨 넣는데, 이런 개들은 대개 칠흑같이 깜깜한 환경 속에서 평생을 보내게 된다. 우리 밑에는 배설물을 처리하는 상자가 달려 있지만 비워지는 일은 거의 없다. 그래서 항상 파리가 끓는다. 여름에는 에어컨을 가동하지 않고 겨울에는 난방을 돌리지 않아, 개들은 주기적으로 얼어 죽거나 열사병으로 죽는다. 가장 무더운 달에는 금속으로 만들어진 우리가 뜨겁게 달궈져 강아지들이 철망 위에서 구워진다는 소문도 있었다. 먹이는 부실하고 동물병원 치료는 거의 받지 못한다. 아물지 않은 채 개방된 상처들, 조직 손상, 실명, 청각 장애, 궤양, 충치 — 심지어 충치가 너무 심해져 턱까지 썩어 들어간다 — 등이 예외가 아닌 다반사로 일어난다. 이 동물들은 종종 기계 장치에 의해 먹이를 받아먹기 때문에, 사람과 접촉하는 경우라고는 번식하는 개들에 한해 인공수정을 한 지 9주 후 사람 손에 새끼를 빼앗길 때뿐이다. 만일 단테가 《신곡》 지옥 편에 산부인과 병동을 추가했다면, 강아지 공장만큼 어울리는 장소도 없을 것이다.

마우스는 치와와 종으로 번식견이었으며 강아지 공장에서 구조되었다. 조이는 2년 동안 매일같이 마우스와 함께 일했다. 물론 여기에서 **일**이라는 건 완곡한 표현이다. 우리가 마우스를 데리고 올 무렵 마우스는 거의 귀가 멀었고, 눈은 완전히 실명했으며, 심각하게 손상을 입은 상태였다. 마우스는 탁 트인 공간을 몹시 견디기 힘들어했고, 사람들, 특히 남자들이 곁에 있을 때, 햇빛이 비칠 때, 시끄러운 소리가 들릴 때, 어떤 식으로든 자기에게 애정을 보일 때에도 상당히 힘들어했다. 이런 요소들을 피하기 위해 마우스는 작은 방 맨 구석에서 생활했다. 작은 방 문은 늘 열려 있었지만, 마우스는 그 자리에서 한 발자국도 벗어나지 않았다. 마우스의 세계는 침대 하나, 물그릇 하나, 기저귀 두 개로 이루어졌다.

박사는 마우스가 지금까지 보아온 외상 후 스트레스 장애 가운데 최악의 경우라고 생각했는데, 그녀의 의견에 동의하지 않을 수 없었다. 마우스를 안는 건 불가능했기 때문에 조이는 마우스와 함께 일하기 위해 작은 방 한쪽 벽을 따라 놓인 선반 아래에 손을 넣고 마우스의 털을 부스스 헝클어뜨리고는 그 자리에 가만히 있다가 나오곤 했다. 그렇게 6개월이 흐르자, 마우스는 비로소 조이에게 자기 목을 살살 긁도록 허락해주었다. 마우스가 조이에게 자기 머리를 문지르도록 허락하기까지는 9개월의 시간이 걸렸다. 어느 시기까지는 이런 식으로 그럭저럭 지내왔다. 그런데 어느 날 마우스가 여러 가지 증상과 함께 날카롭게 소리를 지르며 몸을 떨기 시작하더니 이런 행동을 멈추지 않는 것이었다. 우리는 마트에서 약이란 약은 다 사서 먹여보고 좋다는 치료법이란 치료법은 다 써보았지만 아무런 효과가 없었다. 결국 우리는 이렇게 마우스의 고통만 연장시키는 건 우리가 선택할 수 있는 방법 가운데 최악이라는 결론을 내렸다.

마우스는 내가 처음으로 불치병을 접한 대상이었을 뿐 아니라, 마우스를 안락사시키자고 결정한 시기도 더 이상 최악일 수 없었다. 마우스는 리오가 총에 맞기 사흘 전에 안락사로 세상을 떠났고, 비니도 리오와 함께였다. 비니는 로스앤젤레스 출신의 늙은 슈나우저로, 주인은 AIDS로 사망했다. 누군가 비니의 사연을 듣고 돕기 위해 나선 덕분에, 비니는 마침내 동물보호소 순례를 시작하게 됐다. 당시 우리는 에스파뇰라 동물보호협회를 대신해 두 마리의 어린 치와와를 돌보고 있었다. 어린 치와와에게 로스앤젤레스의 가정을 찾아주는 것이 늙은 슈나우저에게 전국 방방곡곡을 뒤져 가정을 찾아주는 것보다 훨씬 쉽기 때문에, 치와와와 슈나우저를 교환하게 되었다. 이렇게 해서 치와와는 비벌리힐스로 갔고 비니는 뉴멕시코로 왔다.

비니는 치마요 생활을 무척 마음에 들어 하는 것 같았다. 비니는 꼬리가 짧고 뭉뚝하지만 그렇다고 해서 자기를 표현하는 걸 멈추는 법이 없었다. 대개 개들이 꼬리를 흔드는 건 즐거움을 나타내는 본능적인 동작이다. 그렇지만 무조건 이렇게 믿어서는 안 되는 경우가 있는데, 꼬리가 높이 서 있고 흔드는 동작이 정신없이 빠를 때가 그렇다. 스티븐 린제이Steven Lindsay의 저서 《실생활에 적용하는 개의 행동과 훈련에 관한 안내서*Handbook of Applied Dog Behavior and Training*》를 보면 "개들이 자신감을 갖고 다정하게 꼬리를 흔들 땐, 꼬리가 방향을 바꾸어가며 다양한 모양으로 물결치면서 바닥을 쓸 듯이 천천히 좌우로 움직인다"라고 한다. 린제이는 또한 개가 제대로 꼬리를 흔들 땐 엉덩이도 같이 움직인다고 말하면서, 꼬리 흔들기에서 대부분의 사람들은 이 부분을 놓치기 쉬운데 "이 부분은 항문과 꼬리윗샘에서 발산하는 다양한 신호를 전달"하므로 매우 중요하다고 결론을 내린다. 비니는 개의 나이로 80을 훌쩍 넘는 고령에도 불구하고, 매일 아침 제일 먼저 밖으로 나가 고개를 들어 드넓은 하늘과 너른 들판을 둘러보고 집 주위를 크게 몇 바퀴 달린 다음 다시 베란다로 돌아와 뭉툭한 꼬리를 흔들어댔다. 비니의 꼬리 흔들기는 그의 머리에서 시작해 엉덩이에서 끝났는데, 그 모습이 흡사 브레이크 댄스를 추려고 몸부림치는 화물열차처럼 보였다. 그렇게 해서 우리 집에서는 '엉덩이 실룩실룩 슈나우저'라는 별명이 입에 밸 정도가 됐다.

우리가 마우스를 안락사시키기로 결정했을 무렵, 비니의 심장에 문제가 생기기 시작했다. 비니의 간에도 병이 났다. 그래서 우리는 또 하나의 힘든 결정을 내렸고, 48시간 후 비니와 마우스는 우리 집 뒷베란다에서 안락사로 세상을 떠났다. 마우스는 조이의 품에서, 비니는 내 품에서 죽음을 맞았다. 비니는 내 품에서 죽은 최초의 생물체였으며, 비니를 시작으로 여러 동물들이 내 품에서 눈을 감았다. 며칠 후, 차우가 아침 여섯 시쯤 기침을 하기 시작했다. 그러다 일곱 시가 되자 폐에 물이 가득 찼고, 여덟 시에는 내 품에서 죽은 두 번째 생물체가 되었다. 다음 주에 우리는 제리를 잃었는데, 아직도 정확한 이유를 알지 못한다. 그다음, 제리가 세상을 뜬 지 사흘 후 우리의 소중한 불테리어 오티스가 뇌졸중으로 눈을 감았다. 그렇게 해서 지금, 두 달 사이에 여덟 마리의 개가 세상을 떠났다.

개들을 구하기 위해 뉴멕시코로 이사하자는 것이 우리의 계획이었다. 그런데 이제 누가 나를 구해줄지가 문제였다.

6

동물도 고통을 느낄까?

아무리 애를 써도
험프티 덤프티(《이상한 나라의 앨리스》에 등장하는 달걀 캐릭터)를
다시 합칠 수는 없어. 그렇지만 전쟁이 벌어졌으니
모든 방법을 동원해서 노력해봐야 하지 않겠어.

– 리처드 파리냐(Richard Fariña)

웨브리 에드워즈Webley Edwards는 오리건 주립대학교를 졸업하고 자동차 영업사원이 되기 위해 하와이로 거주지를 옮겼다가, 현지 음악에 관심이 생겨 〈하와이 콜즈〉라는 라디오 프로그램을 만들었다. 그의 방송은 40년 동안 전 세계 700여 개의 방송국에서 전파를 탔으며, 언제나 와이키키 해변의 부서지는 파도 소리와 "여러분은 지금 와이키키 해변의 부서지는 파도 소리를 듣고 계십니다"라는 선포로 문을 열었다. 에드워즈는 진주만에 폭탄이 투하되기 시작할 때에도 방송을 했는데, 12월 그날 아침 그가 선포한 메시지는 평소와 달랐다. "공습 상황입니다." 그는 여러 차례 반복해서 말했다. "공습 상황입니다. 모두 대피하십시오. 이것은 실제 상황(real McCoy, 진짜나 진품을 뜻하는 구어)입니다."

리얼 매코이의 어원에는 여러 가지 설이 있다. 금주법이 실시되던 시대에 윌리엄 매코이William McCoy라는 주류 밀매업자가 있었는데, 장인정신으로 똘똘 뭉친 그는 물을 희석하지 않은 순도 높은 주류만 판매하는 것으로 유명했다고 한다. 하지만 이 이야기는 그다지 신빙성이 없는 것 같다. 또 하나 설이 있는데 '키드 매코이Kid McCoy'라는 별명으로 불리며 로프 어 도프(rope-a-dope, 로프에 기대어 싸우는 권투 기법)를 개발한 권투 선수 노먼 셀비Norman Selby가 경기에서 참패한 후, 다시 링 위에 올라 TKO로 상대 선수를 이겨 챔피언 자리를 되찾았을 때, 아나운서에게 이렇게 묻게 했다고 한다. "누가 진짜real 매코이입니까?" 그렇지만 이 이야기 역시 신빙성이 없긴 마찬가지다. 아무튼 내가 하려는 말은 이거다. LA에 살았을 땐 "나는 커피 스푼으로 내 인생을 측정했다"라는 엘리엇의 시 구절이 머리에서 떠나지 않았다면, 개들이 죽고 뒷베란다의 안락의자에서 꼼짝을 할 수 없게 된 무렵에는 "이것은 실제 상황입니다"라는 한마디가 그 자리를 대신했다.

그렇지 않다는 증거들이 사방천지 수두룩하지만, 이 구절은 사실상 이것이 내 인생임을 나 자신에게 상기시키는 나만의 만트라가 되었다. 하지만 문제는 눈에 보이지 않는 데 있었고, 흐음, 눈에 보이지 않는 걸 알아볼 수는 없는 노릇이었다. 너무 많은 개들이 죽었고, 나는 그들의 죽음을 받아들이기가 몹시도 버거웠다. 윌리엄 스타이런 William Styron은 그의 역작 《보이는 어둠 *Darkness Visible*》에서 우울증에 대해 다음과 같이 이야기했다. "고통은 수그러들 줄 모른다. 그러나 이 상태를 견딜 수 없게 만드는 건, 하루가 지나도, 한 시간, 한 달, 아니 1분이 지나도 고통을 낫게 할 방법을 찾지 못하리라는 예견이다. … 고통보다 더한 절망은 영혼을 짓밟는 것이다." 그의 이 말은 우울증에 대해 아주 잘 설명했다고 할 수 있다.

공교롭게도 이 안락의자에 앉아 있으면 뉴멕시코에서 두 번째로 높은 산이자 내 친구 타즈[타디우스의 약칭]가 오르고 싶어 했던 산인 사우스 트루차스 피크 South Truchas Peak의 풍경이 눈에 들어온다. 타즈는 늦은 봄 어느 날 내게 전화를 걸어, 자기하고 같이 등산할 생각이 있는지 물었다. "거의 죽 오르막이야." 기껏 나를 설득한다고 한 말은 이게 전부였다. 타즈는 십 년간 아웃워드 바운드(Outward Bound, 국제 청소년 야외활동 지원기구)에서 근무했기 때문에, 오르막이라는 개념이 겨울 내내 의자에 푹 파묻혀 뒹굴거리던 사람하고는 사뭇 달랐지만, 어쨌든 나는 뭐라도 해야 했고 어쩌면 이것이 도움이 될지 모르겠다고 생각했다.

해발 3993미터인 트루차스 피크 등반은 다소 긴 여정이다. 한달음에 정상까지 오르는 사람도 있지만 대부분은 그렇지 않다. 내가 본 단 한 권의 여행 안내서는 사흘에 걸쳐 등산하도록 권장했다. 무슨 등산 한 번 하는 데 사흘을 잡으라니 좀 지나친 것 아니냐 싶겠지만, 그나마도 이 기간은 우리가 가는 길에서 8킬로미터 더 가면 있는 소방 도로를 휩쓸어버린 폭풍우를 고려하지 않은 상태에서 나온 계산이었다. 타즈는 도로가 처참하게 파손된 현장을 목격하고는 가뜩이나 힘든 여정이 훨씬 힘들어지겠다 싶었는지, 그래도 계속 가겠냐고 나에게 물었다.

"지난 몇 달도 견딘 마당에, 몇 킬로미터쯤 무슨 대수야?" 내가 말했다.

처음엔 별로 힘들 게 없었다. 우리는 주차를 하고 개들을 풀어주었다. 타즈는 덩치가 크고 억센 잡종견 두 마리를 데리고 왔고 나는 벨라만 데리고 왔다. 우리는 함께 소방 도로를 걱정하며 숲 속으로 돌진했다. 주변에는 침엽수림이 있었고 매발톱꽃들이 무리 지어 피어 있었으며, 개들은 그 사이를 행복하게 뛰어놀았다. 겨울 동안 살이 올라 뼈에 살이 붙고 어깨도 떡 벌어진 데다, 이제는 뭐 거의 온몸이 새까맣고 목도 굵어졌으며 턱은 무쇠처럼 단단해서, 지나가는 사람이 흠칫 놀라 빙 돌아서 갈 만큼 어엿한 핏불테리어가 된 벨라는 이 매발톱꽃에 대해 뭐랄까, 일종의 원시적인 경외감을 느끼는 것 같았다. 벨라는 자기가 행차하시는 길을 방해하는 것은 무엇이건 밟아 뭉갰는데, 희한하게도 이 매발톱꽃만큼은 가까이 접근하지 않았고, 덕분에 우리는 개울이 있는 곳을 알아낼 수 있었다.

벨라는 타즈의 개들 가운데 한 마리를 뒤쫓으며 목초지를 지나는

길에 꽃들을 피하려고 옆으로 풀쩍 뛰다가 그만 개울 속으로 풍덩 빠지고 말았다. 물은 맑고 차가웠다. 개울 안에 송어 떼가 노닐었는데, 이른 아침 햇살에 은색과 갈색으로 반짝거렸다. 일본에는 사와노보리澤登り라고 하는 산을 오르는 운동경기가 있는데, 개울을 따라 죽 걸어 출발점으로 되돌아오는 경기다. 작가 이케다 쓰네미치池田常道는 이 경기가 수렵채집 시절 사냥감이 지나가는 지름길을 기억하기 위한 방법에서 비롯되었을 것으로 짐작되며, 이 욕구는 우리 현대인에게도 고스란히 남아 있다고 주장한다. 우리는 주위를 한번 쓱 훑어보기만 했는데도 어디로 가야 할지 대번에 알 수 있었다. 개들도 방향을 알고 있었다. 트루차스는 스페인 말로 '송어'라는 뜻이고 속어로 '단검'이라는 뜻도 있다. 이제 우리는 모두 뉴멕시코식 사와노보리를 시작하지 않을 수 없게 됐다. 단검 같은 산을 오르는 반짝이는 송어 떼를 따라서.

몇 시간이 지나, 우리는 단검의 자루 끄트머리와 칼날이 시작되는 부분 사이 어디쯤에 이르렀고, 이때부터 길이 가팔라졌다. 초록빛 세상에 흰 점이 박히며 푹신푹신 깊이 쌓인 눈이 모습을 드러내기 시작했고, 쌓인 눈이 깊어질수록 우리는 더 높이 올라가야 했다. 눈은 우리가 지나는 개울에 떨어지며 녹고 있었고, 그 바람에 개울은 급류로 변하기 시작했다. 우리는 작은 절벽 위로 발길을 돌렸다가 우렁찬 천둥소리를 듣고는 모퉁이를 한 번 더 돌았지만, 200미터 앞에서 우리를 향해 굉음을 쏟아내는 폭포를 맞닥뜨리고 말았다. 폭포를 지나 엄청나게 높은 목초지를 통과한 후 산등성이 하나를 더 넘고서야 마침내 정상이 눈에 보였다. 눈이 덮이지 않은 평소 같았으면, 높은 안장부를 지나 칼날처럼 날카로운 산등성이를 넘었을 것이다. 하지만 우리는 작은 절벽을 기어올라 중간 지점인 안장부를 가로지는 다음 정상을 향해 돌진하기로 결정했다. 그러나 60미터가량 쌓인 눈이 얼음으로 변해, 나는 더 이상 걸음을 계속할 수가 없었다. 타즈는 발 한 번 헛딛는 일 없이 잘 걸었고 개들도 미끄러지지 않았지만, 나는 두 달 동안 앉아만 있었던 탓에 아무래도 계획을 새로 짤 필요가 있었다.

나는 안장부를 가로질러 대각선 방향으로 가서 커다란 암벽에 닿기로 결정했다. 어쩐지 암벽이 더 오르기 쉬워 보였고, 바위의 높이가 대략 24미터밖에 안 되는 것 같았다. 그런데 바위가 너무 푸석푸석해서 쉽게 바스러졌고 경사는 아찔할 정도로 가팔랐다. 한 번의 판단 착오는 또 다른 판단 착오로 이어져, 곧이어 나는 비바람에 반들반들해진 바위 밑 갈라진 틈바구니에 갇혀 도무지 나갈 방법을 찾지 못했다. 내 몸은 지면에서 200미터 떨어진 곳에 대롱대롱 매달렸다. 내 왼손은 가는 돌 조각을 꽉 붙들고 있었고 오른손은 보다 단단한 무엇을 찾고 있었다. 그러나 손에 쥘 만한 단단한 것을 도무지 찾을 수 없어, 대신 바위에 왼발을 걸치려 애썼다. 그런데 신발이 눈 쌓인 곳에 닿아 발이 미끄러지기 시작했다. "재미있게 놀다 오고, 죽지만 마." 집을 나설 때 조이는 이렇게 당부했다. 아무래도 이제 곧 조이와의 약속을 또 한 번 어기게 될 것 같았다.

산비탈에 쌓인 바위 부스러기가 내 머리 위로 비 오듯 쏟아지기 시작해, 나는 그야말로 떨어지기 일보직전이었다. 그 순간 내가 할 수 있는 일이란 방금 전 생각한 그것뿐이었다. 바로 그때, 나는 고개를 들어 내 위로 20미터쯤 떨어진 곳에서 전속력을 다해 나를 향해 돌진해 내려오는 벨라를 보았다. 이 일이 있은 지 몇 달 후, 나는 데이비드 애튼버러David Attenborough의 다큐멘터리 〈살아 있는 지구〉를 통해 파키스탄 산악 지대에서 눈표범이 산양을 사냥하는 보기 드문 장면을 보았다. 나에게 그 장면과 비교할 수 있는 장면은 딱 하나, 바로 벨라의 체조 실력뿐이다. 벨라는 이 바위에서 저 바위로 껑충껑충 뛰어 마치 허공과 하나가 된 듯 3미터 아래로 단숨에 훌쩍 뛰어내려 와서는, 이쪽 바위에 한 번 저쪽 나무 둥치에 한 번 차근차근 발을 딛으며 방향을 바꾸었다. 그런 다음 내 쪽을 완전히 지나쳐서 내처 아래로 곧장 떨어져, 내가 이제 곧 죽겠구나 싶은 바로 그 순간, 내 옆으로 미끄러져 딱 멈추고는 네 발을 단단히 땅에 박고서 잘못 딛은 내 발 아래에 제 몸을 밀어 넣는 것이었다. 벨라는 "이제 넌 아무 데도 못 가"라고 말하는 듯한 눈빛을 보내며 이젠 아주 이빨로 내 바짓가랑이까지 앙 물었다.

심리학자 카를 융에 따르면, 개는 무조건적인 충성의 전형이라고 하지만, 책에 나온 내용을 눈으로 읽는 것과 현장을 생생하게 목격하는 건 달라도 너무 다르다. 벨라의 필사적인 노력은 큰 효과를 거두었다. 그동안 내가 개들에게 쏟아 부은 온갖 노력이 이제야 비로소 제대로 빛을 발했다. 나는 벨라가 무척 고마웠고, 이 상황이 입을 다물지 못할 만큼 놀랍고도 경이로웠다. 나는 금세 기분이 나아졌다. 증거를 대라고? 호기심이 다시 고개를 들기 시작했다면 답이 될까. 하긴, 내가 생각해도 좀 어처구니가 없긴 하다. 단단한 땅 위에 발을 붙이기도 전에 머릿속에서는 벌써 수많은 질문들이 속속 떠오르기 시작했으니까. 조이는 우리 동물들이 과거 자신에게 무슨 일이 벌어졌는지 알고 있고, 자신이 구조된 상태라는 걸 이해하고 있으며, 그 이유도 충분히 알고 있다고 오래전부터 믿어왔다. 반면에 나는 설마 그럴 리가 있겠냐고 의심했다. 하긴, 우리가 새로 개를 데리고 오고, 그 개가 지금 이 상황이 환영이 아니라는 걸 깨닫고 나면 — 진짜로 다른 개들과 신 나게 뛰어놀고, 소파 위에서 잠을 자고, 이 인간들이 자기들한테 계속 먹이를 주는 걸 보면서 — 그때부터 오랫동안 마치 풋사랑에 빠진 것처럼 행동하는 건 사실이다. 아무튼 나는 개들이 고마움을 느끼는지 어떤지는 궁금하지 않다. 내가 궁금한 건, 개들이 얼마나 오랫동안 고마운 마음을 지속하느냐 하는 것이다. 우리 인간들이 오래도록 고마움을 느끼는 것과 마찬가지로 개들도 오랫동안 고마움을 간직할까? 내 할머니 할아버지가 러시아를 탈출한 사연을 툭하면 들먹였던 것처럼, 개들도 노년이 되면 자기들끼리 둘러앉아 어떻게 감옥에서 벗어나게 됐는지 수시로 두런두런 이야기할까? 다시 말해 벨라가 내 목숨을 구했을 때, 녀석은 나에게 고맙다고 말하고 있었던 걸까?

브리티시컬럼비아 대학교의 인간 신경심리 및 인지 연구소장인 스탠리 코렌Stanley Coren 박사는 개의 기억력을 설명하기 위해 빈에 살고 있는 크라우스라는 테리어 종에 대해 이야기한다. 크라우스는 25센트짜리 동전 하나를 입에 물고 빠른 걸음으로 동네 상점에 가서, 돈을 내고 파이프담배 작은 쌈지를 산 다음, 다시 빠른 걸음으로 집에 돌아오도록 훈련을 받았다. 이후 이 개와 주인은 프라하로 이사를 했다. 그로부터 몇 주 후, 주인은 다른 담배 가게를 발견하고 가게 주인에게 크라우스의 재주에 대해 이야기한 다음, 예전처럼 돈을 내고 담배를 사 오는 훈련을 시작했다. 주인은 먼저 크라우스에게 며칠에 걸쳐 경로를 익히게 했고, 곧이어 훈련을 시도했다. 그런데 25센트를 입에 물고 집을 나선 지 나흘이 되도록 크라우스가 돌아오지 않는 것이었다. 마침내 크라우스가 집에 왔는데, 발에는 피가 흐르고 털은 지저분하게 헝클어진 채, 입에 담배 쌈지가 물려 있었다. 크라우스는 190킬로미터나 떨어진 빈의 가게에서 담배를 사 온 것이다.

진짜 있었던 일이냐고? 확실히 수천 마리의 일반 개들에게 흔히 볼 수 있는 일은 아니다. 코렌은 벨기에에 사는 한 여자에게 이 이야기를 들었지만 확신은 하지 못한다. "나에게 이 이야기를 해준 여자는 사실이라고 굳게 믿었지만, 나는 사실이라고도 아니라고도 입증할 수 없다." 하지만 동시에 그는 개는 대단히 사회적인 동물이며, 개가 자기들을 학대한 사람들과 사랑한 사람들을 포함해 자기들과 관련된 사람들을 기억하고 있다는 증거는 많다고 말한다. 코렌 박사는 계속해서 이렇게 주장한다. "개들의 기억력은 대단히 선명하고 오래도록 지속된다. 개들이 다양한 사람들과 지내며 겪었던 특정한 상황들을 기억하는지는 모르겠지만, 고전적 조건부여(classical conditioning, 특정 반응을 유발하게끔 하는 과정. 파블로프의 개 실험이 유명하다)를 통해 자신들이 경험한 각각의 사람들과 특정한 정서적 반응을 결부시키고, 실제로 그러한 반응을 일으킬 수 있다는 것은 분명한 사실이다."

우리가 다시 단단한 땅을 딛게 됐을 때, 우리 역시 어느 쪽에 대해서도 증거를 얻진 못했다. 내 심장은 빠르게 뛰었고, 옷은 땀으로 흠뻑 젖었다. 벨라는 맞은편에 있었다. 벨라는 꼬리만 몇 차례 흔들더니 엎드려서 눈을 먹었다. 마치 아무 일도 없었던 것처럼 행동하고 있었다. 하지만 나는 무언가 대단한 일이 일어났다고 확신한다. 그리고 진실이 무엇이든 간에 그 대단한 일은 실제 상황이었다.

오티스가 세상을 떠난 이후 조이는 줄곧 다른 불테리어가 들어오길 간절히 바랐다. 나는 조이의 바람을 애써 무시했다. 우리는 여전히 파산 상태였고, 큰 개들은 돈이 한두 푼 드는 게 아닌 데다, 어쩌면 진짜 이유는 — 적어도 어느 정도는 — 따로 있었기 때문이다. 그러니까, 우리가 개 구호를 계속하는 한, 다른 무엇도 아닌 단순히 수명의 한계로 인해 어차피 개들은 계속 죽기 마련이라는 생각이 들었다. 나는 그 일을 다시 겪을 필요가 있는지도 잘 모르겠고, 이 문제를 어떻게 해결해야 좋을지도 알지 못했다. 이 고민을 해결할 때까지는 더 이상 개를 들이고 싶지 않았다. 그런데 트루차스 피크에서 감사와 희망으로 가슴 벅차 집에 돌아온 일도 있고, 또 여차저차 하다 보니 다른 개, 그러니까 이고르를 들이게 됐다.

이고르는 간질을 앓고 있는 불테리어 새끼였다. 강아지 공장에서 태어나 애완동물 가게로 옮겨졌는데, 경기가 나빠지면서 애완동물 가게가 문을 닫게 됐다. 강아지 공장은 이고르를 다시 받으려 하지 않았고, 그 바람에 이고르는 결국 실업자가 된 애완동물 가게의 애견 미용사와 함께 살게 됐다. 하지만 애견 미용사는 주택담보 대출금을 갚지 못해 집을 잃었고, 그 길로 이고르는 남부 캘리포니아의 불테리어 보호소에 보내졌는데, 이곳 상황도 썩 괜찮다고 보기는 어려웠다. 남부 캘리포니아의 불테리어 보호소는 평소에는 한 번에 약 다섯 마리의 개를 돌본다. 대부분의 개들이 몇 달 안에 입양될 집을 찾아간다. 하지만 주택 시장이 한창 위기를 겪고 있던 2008년 여름에 이곳에 보호된 개들은 50마리가 넘었다. 가뜩이나 개를 입양하려는 사람이 없는 마당에, 간질을 앓는 개를 입양할 사람은 더더욱 없었다. 석 달 동안 아무도 이고르를 보려고조차 하지 않았는데, 개 구호 사회가 워낙 좁다 보니 이고르의 딱한 사정이 전체 보호소에 번졌다. 그래서 엘리스가 이고르의 이야기를 들어 조이에게 전했고, 조이는 나에게 전달했으며, 그렇게 해서 이고르와의 인연이 시작되었다.

원래 계획은 엘리스가 비행기를 타고 이고르를 찾아 조이에게 데려다주는 것이었다. 그러므로 이론상 엘리스는 다음 날 오후에 도착해야 했지만, 그만 비행기를 놓치고 말았다. 사연인즉 엘리스가 공항으로 차를 운전하고 가는 길에 서부 로스앤젤레스 공단 지역을 향하다가, 낡은 화물 컨테이너 아래에 판지 상자 하나가 놓인 걸 발견했다. 컨테이너는 벽돌 위에 놓여 있었고, 상자는 그 아래 깊숙이 박혀 있었다. 엘리스는 상자를 잠깐 쓱 쳐다보았다. "그렇지만 너도 알잖니." 엘리스가 말했다. "내가 원래, 상자 안에 강아지라도 들어 있으면 어쩌나, 하고 한 걱정 하는 사람이라는 거."

몇몇 구호자들은 자석처럼 개를 끌어당기는 경향이 있다. 엘리스는 길 잃은 개를 봤다 하면 가게에 들러 우유라도 하나 사오지 않고는 못 배긴다. 조이는 많은 구호자들이 버림받은 것에 대한 상처를 갖고 있으며, 따라서 버려진 대상에 대해 육감적으로 과잉보상을 한다고 자주 지적한다. 그러나 이런 초자연적인 설명에 기대지 않더라도, 구닥다리 편집증적인 모습을 심심치 않게 볼 수 있다. 일례로, 언젠가 엘리스는 강아지들을 넣은 상자가 대형 쓰레기통 안에 쑤셔 박힌 걸 발견한 적이 있었는데, 그녀가 컨테이너 박스에서 두 블록이나 더 지나쳐 가놓고 다시 돌아온 건 이런 편집증적인 성격 때문이기도 하다.

내가 만난 동물 구호자들은 모두들 자신의 임무가 신성한 것이라고 생각한다. 나는 이런 그들의 생각에 대해 조이에게 물은 적이 있는데, 조이에게는 의문의 여지조차 없는 문제였다. "개 구호는 목소리를 내지 못하는 동물들을 대변하는 거야. 힘없는 동물들을 옹호해주는 일이지. 예수님 말마따나 아주 신성한 일이라고." 그리고 성스러운 일에 관여하는 다른 많은 사람들이 그렇듯이, 구호자들은 더 높은 권위를 따른다. 다시 말해, 엘리스는 공단 주위에 2미터 높이의 담이 둘러 싸여 있다는 걸 발견하자 아무 생각 없이 담을 기어올랐다.

당연하게도, 엘리스는 상자 안에서 굶어 죽기 일보직전인 새끼 고양이 두 마리를 발견했다. 하지만 이제 더 큰 문제가 생겼다. 고양이 두 마리가 들어 있는 상자를 들고 2미터 높이의 담장을 어떻게 올라간담? 거참, 안 그래도 남의 사유지에 침입해 한시 바삐 빠져나가야 하는 상황이었다. 이럴 땐 주변이 사람들로 붐비는지 어떤지 눈에 들어오지도 않는다. 엘리스는 셔츠를 벗어 그 안에 고양이 한 마리를 싸서 둘둘 말고, 셔츠의 소매를 이용해 팔걸이 붕대처럼 셔츠를 어깨에 질끈 묶은 뒤, 담장을 넘어 고양이를 차에 내려놓은 다음, 다시 돌아와 남은 고양이 한 마리를 데리고 오려 했다. 그런데 임무를 완성할 즈음, 그만 경비원들에게 발각되고 말았다. 먼지가 시커멓게 묻은 채 브래지어 차림으로 고양이를 품에 안고 서 있는 모습을.

"확실히 내가 재수가 좋은 편은 아닌가 봐." 엘리스가 말했다.

다행히도 상황은 재빨리 호전되었다. 경비원들은 엘리스를 체포하지 않았다. 오히려 엘리스가 옷을 입는 걸 도와주었고, 고양이를 차에 데려다 놓는 걸 도와주었다. 엘리스는 여기저기 정신없이 전화를 걸고 장시간 운전을 한 후, 운이 좋게도 두 마리 모두 입양할 집을 찾아주었다. 그리고 엘리스와 이고르는 다시 이동 길에 올랐다.

그렇게 엘리스의 골치 아픈 문제는 끝이 났고 이제 문제는 우리에게 넘어왔다.

대체로 불테리어 강아지는 부수적인 피해를 입히기 일쑤다. 그들은 PCP(Phencyclidine, 환각제의 일종)를 맞은 게 아닌가 싶은 증기 굴착기와 비슷한 데가 아주 많다. 그들은 튼튼한 턱과 이빨과 기질로 단 20초 만에 새 청바지 하나를 끌고 와 갈기갈기 찢어놓는다. 탁자 다리도 5분을 버티지 못한다. 소파가 처음 모습을 유지할 수 있는 시간은 잘해야 30분, 대부분은 그 전에 작살이 난다. 더욱 골치 아픈 건, 이고르가 작은 개들을 좋아하지 않는다는 사실이었다. 그렇다고 이고르가 작은 개들을 대상으로 사냥 충동을 일으키는 건 아니지만 — 작은 개들이 자기의 동족이지 먹잇감이 아니라는 것쯤은 그도 잘 안다 — 눈치 없는 치와와들이 아무 생각 없이 이고르를 괴롭혔다. 치와와들의 이런 태도가 어제오늘 일은 아니지만, 열두 마리 개를 한꺼번에 수용할 땐 경계해야 할 필요가 있다.

평화를 지키는 방법은 딱 하나, 이고르를 지치게 하는 것뿐이었다. 처음엔 이고르가 고지대에 익숙하지 않았기 때문에 장시간 산책만으로도 효과가 좋았다. 그러나 이내 산책 정도로는 어림도 없었다. 이젠 뛰어야 했다. 그리고 이고르만 뛴다고 될 게 아니었다. 7월 4일, 어떤 미친놈들이 개의 몸에 폭죽을 죽 매달아놓고 도화선에 불을 붙인 일이 있었다. 그들은 살은 녹고 털은 그슬려 스컹크처럼 줄무늬가 만들어진 개가 비명을 지르며 고속도로 위로 떨어지는 광경을 지켜보았다. 그 일로 우리는 전화 한 통을 받았다. 화상을 치료하기까지 며칠 시간이 걸리고, 개 구호에서는 시간이 걸리는 만큼 공간도 필요한데, 에스파뇰라 동물보호소에는 시간도 공간도 없었기 때문이다. 시간이며 공간이 없기는 우리도 마찬가지였지만, 에스파뇰라 동물보호소에 있는 우리 동료들은 내 아내가 부상당한 치와와라면 절대로 거절 못 할 사람이라는 걸 아주 잘 알고 있었던 터라, 아내에게 화상당한 개의 몰골을 설명했다.

그 녀석은 치와와가 아니다. 어쩌면 핏불테리어의 피도 섞인 것 같고 어쩌면 지옥을 지키는 개의 피도 좀 섞인 것 같다. 몸통은 꼭 대장장이의 모루처럼 생겼고 얼굴은 캘빈 쿨리지(Calvin Coolidge, 미국 30대 대통령)를 빼다 박았다. 원래 이름은 기억나지 않는다. 화상 부위가 치료될 때까지 깔대기를 쓰고 있어야 했는데 어린 강아지다 보니 벌써 여섯 개째나 간단히 부숴버린 바람에, 이후에 우리는 낡은 양동이 바닥에 구멍을 뚫어 씌우게 됐고, 그래서 그의 이름은 버킷(Bucket, 양동이라는 의미)이 됐다. 그리고 이고르가 지진 규모를 나타내는 리히터 척도로 8을 기록했다면, 버킷은 10을 기록하고도 남았다. 무더운 한 여름이 되자 이 두 녀석을 지치게 만들겠다는 생각은 위기 대응책을 넘어 간절한 소망이 되었다.

어쨌든 이렇게 해서 곧 '다섯 마리 개들의 운동 시간'이 만들어졌지만, 이 숫자가 아주 정확한 건 아니다. 어느 땐 다섯 마리일 때도 있지만 어느 땐 열 마리일 때도 있었다. 처음엔 소방 도로로 향하는 오르막길을 운동 코스로 삼았다. 이 지역 소방 도로들은 높은 벼랑길 위에 나 있어 마을 경관이 잘 보인다. 개들은 신이 나서 달릴 때도 있었지만, 길을 잃거나 지치거나 무덥거나 지루해할 때도 있어서, 그럴 땐 좋은 경관이 꽤 쓸모 있는 미끼가 되었다. 하지만 아무리 그래도 이고르가 무리들을 따라가기보다 토끼들을 좇는 걸 더 좋아하는 날엔 경관이고 뭐고 별 도움이 되지 않았다. 이고르는 아주 빠르고 지독하게 멍청했으며, 어쨌든 이곳은 깊은 협곡 지대였다. 당시 제대로 훈련을 받은 것이 있다면 내 성질뿐이었다.

이고르가 유난히 오랜 시간 모습을 감춘 날이 있었는데, 그날 이후로 나는 소방 도로를 달리는 대신 협곡 기슭을 달리기로 결정했다. 기슭의 경사면은 꽤나 가팔라서 개들을 한데 모을 수 있었다. 그런데 폭우가 내려 군데군데 갖가지 잔해들이 쌓인 바람에, 협곡을 달리려면 수시로 멈춰 서서 나뭇가지며 녹슨 자동차 부품이며, 강 하류로 떠내려온 온갖 잡동사니들을 타 넘어야 했다. 이런 식의 달리기가 한 달 정도 계속되었는데, 어느 날 잔해 더미 가까이에 다가가던 이고르가 산토끼 한 마리를 발견하고 냅다 달아난 뒤로 중단되었다. 이고르는 잔해 더미를 넘지 않고 협곡 벽을 향해 뛰어오르더니 대여섯 발자국 앞으로 향한 후 다른 쪽 길로 걸음아 날 살려라 달려 내려갔다. 이고르는 마치 경사로를 달리는 스케이트 선수나 하프파이프를 타는 스노보드 선수 같았다. 물론 당시에는 이런 생각을 해볼 겨를도 없이 나는 곧장 이고르를 따라 달렸다.

나는 벽 위를 올라가고, 굽은 길을 돌고, 다시 아래로 내려갔다가, 반대 쪽 벽으로 올라가는 등, 작은 협곡을 종횡무진 누볐다. 그러고 있으니 마치 내가 경사로를 달려 내려가는 스케이트 선수가 된 것만 같았다. 아니, 하프파이프를 타는 스노보드 선수 같기도 했다. 그러니까, 음, 마치 여덟 살 꼬마가 된 것 같은 기분이 들었다. 어이없게도 나는 너무 재미있어서 내가 지금 뭘 하고 있는지도 잊어버린 채 계속 달리고 또 달렸다. 그날 내가 데리고 간 개는 이고르를 제외하고 모두 일곱 마리였는데, 한 3백 미터를 신나게 달린 후에야 비로소 이 개들이 눈에 들어왔다. 개들은 내 뒤를 바싹 쫓아와 작은 협곡 벽들을 오르락내리락 달렸는데, 그들이 즐겁게 웃는 것 같은 표정만 아니었다면 마치 경기 중인 봅슬레이 팀 같았다.

그런데 이건 또 하나의 놀라운 발견이 아닐 수 없었다. 오랜 기간 개들은 웃을 줄 모르는 생명체로 간주되었기 때문이다. 웃음이란 어느 정도 의식적인 자각이 요구되는 것이므로, 개들이 실제로 웃을 줄 안다고 믿는 사람은 아무도 없었다. 그러나 1970년대 초, 신경과학자 자크 판크세프는 인간 행동의 기초를 이루는 요소들에 관심을 갖게 되었다. 이 시기는 조지타운 대학교의 분자생물학자인 캔더스 퍼트Candace Pert가 아편 수용체를 발견한 시기와 거의 유사했다. 가장 일반적인 내생적 엔도르핀은 모르핀의 100배에 달하는 효과가 있다. 과학자들은 이 사실을 발견하면서 소위 인간의 행동 가운데 얼마나 많은 부분이 실제로 중독성 있는 신경화학물질에 직접적으로 반응하는지 궁금하게 여기기 시작했다. 판크세프는 인간들이 어떤 행동을 할 때 왜 그 행동을 하는지 진심으로 알고 싶다면, 이러한 중독의 근본 원인을 이해해야 한다고 생각했다. 그리고 이 근본 원인을 이해하는 가장 쉬운 방법으로 동물들에게서 그것을 찾기 시작했다.

우선 판크세프는 쥐들에게 아편을 주입하고, 이것이 두려움과 분노 같은 기본적인 감정에 미치는 영향을 기록했다. 많은 것들을 관찰할 수 있었지만, 곧 그는 더욱 복잡한 감정들에 대해 알고 싶어졌다. 그는 영국의 심리학자 존 보울비John Bowlby가 가족의 상호작용 패턴을 이해하고자 평생을 바쳐 연구한 최종 결과물, 즉 애착관계 이론의 한 부분인 분리불안에 대해 연구하기로 결심했다. 보울비는 한 생명체를 다른 생명체에 결속시키는 헌신의 감정이라고 정의된 이 애착이 실은 유아가 불안한 상황에 반응하는 직접적인 결과임을 깨달았다. 본질적으로 초기의 유대감은 신생아가 최초로 고통에 맞닥뜨릴 때 형성된다. 위기에 대응하는 가장 가까이에 있는 '확인된 애착관계 대상'이 주 양육자가 되는 것이다. 시간이 지나면서 이 주 양육자는 신생아가 세상을 탐색하는 법을 익히는 근간인 소위 '안전기지'가 된다. 곧이어 버지니아 대학교의 발달심리학자 메리 에인스워스Mary Ainsworth는 다양한 애착관계 유형을 분류하기 위해 '낯선 사람 경계stranger wariness'라든가 '재결합 행동reunion behaviors'과 같은 개념들을 추가하고, 오늘날 도처에서 흔히 볼 수 있는 낯선 상황 절차strange situation procedure라는 이론을 전개함으로써 안전기지에 대한 개념을 확대했다.

이 이론을 통해 포유류에게 안전기지 — 대개 어머니 — 에 대한 애착은 거의 모든 감정의 기반이 된다는 인식이 생겨났다. 이러한 인식을 뒷받침하는 예로, 판크세프가 생후 5주 된 강아지들을 어미로부터 떼어놓았을 때 강아지들은 히스테리 발작을 일으켰고, 그가 아편을 주입하자 울음을 그쳤다. 실험을 통해 판크세프는 아편이 마치 스위치처럼 분리불안을 켜거나 끄는 작용을 한다는 사실을 발견했다. 판크세프는 곧 타인과 상호작용할 필요에서부터 엄마의 사랑에 이르기까지 거의 모든 사회적 감정들 역시 같은 방식으로 작용한다는 사실을 알게 됐다. 그리고 인간들도 이와 다를 바 없는 만큼, 판크세프는 다른 문제를 궁금하게 여기기 시작했다. 즉, 그렇다면 동물들도 인간과 마찬가지로 다양한 감정을 느낄 수 있을까?

이에 대한 답을 얻을 수 있는 방법은 한 가지뿐이었다. 인간의 감정을 좌우하는 것과 동일한 신경화학물질에만 의지하는 것으로는 충분하지 않으므로, 판크세프는 동물의 두뇌 어느 부분에서 이러한 감정들이 일어나는지 확인해야 했다. 만일 인간과 동물이 같은 신경화학물질과 같은 신경단위를 공유한다면, 감정 또한 동일하게 공유하리라고 판크세프는 아주 강력하게 주장했다. 그는 이 이론을 바탕으로 수십 년 동안 전기 자극 실험을 시도했다. 판크세프는 미미하게 전류를 흐르게 해 뇌의 여러 부분을 자극하고 그로 인한 행동들을 기록하는 등, 실제로 동물의 두뇌를 이용해 작업을 진행해나갔다. 수년 동안의 실험 후, 그는 이 감정 신호들이 모든 동물들이 거의 고대로부터 지녀온, 중뇌의 한 부분인 중뇌수도회백질PAG에서 나온다는 사실을 발견했다. 또한 이 부분에서 불안, 분노, 성욕, 분리불안 같은 감정뿐 아니라 양육의 필요성, 다른 대상을 돌보려는 욕구, 놀고 싶은 충동도 발견했다.

판크세프는 놀이 충동에 주목하고 쥐들에게 이 충동들이 나타나는지 관찰하기 시작했다. 그 결과, 생후 17일 된 쥐들에게서 소위 거친 신체놀이를 하는 모습이 나타났으며, 이러한 현상은 갓 태어난 쥐들이 놀이를 하는 다른 쥐들에게 노출이 되어 있든 그렇지 않든 관계가 없다는 사실을 확인했다. 이때 불안과 배고픔은 이러한 반응을 충분히 표현하는 데 방해가 될 수 있으며, 반대로 튼튼한 안전기지는 이 반응을 북돋을 수 있다. 그는 또한 특정한 신경화학물질의 결합〔아세틸콜린, 글루타메이트, 오피오이드〕은 이 행동을 강화하는 반면, 특정 신경화학물질의 결합〔세로토닌, 노르에피네프린, 감마아미노산〕은 이 행동을 약화시킨다는 사실도 알게 됐다. 그리고 일반적인 통념과 달리, 거칠게 치고받으며 놀고 싶은 충동은 수컷만큼이나 암컷에게도 강하게 나타났다. 판크세프가 웃음에 대해 궁금하게 여기기 시작한 것도 이 무렵이다.

판크세프는《정서 신경과학: 인간과 동물의 감정의 기초*Affective Neuroscience: The Foundations of Human and Animal Emotions*》에서 이렇게 말한다. "인간에게 작동하는 놀이 회로의 특징은 웃음이다. 웃음은, 아마도 다른 사람들에게 사회적인 분위기와 편안한 동지 의식을 암시하기 위한 기능 외에, 아무런 뚜렷한 기능이 없는, 충동적인 호흡기 운동에 불과한 측면도 있다. 어떤 사람들은 인간만이 웃을 줄 안다고 주장하지만, 우리는 이 주장에 의문을 갖는다." 판크세프는 웃음이 인간의 고유한 표현이라는 주장에 이의를 제기하는데, 쥐들이 놀이를 하는 동안 쾌활하게 짹짹거리는 소리를 낸다는 걸 발견했기 때문이다. 그 소리는 쥐들이 의사소통할 때 사용하는 초음파 주파수인 50킬로헤르츠에서 발생하기 때문에, 판크세프는 한동안 소리를 알아차리지 못했다. 그러나 쥐들이 즐겁게 짹짹거리는 소리에 주목한 다음부터, 쥐들이 놀이를 할 때마다 이런 소리를 낸다는 걸 알게 됐다.

그렇다면 이 짹짹거리는 소리가 과연 웃음소리였을까? 그렇다고 하기에는 다소 과장된 면이 있는 것 같아, 판크세프는 좀 더 연구를 진행하기로 결정했다. 인간의 아이들에게 웃음을 유발시키는 가장 쉬운 방법은 간지럼을 태우는 것이므로, 그는 쥐들에게 간지럼을 태우기 시작했다. 그는 일반적으로 쥐들이 같이 놀자고 조를 때 그러듯이 목을 간지럽혔더니 짹짹 소리가 더 많이 난다는 사실을 발견하고 이번에는 엉덩이를 간지럽혀보았다. 그 결과 목을 만지는 것보다 전신을 간질이는 것이 더 효과적임을 알게 됐다. 그리고 쥐들의 PAG 부위에 전기로 자극을 가하거나 도파민을 최대한 주입했을 때에도 역시 같은 반응을 얻었다. 쥐들도 이러한 자극을 좋아한 것이다. 따라서 쥐들은 자기들을 더 많이 간지럽혀줄 인간 양육자를 찾기 시작했다.

이러한 사실이 널리 알려지자, 다른 연구원들도 다른 종들에게서 유사한 행동을 발견했다. 예를 들어 침팬지들의 경우 간지럼을 태우면 '숨을 헐떡이는' 것으로 웃음과 유사한 반응을 보인다. 최근 인지동물행동학자 퍼트리샤 시모넷Patricia Simonet은 개들이 서로 뒤엉키며 몸싸움할 때 나는 소리를 기록한 후, 자신이 익히 주장한 대로 개들이 숨을 헐떡이는 소리가 웃음소리라는 걸 발견했다. 시모넷이 시애틀에 있는 자신의 집 근처 동물보호소에서 확성기에 대고 이 소리를 틀었더니 보호소에 있던 개들이 1분 내에 짖기를 멈추었다. 물론 흔히 볼 수 있는 현상은 아니다. 다른 연구원들이 미국 전역의 여러 보호소에서 행한 연구에서도 같은 결과가 나왔다. 인터넷에서 녹음된 소리를 들을 수 있다. 나도 들어봤는데, 덕분에 지금까지 내가 들었던 개들의 헐떡이는 소리가 사실은 웃음소리였다는 걸 알게 됐다.

그날 우리가 대체 얼마를 달렸는지 모르겠지만, 모르긴 해도 협곡을 구석구석 안 가본 데가 없었을 것이다. 마침내 우리의 달리기를 멈추게 한 것은 한때 강바닥이었을 2미터 높이의 가파른 비탈이었다. 나는 재빨리 한쪽 옆으로 바싹 붙었고, 다섯 마리 개들은 멍한 표정으로 멈춰 섰다. 그리고 잠시 후, 우리는 다 같이 크게 소리 내어 웃기 시작했다. 나는 동물들과 웬만한 경험은 다 해봤다고 할 수 있는데, 이런 경험은 난생처음이었다. 이 장면은 삽화가 브래드 홀랜드 Brad Holland가 초현실주의에 대해 내린 유명한 정의를 설명해주기도 한다. "고대의 용어. 과거에 행해졌던 미술 운동. 더 이상 일상생활과 구별되지 않음."

두 번째 여름이 한창일 즈음, 우리의 네트워크도 제법 크게 성장해서 실질적으로 구호 활동에 필요한 일이 무엇인지 이제는 훤히 꿰뚫을 정도가 됐다. 여기에서 요점은 **꿰뚫는다**는 것이다. 내가 글을 쓴답시고 염소의 헛간에 내려가 있는 동안 조이는 내가 '일상생활'이라고 말하는 엄청나게 힘든 일들을 혼자 도맡아 했다.

이제 우리는 약 스무 마리의 개들을 데리고 있게 됐는데, 대부분이 늙었고 대부분이 이빨이 없었다. 이 늙은 개들에게는 각각 개별적으로 먹이를 주어야 했고, 어떤 개들은 숟가락으로 떠먹여주어야 했다. 그렇게 해서 개들이 먹이를 먹는 시간은 총 30분이 걸렸다. 개들의 식단은 건강 상태와 권장 영양 섭취량에 따라 다양하다. 간혹 집에서 먹이를 만들어 먹일 때도 있는데 그럴 땐 조이가 음식을 장만하는 데 30분이 더 소요된다. 개들은 오전에 푸짐하게 식사를 한 다음 오후에는 두 차례 간단히 간식을 먹는데, 여기에 또 한 시간이 더 걸린다. 20분 간격으로 두 차례 약을 나누어 먹여야 하고, 개가 사용하는 타

월과 기저귀 등, 이와 유사한 용도의 구조 용품을 세탁해야 한다. 개를 산책시키는 데 약 75분이 걸린다. 그러고 나면 밖에서 볼 땐 별로 대단한 것 같지도 않고 거의 티도 안 나는 활동을 해야 한다. 겉으로 보기에는 여자 혼자 의자에 앉아 개를 쓰다듬는 게 전부다. 조이는 우리가 데리고 있는 개들을 하루에 각각 20분씩 쓰다듬어준다. 나도 그렇게 해봤는데, 전부 다 쓰다듬는 데 총 세 시간이 걸렸고 그러고 나면 손이 얼얼해졌다. 내가 '일상생활'이라고 하는 걸 조이는 꼬박 여덟 시간 동안 잠시도 쉴 틈 없이 해야 했다.

내가 마침내 꿰뚫게 된 일 가운데 또 하나는 바로 홍보활동PR이라고 부르는 것이었다. 홍보활동은 행정, 입소, 그리고 예외로 나뉘었다. 행정은 비영리적인 서류 작업과 함께 세 단계로 이루어진 입양 절차의 표준화 작업이다. 첫 번째 단계는 잠재적인 입양인과의 전화 면접이다. 우리가 데리고 있는 개들 대부분이 정신없이 복닥거리는 환경에서 지내기에는 정신적 외상이 상당히 커서, 우리는 어린아이들이 있는 가정에 개를 입양시키는 건 가급적 피하려고 한다. 이런 이유 때문에 통화를 할 때 조이는 주로 "아이들이 있으신가요?"라는 말로 시작한다. 조이의 다음 질문은 이렇게 이어진다. "집에서 일하시나요? 개가 하루에 혼자 보내는 시간은 어느 정도 될까요? 개를 산책시키실 건가요? 집 안에서 재우시나요? 마당에 담은 쳐져 있나요?" 그리고 우리 개들은 대부분 만성적인 건강 문제를 안고 있기 때문에 "책임지고 치료에 관심을 가질 수 있겠어요?"라는 질문은 필수다. 그러나 보통은 감으로 알 수 있다. 조이가 볼 때 상대방에 대한 감이 괜찮다 싶으면 두 번째 단계가 진행된다.

이 두 번째 단계에서 잠재적 주인과 잠재적 입양견의 상견례가 이루어진다. 이 단계 역시 감이 많은 부분을 차지하는데, 우리는 사람이 개를 얼마나 좋아하느냐보다는 개가 사람을 얼마나 좋아하느냐를 더 관심 있게 지켜본다. 처음 서로를 소개한 후 개가 주위를 어슬렁거리는지, 쓰다듬어주길 바라는지, 놀아주길 바라는지 관찰한다. 개가 잠재적 주인의 무릎 위에 올라가 잠을 잔다면, 주인을 안전하게 느낀다는 의미이므로 바람직한 징조에 속한다. 그러고 보니 한 잠재적 주인과의 만남이 떠오른다. 제니스라고 하는 70대 할머니였는데, 가슴이 크고 어딘가 좀 이상한 분이었다. 이 일은 잠시 후에 자세하게 이야기하겠다.

연세가 드신 분들은 개 구호자들을 난감하게 만든다. 한편으로는 개 주인으로 노인들만큼 환상적인 대상도 없다. 특히 다른 무엇보다 시간과 인내심, 자상한 마음 씀씀이가 다른 무엇보다 요구되는, 특수한 관심이 필요한 개들에게는 더더욱 그렇다. 하지만 노인들은 언제 죽음을 맞을지 알 수 없기 때문에, 많은 구호자들이 노인에게 개를 맡겨도 괜찮을지 걱정한다. 개를 돌보던 노인이 사망할 경우, 장기적으로는 다시 처음으로 돌아가 개에게 새 집을 찾아주어야 하는 문제가 생기는데, 이 과정은 인간에게는 시간이 오래 걸리는 일이고, 동물에게는 정신적으로 대단히 충격적인 일이다. 한편 단기적으로는 누군가 시체를 발견할 때까지 개는 음식도 물도 없이 꼼짝없이 갇히게 되는 현실적인 문제가 발생한다. 이런 문제를 피하기 위해 조이는 '노인들에게는 노견을'이라는 취지로 일종의 개 대여 도서관을 시작했다. 즉, 개를 입양 보내는 대신 위독한 개를 빌려주고, 개가 어떻게 지내는지 상태를 확인시키기 위해 이틀에 한 번씩 전화 통화를 하는데 동의하게 하는 것이다.

우리는 노인에게 개를 빌려주기 전에, 안전을 우려해 치매 발병 여부를 입증해달라고 요구하며, 가급적 직접 만나 오랜 시간 면접을 한다. 제니스 할머니와 면접을 하는 동안 전화벨이 울려 조이가 전화를 받으러 갔다. 잠시 후 우리 집 들판 저쪽 끄트머리에서 개들이 한꺼번에 정신없이 짖어대는 소리가 들렸다. 나는 무슨 일인지 확인하러 나갔다. 제니스 할머니는 어쩌면 자기 짝꿍이 될지 모를 플라워와 함께 남아 있었다. 플라워는 특수한 장애를 지닌 티컵 치와와였다. 유명 인사들이 이런 작은 개들을 데리고 잡지에 등장하기 시작한 다음부터 티컵 치와와의 수요가 늘었다. 그리고 사육자들이 한 마리에 6천 달러를 부른 다음부터 공급도 늘었다. 그러나 여기에는 감춰진 희생이 있는데, 개를 그렇게 조그맣게 만들기 위해서는 무지막지한 동종교배가 불가피하다. 그 결과, 건강한 티컵 치와와들은 전부 패리스 힐튼 팬들의 차지가 되고, 병약하고 종종 뇌가 손상된 새끼들은 보호소로 보내진다. 이런 개들을 다루려면 어느 정도 재주가 있어야 한다. 제니스 할머니는 치매는 아니었지만, 우리는 할머니에게 그런 재주가 있는지 가늠해보려 했다.

내가 할머니의 가슴 크기를 언급한 이유는 조이의 전화 통화가 꽤 오래 지속됐고 그러는 동안 집 안에 한바탕 난리법석이 벌어졌기 때문이다. 나는 십 분쯤 지나 들판에서 돌아왔다. 그리고 집 안으로 들어와 제니스 할머니가 활짝 웃는 모습을 보았다. 무슨 일이 있었느냐고 묻자, 할머니는 나를 향해 홱 돌아서더니 블라우스를 머리 위로 확 들어 올리는 것이었다. 할머니의 가슴을 보여주려고 그런 게 아니었다. 할머니가 보여주고 싶었던 건, 풍성한 젖가슴 사이에 폭 안겨 세상모르고 자고 있는 플라워의 모습이었다. 우리가 잠재적 주인에게 찾고 있는 게 무엇이란 말인가? 제니스 할머니는 말이 필요 없는 완벽한 주인이었다.

세 번째 단계는 가정방문이다. 말 그대로, 조이나 내가 입양인의 가정으로 운전해 가서, 개가 여전히 제 짝을 좋아하는지, 사람도 여전히 제 짝을 마음에 들어 하는지, 집 안이 개와 사람 모두를 위해 충분히 안전한지 확인하는 것이다. 이러한 과정에서 일종의 예방약이 처방된다. 조이는 개에게 새로운 환경을 선보이는 동시에 주인에게는 개가 망가뜨릴지 모를 물건들을 모두 알려주고자 한다. 조이는 이것이 '상실의 과정'을 돕는다고 말한다. 다시 말해, 아끼는 러그가 퍼즐 조각이 되어버릴 경우 입양인은 울컥 열 받기 마련인데, 이 과정이 그런 감정을 누그러뜨리는 데 도움이 된다.

입소는 홍보활동의 두 번째 요소이며, 절차는 간단하게 이루어져야 한다. 먼저 우리는 어려움에 처한 개에 관한 전화를 받는다. 가능하면 도움을 주지만, 도와야 할 개는 너무 많은 데 반해 구호자 수는 많지 않고 공간은 결코 넉넉하지 않다. 나는 어느새 전화 통화가 두려워졌다. 어느 곳인들 죽음이 끊이지 않는 교전 지대에서 그들을 전부 구할 수 있겠냐마는, 그나마 도와주겠다고 나서는 곳마저 찾기 힘들다면 살아야 할 대상과 죽어야 할 대상을 결정할 일이 너무나 많아진다는 사실을 나는 잘 알고 있다. 구호자들은 모두 동의한다. 이 일에서 가장 못할 짓이 바로 입소를 결정하는 것이라는 걸.

마지막 요소인 예외는 주로 평판에 의해 이루어진다. 지금까지 나는 세 나라와, 알래스카를 제외한 모든 주에서 걸려온 전화 문의를 처리했지만 지금은 전화를 잘 안 받는다. 일반적으로 전화를 건 사람은 조이의 이름과 조이가 심각한 문제가 있는 작은 개들을 잘 돌본다는 소문만으로 무작정 전화를 건다. 조이가 항상 그들에게 제일 먼저 하는 말이 있는데, 자신의 방법은 개를 개답게 내버려두는 것이고 개이기 때문에 개를 사랑한다는 것이다. 하지만 아무도 이 방법을 쉽다고 생각하지 않기 때문에 통화는 아주 길어진다. 내가 예외라고 부르는 이것으로 조이의 하루 통화 시간은 두 시간이 더 늘어난다.

페로스Perros는 스페인 말로 '개들'이라는 의미다. 내가 일리노이 주의 길다에서 돌아온 지 얼마 안 됐을 때, 한 번도 본 적 없는 어떤 여자가 슈퍼마켓에서 나를 붙잡더니 내가 앙헬 데 로스 페로스(angel de los perros, 개들의 천사)와 결혼한 사람이냐고 묻는 것이었다.

"글쎄요." 내가 말했다. "그 천사가 똑똑하고, 빼빼 마르고, 엄청 화끈한가요?"

알고 보니 우리는 같은 사람을 두고 이야기하고 있었다.

"네세시타모스 마스 코모 에야Necesitamos más como ella." 여자는 나에게 이렇게 말했다. 이 말의 의미는 "우리는 그녀 같은 사람이 더 많이 필요해요"이다.

아무렴, 그걸 말씀이라고.

내 친구 조가 자기 친구 조이를 나에게 처음 소개할 당시, 조는 조이에 대해 이야기하면서 이렇게 경고했다.

"아주 괜찮은 여자야. 훌륭한 작가이기도 하고. 그런데… 좀 이상해."

"어떻게 이상한데?"

"개를 구호하는 일을 해." 조가 말했다. "무슨 대의를 위해서라기보다 꼭 사이비종교 광신도 같아."

꼭 그렇다고 볼 수는 없겠지만, 또 아주 틀린 말도 아니다. 영국의 철학자 스티븐 클라크Stephen R. L. Clark은 이런 말을 했다. "동물들의 실제 모습은 무엇일까? 동물들의 두려움, 신의, 영리함에 대한 우리 인간의 무분별한 인식을 어디까지 신뢰할 수 있을까? 우리와 동물 사이의 엄격한 분리를 천명하려는 충동을 우리는 어디까지 받아들여야 할까? 그러니까 쟁점은 바로 여기에 있다. 우리는 이 문제에 대해 어떻게 결론을 내려야 할까?" 개 구호자들은 이미 결론을 내린 사람들이고 그들의 결론이 대중적이지 않기 때문에, 언뜻 그들은 광신도처럼 보인다. 그러나 그들은 적어도 어느 면에서는 '우리'와 '그들'을 구분 짓기를 거부한다. 간단히 말해 그들은 인간을 특별하다고 생각하지 않는다.

이 내용을 모두 이해하려면 처음부터 시작하는 것이 도움이 된다. 1637년, 프랑스의 철학자 데카르트는《방법 서설》을 펴냈는데, 이 책에서 그는 철학을 하기 위한 네 가지 근본적인 규칙들을 제시했다. 즉, 의심할 나위 없이 확실한 것만 진리로 받아들일 것, 모든 의문을 다룰 수 있는 부분으로 잘게 쪼갤 것, 가장 단순한 문제에서부터 시작해 차츰 복잡한 문제로 나아갈 것, 전체 논거를 한 번에 완전히 떠올릴 수 있을 정도로 자주 검토할 것이 그것이다. 이 규칙으로부터 그의 유명한 코기토 — "나는 생각한다, 고로 존재한다" — 와, 그로부터 파생되었으며 현대 과학의 기초를 이루고 있는 다수의 관련 철학들과, 그 밖에 수많은 다양한 사상이 생겨났다. 데카르트의 코기토가 기반을 둔 것은 언어였다. 그는 자신의 생각을 언어로 기술할 수 있기에 자신이 생각한다는 걸 알았다. 그가 몰랐던 사실은 동물들도 생각을 하는지 그렇지 않은지였다. 데카르트는 자신이 증명할 수 없는 것은 전부 의심하기로 이미 결정했으며, 동물과 인간의 공통 언어가 없는 터라 동물들이 생각을 할 수 있는지 증명할 방법이 없었다. 따라서 그는 동물은 생각을 할 수 없다고 결론을 내렸다. 데카르트에 따르면 동물은 복잡한 부품들로 이루어진 기계였다. 동물은 인간처럼 '특별한 대상'이 아니었다. 동물은 생각도 감정도 없으며, 영혼이 없다는 아주 속악하고도 저급한 원죄가 있었다.

데카르트는 강의 때마다 못으로 개를 벽에 매달아놓음으로써 자신의 주장을 강조하길 좋아했다. 제정신인가 싶다. 그는 청중에게 그들이 듣는 비명 소리는 실재가 아니며, 기계 작용에 의해 소음을 내는 복잡한 자동 기계 소리로서, 나사가 좁은 구멍을 돌면서 내는 끽끽 소리와 다르지 않다고 말했다. 사람들이 동물 구호자들이 미쳤다고 말할 때, 그 말의 속뜻은 동물 구호자들은 인간을 쉽사리 하찮은 존재로 만들어버리는 근본적인 믿음을 공유하고 있다는 의미다. 개 구호자들끼리는 데카르트가 멍청한 인간이라고 믿는다.

데카르트와 반대 측에 선 사상가들도 길게 줄 서 있다. 볼테르는 데카르트가 그의 사상을 외치지 못하도록 하는 데에 철학가로서 경력의 많은 부분을 바쳤다. 에머슨은 "당신은 방금 저녁 식사를 마쳤으니, 수 킬로미터 떨어진 적당한 거리에 용의주도하게 도살장을 감춘다 해도 이미 공모가 이루어진 셈이다"와 같은 글을 남겼으며 나머지 초월론자들은 모두 그의 말에 동의했다. 영국의 철학자 제러미 벤담은 "문제는 '동물들에게 이성이 있는가?'라거나 '동물들이 말을 할 수 있는가?'가 아니라, '동물들이 고통을 느낄 수 있는가?'이다"라는 사실을 깨닫고는 불현듯 데카르트의 반대편에 섰다. 그러나 가장 악명 높은 반대론은 뭐니 뭐니 해도 벤담의 원리를 확장한 프린스턴 대학교의 철학 교수, 피터 싱어Peter Singer의 이론이다.

싱어는 실용주의자로서, 평등의 기반을 중요하게 여기는 벤담 학파의 실용주의적 도덕철학을 열렬히 옹호한다. 벤담은 "모든 인간은 각자 하나로 측정되어야 하고 누구도 하나 이상으로 측정되어서는 안 된다"라고 주장하면서, 인간의 평등에 대한 본질적인 기준을 피력했다. 싱어는 1975년에 그의 저서 《동물 해방*Animal Liberation*》에서 '인간이 아닌 동물들unhuman animals'이라는 명칭을 사용할 정도로 벤담의 주장을 확장했으며, 그로 인해 시작된 격렬한 논쟁은 지금까지 수그러들 기미를 보이지 않는다.

나는 싱어를 이 격렬한 논쟁에서 떼어놓기 위해선 역사가 도움이 된다는 사실을 발견했다. 1969년 8월, 권위 있는 《사이언스*Science*》지에 워쇼Washoe라는 이름의 침팬지에게 말하는 법을 가르친 앨런 가드너와 베아트리체 가드너Allen and Beatrice Gardner 박사 부부의 논문이 실렸다. 워쇼 이전의 침팬지들은 단어를 한데 연결해 문장을 만들 줄 몰랐다. 침팬지들의 단어 학습 세계기록은 총 3개가 전부였다. 가드너 부부의 획기적인 성공은 영장류의 해부학적 구조상 한계를 인식하는 것이었다. 따라서 그들은 워쇼에게 말하는 법을 가르치려고 시도하기보다는 수화를 가르쳤다. 워쇼는 '엄마', '아빠', '컵' 정도의 단어에서 조금 더 나아가 250개의 어휘를 익혔으며 새로운 언어의 결합에 반응할 줄 알았다.

가드너 부부의 방법은 과학계에 널리 퍼졌다. 싱어가 그의 저서를 집필하기 시작할 무렵, 스탠퍼드 대학교의 영장류 동물학자 프랜신 패터슨Francine Patterson은 침팬지에서 한발 더 나아가 고릴라에게 말하는 법을 가르쳤다. 컬럼비아 대학교의 허버트 테라스Herbert Terrace는 님 침스키Nim Chimpsky라는 이름의 — 데카르트의 아주 열렬한 지지자인 놈 촘스키Noam Chomsky에 대한 직접적인 도전이다 — 침팬지가 문법적으로 정확한 문장을 연결한 2만여 개의 사례를 수집했다. 얼마 후 조니 카슨(Johnny Carson, 미국 NBC의 간판 프로그램 〈투나이트 쇼〉 진행자)은 워쇼를 전 국민에게 소개했다. 카슨은 워쇼의 죽음에 깊은 인상을 받아, 그의 고향 네브라스카에 설립한 카슨 침팬지 센터에 백만 달러를 남겼다.

데카르트에 대한 반박으로 수화하는 침팬지는 상당히 설득력 있는 연구였다. 싱어가 자신의 이론을 이 연구에 접목하지는 않았지만, 대중에게 둘의 관련성은 매우 중요했다. 또한 1970년대 초반의 평등권 운동도 대단히 중요했다. 당시는 인종차별과 성차별이 최대 관심사였는데, 싱어는 동물의 권리에 대한 문제를 연구하기 시작했을 때 바로 여기에서부터 출발했다. 싱어는 평등을 위한 윤리적 기반이 무엇인지 알고자 했다. "우리가 인종, 신조, 성별과 관계없이 모든 인간은 평등하다고 말할 때, 우리가 주장하는 평등이란 과연 무엇인가?"

> 계급적으로 불평등한 사회를 옹호하려는 사람들은, 우리가 어떤 문제지를 선택하든 모든 인간은 평등하게 창조되었다는 사실은 전혀 참이 아니라고 지적해왔다. 좋든 싫든, 우리는 인간이 생김새도 크기도 다르다는 사실을 받아들여야 한다. 모든 인간은 저마다 도덕적 능력도 다르고, 지적 능력도 다르며, 타인에 대한 자애심의 정도와 다른 사람의 욕구에 민감한 정도도 다르고, 효과적으로 의사소통할 줄 아는 능력도 다르며, 쾌락과 고통을 경험하는 능력도 서로 다르다. 한마디로 말해, 평등에 대한 요구가 모든 인간이 사실상 균등하다는 데 기반한다면, 우리는 더 이상 평등을 요구해서는 안 된다.

수많은 사상가들의 대열에 합류한 싱어는 평등은 실제하는 것이라기보다 '도덕적 개념'으로 간주해야 하는 것임을 깨닫게 되었다. 따라서 싱어가 말하는 평등의 근거는 한마디로 벤담이 제기한 핵심 문제, 즉 '동물들도 고통을 느끼는가?'로 설명할 수 있다. 고통과 쾌락을 느낄 수 있는 쾌고 감수 능력sentience이 있다면, 그래서 고통을 느낄 줄 안다면, 인종, 성별, 지능, 주의, 도덕적 능력, 혹은 — 이것이 핵심인데 — 종species에 관계없이 모두가 똑같이 '도덕적 배려'를 받아야 한다. 싱어는 다음과 같이 이야기한다. "인종차별주의자들은 자신과 같은 인종의 이해관계와 다른 인종의 이해관계 사이에서 충돌이 일 때, 자신과 같은 인종의 이익을 훨씬 중요하게 여김으로써 평등 원칙을 위반한다. 성차별주의자들은 자기 성의 이해관계를 옹호함으로써 평등 원칙을 위반한다. 마찬가지로 종차별주의자들speciesists은 자기 종의 이익을 위해 다른 종의 더 큰 이익을 짓밟는 것을 묵인한다. 인종주의자나 성차별주의자나 종차별주의자나 모두 똑같은 방식을 취한다."

그렇다면 동등한 고려란 어떤 걸까? HBO의 시사평론가 빌 마허Bill Maher는 이렇게 말했다. "'동물 실험 덕분에 우리 아버지가 살아나셨어요'라고 말하는 사람에게 저는 이렇게 이야기해줍니다. '네, 뭐, 참 잘된 일이군요. 당신 아버지 살리자고 이 개가 죽었으니 말입니다'라고 말이에요. 미안하지만 저는 그런 식의 거래에는 영 소질이 없습니다." 그는 싱어의 신념을 단지 현실 세계의 상황으로 확장했을 뿐이다. 때로는 그 확장이 1998년 지구해방전선(Earth Liberation Front, 급진적 환경운동단체)이 스라소니를 보호하기 위해 콜로라도 베일Vail에서 세 개의 건물과 네 개의 스키장 리프트를 방화하는 식으로 나타나기도 하지만. 하긴, 혁명이 어찌 쉬울 수가 있겠는가?

그렇지만 이건 개 구호자들의 또 다른 측면이기도 하다. 다시 말해, 대다수의 구호자들이 폭력을 증오하지만, 또 아주 많은 구호자들이 자신은 혁명을 위해 싸우고 있다고 굳게 믿고 있다. 또 하나 문제는, 많은 사람들이 싱어를 잘못 이해하고 있다. 이 철학자는 결코 벤담의 기본적인 윤리 방정식, '최대 다수를 위해 최대 행복을 추구하라'에서 한 치도 벗어난 적이 없다. 다시 말해 우리는 종을 기반으로 한 이 최대 다수에서 동물을 제외할 수 없다는 것이 싱어의 논지다. 그러나 그가 평등권을 누릴 자격이 있는 종들에 대해 이야기할 때 그가 말하는 종은 사실상 모든 영장류와 대부분의 포유류에 한하며, 심지어 치러야 할 대가보다 혜택이 크고 **완전한** 비동물 실험 대체 방법이 불가능한 이상, 동물 실험을 향한 문은 살그머니 열린 채 두어도 좋다고 말한다. 그는 화장품이나 청소용품을 테스트하는 데에는 결코 동물 실험을 해서는 안 되지만, 생명을 구하기 위한 연구를 위해서만큼은 허용될 수 있다고 생각한다. 2006년에 싱어는 옥스퍼드 대학교의 신경과학자 티푸 아지즈Tipu Aziz에 대해, 백 마리의 원숭이가 사만 명의 인간을 구하기 위해 희생되었으므로 그가 파킨슨병을 연구하기 위해 영장류를 이용한 것은 '정당하다'고 말했다.

일부 사람들이 짐작하는 것처럼 싱어는 채식주의를 열렬히 지지하는 사람이 아니다. 비록 동물을 먹지 않는 것은 논란의 여지가 많은 문제에 대한 가장 실질적인 해결책이라고 굳게 믿고 있긴 하지만, 이 경우 개별적인 차원의 고통보다는 전 지구적 차원의 고통에 근거를 둔다. 그는 《패스트푸드 네이션*Fast Food Nation*》의 저자인 에릭 슐로서 Eric Schlosser의 주장 — 고기를 먹는 걸 살인이라고 할 수는 없겠지만 지구를 살해하는 건 확실하다 — 에 동의하면서 다음과 같은 글을 썼다. "전 세계의 기아에 대한 관심, 땅에 대한 관심, 에너지 보존에 대한 관심이 채식에 대한 윤리적 근거를 제공한다. 아니, 적어도 고기의 섭취를 최소화한다."

하지만 직감으로 아는 걸 누가 논리로 풀려고 하겠는가? 그리고 이것은 심각한 문제인 것 같다. 동물이 근대사회 같은 걸 결코 만들어본 적이 없다는 이유로 근대사회의 상당 부분이 동물의 복종에 의지하며, 우리는 그걸 추호의 의심 없이 마땅히 그래야 하는 것으로 받아들인다. 철학자들은 이를 반성적 논의라고 부르고, 일반인들은 이것을 상식이라고 생각한다.

그리고 내가 벽에 부딪친 지점이 바로 이 부분이었다. 치마요로 이사 오기 전만 해도 나는 피터 싱어의 주장에 대해 심사숙고해본 적이 없었다. 피터 싱어의 연구 같은 거 굳이 생각할 필요 있나, 하고 속으로 생각했었다. 그도 그럴 것이 상식으로 여기고 있는 내 인식 또한 인간은 특별하다고 나에게 말해주고 있었으니까. "인간만이 언어를 사용하는 유일한 종"이라고 말한 데카르트의 주장이 우리 인간의 특수성을 보여주는 예로 더 이상 타당하지 않을지라도, 그건 자기들의 주장이 옳다는 걸 입증하기 위해 과학자들이 이용한 인간의 많은 속성 가운데 하나일 뿐이라고 생각했다. 하지만 감정, 성격, 추상적인 사고 능력 — 대부분의 동물들에게도 발견되는 능력들이다 — 뿐만 아니라 내가 우리 개들에게서 이미 보았던 동정할 줄 알고, 협동할 줄 알고, 도덕적 이타적으로 행동할 줄 아는 능력 같은 속성들에 대해서는 뭐라고 말할 것인가. 그나마 위에서 언급한 웃음은 이 항목에 넣지도 않았다. 우리 개들에게서 웃음을 본 순간, 나는 간신히 지탱하고 있던 내 상식을 더 이상 신뢰할 수 없었다. 그리고 얼마 후 모든 논리들이 와르르 허물어졌다.

나는 꽤 오랜 시간 동안 싱어의 논의를 깊이 숙고하며 보냈다. 나는 '동물들도 고통을 느낄까?'라는 믿기지 않지만 중요한 문제에 대한 답을 찾는 동안, 동물들이 인간과 동등한 권리를 갖는 사회를 만들게 되면 — 당분간만이라도 — 수많은 동물의 고통이 완화되는 과정에서 수많은 인간의 고통이 만들어지리라는 사실도 깨닫게 되었다. 결국 나는 논의를 재구성하고 성과표를 확인하는 것이 더 나은 접근법일지 모른다는 결론을 내렸다. 성경이 우리에게 '짐승에 대한 지배권'을 하사한 이래로 지난 4천 년 동안 인간은 자신이 우월한 종인 양 행세해왔다. 그러나 성경이 말하고자 하는 주제가 도덕관념이라면, 물을 가치가 있는 질문은 단 하나, 지금까지 이 논의가 얼마나 성과를 거두었는가가 아닐까 싶다.

2002년 미국 자연사 박물관이 4백 명의 우수한 연구원들을 대상으로 실시한 설문에 따르면, 오늘날 지구는 이제까지 결코 본 적 없는 종류의 '대량 멸종' 사태에 직면해 있다고 한다. 종들은 역사상 과거 그 어느 때보다 빠르게 사라지고 있다. 2008년, 이번에는 세계 자연보존 연맹에 소속된 130개국 1700명의 전문가들이 한목소리로 이렇게 이야기한다. 지구상에 있는 모든 종들이 두 종마다 하나씩 감소하고 있으며, 네 종 가운데 한 종은 멸종 위기에 처해 있다고.

더 심각한 사실은, 〈우리가 먹는 석유The Oil We Eat〉라는 글에서 리처드 매닝Richard Manning이 한 설명처럼, 우리는 왜 이런 현상이 벌어졌는지 정확히 알고 있다는 것이다.

> 우리 인간이 아무리 특별하다 해도, 이 규칙에서 예외가 될 수는 없다. 모든 인간은 식물을 먹거나 식물을 먹는 동물을 먹는다. 이것이 먹이사슬이고, 먹이사슬을 끌고 가는 것은 식물만이 할 수 있는 유일무이한 능력이다. 식물은 햇빛을 저장 에너지, 즉 모든 동물의 기본 연료인 탄수화물의 형태로 전환한다. 태양열에 의한 광합성만이 이 연료를 만드는 유일한 방법이다. 산소를 대체할 수 있는 것이 없는 것처럼, 식물 에너지를 대체할 수 있는 것은 아무것도 없다. 식물 에너지를 없앤 결과는 산소를 차단한 것처럼 갑작스럽게 나타나지는 않

더라도 반드시 나타난다.

과학자들은 특정 기간 지구가 만들어내는 식물의 총량, 다시 말해 인류가 평생 이용할 식물의 총 예상 수량을 지구의 '일차 생산력primary productivity'이라고 부른다. 이 일차 생산력이 어떻게 사용되는지 파악하기 위해 두 가지 연구가 진행되고 있는데, 하나는 스탠퍼드 대학교 팀의 연구이고 다른 하나는 생물학자 스튜어트 핌Stuart Pimm이 독자적으로 진행하는 연구이다. 두 연구 모두, 수백만의 종들 가운데 지구의 일차 생산력의 약 40퍼센트, 그러니까 지구상에 있는 모든 식물 가운데 40퍼센트를 소비하는 종은 우리 인간들뿐이라는 결론을 내린다. 이 간단한 수치를 통해 현재의 멸종률이 인류가 식물을 지배하기 전 멸종률의 1000배에 이르는 이유를 설명할 수 있을 것 같다. 우리 60억 인류는 아무렇지 않게 먹이를 훔쳐왔고, 우리들 가운데 부유한 이들은 훨씬 더 많은 먹이를 훔치며 살아왔다.

이러한 평가들은 도덕보다는 수학에 더 가깝다. 오랜 옛날부터 지구에 살고 있던 동물을 관리하는 일은 우리의 임무였으며, 측정 가능한 모든 수단에 따르면 우리는 이 임무에서 보기 좋게 실패했다. 그리고 피터 싱어를 어떻게 이해해야 할지는 아직도 확신이 서지 않지만, 소설가 존 디디온의 말처럼 "우리가 아무리 미루고 미뤄봤자, 결국엔 지독하게 불편한 침대에, 우리 스스로 그렇게 만든 침대에 홀로 눕게 되어 있다." 그리고 우리가 저지른 실수의 크기와 온몸을 배기게 만드는 매트리스 속 단단한 덩어리들 외에 다른 이유가 없다면, 지금이 바로 제1원리를 재평가해야 할 때가 아닐까? 어제의 도덕을 뒤로 밀어내고 내일의 상식을 다시 만들 수 없다면, 안식일에 돼지가 죽을 만진 죄로 축구 선수들을 처벌하는 것도 심각하게 고려해야 할

7

선성한 개

당연히 우리가 하루하루를 어떻게 보내느냐에 따라
우리의 인생이 결정되기 때문에.

– 애니 딜러드(Annie Dillard)

퓨마 한 마리와 한 우리에서 지내기 딱 좋은 8월 초 금요일 밤이었다. 이 특별한 퓨마는 열 달쯤 전에 뉴멕시코 남쪽 지역의 붐비는 고속도로를 건너려다 차에 치였다. 먼저 경찰이 전화를 받았고, 다음으로 수렵감시부가, 그리고 얼마 후 박사가 전화를 받았다. 복잡한 수술을 잘 견딜 수 있을지는 고사하고, 그날 밤을 무사히 넘길 수 있을지부터 논의가 오갔지만 박사는 어쨌든 수술을 시도하기로 결정했다. 박사는 자신의 트럭에 트레일러를 매달고 뉴멕시코 주를 가로질러 중간쯤 달린 다음, 우리 안에 퓨마를 싣고 다시 차를 돌려서, 앨버커키에 있는 응급수술센터로 향했다. 박사는 다른 의사와 함께 내리 여섯 시간 동안 수술을 했고 그동안 퓨마의 뼈에 열 개의 티타늄 나사를 힘들게 박아 넣었다. 퓨마의 다리에는 셀 수도 없을 만큼 많은 핀을 심었다. 퓨마는 이동할 수 있을 정도로 다리가 치료되자, 마침내 에스파뇰라 외곽에 있는 야생동물센터의 큰 포유류 시설에서 지내게 됐다. 그리고 결국 나도 이 우리에 들어가, 80킬로그램이 넘는 식인 동물을 설설 기게 만들기 위해 진을 빼고 있었다.

내가 이 우리에 들어가게 된 데에는 두 가지 진짜 이유가 있었던 것으로 짐작된다. 첫 번째 이유는 피터 싱어를 다시 읽었다는 것인데, 이 이야기를 하려면 좀 더 많은 설명이 필요할 것 같다. 동물에 대한 내 윤리적 태도를 다시 생각하게 되면서, 내가 알고 있는 이른바 변칙적인 행동들 — 인간이 아닌 동물들에게 있을 리가 없다고 여겼던 행동들과, 인간의 특별함을 정당화하기 위해 이용되었던 인간이 아닌 동물들에게는 없는 행동들 — 을 개들을 통해 볼 수 있었던 건 효과가 없지 않았다. 그러나 어쨌든 인간은 개들과 함께 생활하도록 같이 진화되었다. 개는 처음부터 인간의 주변에서 지내온 종이므로, 다른 어떤 동물들보다 우리와 친숙한 종이다. 이 사실은 나에게, 그렇다면 우리가 개만큼 알지 못하는 다른 종들은 어떨지 궁금증을 자아내게 했다. 그리고 이 사실은 우리가 살면서 놓친 것이 무엇인지 생각하게 했다.

두 번째 이유는, 개 구호자들은 사실상 동물 구호자들의 하위 부류일 뿐이며, 내가 개들에 대해 조금 더 아는 반면 다른 동물에 대해서는 실제로 아는 바가 없기 때문이었다. 아, 한 가지는 익히 알고 있었다. 동물 구호자들, 특히 야생동물 구호자들은 개 구호자들보다 훨씬 힘들다는 사실 말이다. 동물 구호와 개 구호의 극명한 차이점은, 개를 구호하면서 아무리 큰 희생을 치르더라도 어쨌든 우리는 '포옹이라는 요소'를 감안할 수 있으며, 무엇보다 우리는 결국 우리 개들을 포옹하게 된다. 이건 엄청난 성과인데, 야생동물을 보살피는 구호자들은 절대로 포옹이란 걸 해볼 수가 없다. 그들은 자신들의 보살핌을 받고 있는 생명체와 거의 상호작용을 하지 못한다. 그들의 목표는 이 동물들의 상처를 치료하고 그들이 원래 살고 있던 자연 서식지로 돌려보내는 것이다. 그들이 야생동물을 구호하면서 절대로 꿈도 꾸지 않는 일은 이 동물들이 인간이 곁에 있는 상황에 익숙해지도록 만드는 것인데, 그들의 상처가 인간으로부터 비롯되었을 가능성이 매우 크기 때문이다. 이처럼 서로 도움을 주고받는 것이 전혀 없는 관계인 만큼, 야생동물 구호는 종을 뛰어넘는 이타주의의 범주에서 극단에 놓여 있다고 할 수 있다. 이것은 지구상 가장 순수한 이타주의의 형태로, 나는 그것이 대체 어떻게 이루어질 수 있는지 가까이에서 지켜보고 싶었다.

박사는 야생동물을 돌보는 데 평생을 바쳤기 때문에, 나는 그녀에게 여행 안내를 해줄 수 있겠냐고 부탁했다. 박사가 동의한 덕분에 계획이 만들어졌다. 나는 박사와 뉴멕시코 주의 큰 포유류 담당 기관의 수렵 감시관을 만나서, 그들이 퓨마를 진정시키는 작업을 돕기로 했다. 퓨마가 진정되면 수송용 우리에 넣어 트럭에 실은 다음, 뉴멕시코 주를 다시 빠져나가 야생으로 풀어주기로 되어 있었다. 뭐, 어디까지나 계획은 이랬다. 그런데 일을 하면서 우리가 퓨마의 체중을 지나치게 과소평가한 바람에 퓨마의 의식을 잃게 하기에는 케타민(사람이나 동물용 마취제) 양이 턱없이 부족하다는 걸 알게 됐다.

퓨마에게 마취제를 주입하자 퓨마는 미친 듯이 울어대질 않나, 우리 주위를 정신없이 뛰어다니질 않나, 아무나 창살 가까이에 다가가는 사람에게 마구 달려들질 않나, 잔뜩 흥분된 모습을 보였다. 잠시 후 약효가 발휘되기 시작하면서 바닥에 털썩 엎드리긴 했지만 몸부림은 여전히 그치질 않았다. 박사는 퓨마의 부러진 다리가 다시 부러질까 봐 걱정했다. 그래서 그런 불상사를 예방하기 위해, 자신이 직접 우리 안으로 들어가 기껏해야 43킬로그램밖에 안 되는 체구로 퓨마를 꼼짝 못 하게 붙잡아놓기로 결심했다. 아무래도 케타민을 한 번 더 주사해야 했다. 마취제 주사는 수렵 감시관이 해야 할 일이었는데, 이 수렵 감시관은 뉴멕시코 주의 시골 사람이라 무슨 일이든 서둘러 하는 법이 없었다. 동물 구호자들은 법망을 교묘하게 피해 일하는 경우가 많기 때문에, 감시관에게 속도 좀 내라고 고함을 치는 건 더 큰 대의를 위해 별로 도움이 되지 않을 터였다. 그래서 나는 이런 상황에 연루된 멍청한 인간이라면 누구나 저지를 법한 짓을 저질렀으니, 박사를 따라 무턱대고 우리 안에 뛰어든 것이다.

"당신이 머리를 잡아요." 박사가 소리쳤다. "난 다리를 잡을 테니까."

암, 머리를 잡아야지, 잡아야 하고말고. 이놈의 빌어먹을 대가리가 볼링공보다 더 큰 데다 녀석의 위턱과 아래턱이 부지런히 움직이고 있지만, 머리를 잡아야지, 잡는다, 잡는다고. 그랬는데도 여전히 이 파티가 끝날 기미가 보이지 않으면, 하는 수 있나, 독미나리에서 짜낸 독이나 마셔버려야지.

안타까운 일이지만, 이미 파티가 막바지에 접어든 상황에서는 박사 같은 구호자들이 꼭 필요하다. 4만 년 전, 인류가 지협地峽을 통해 최초로 아시아에서 유럽으로 건너왔을 때, 퓨마*Puma concolor*도 캐나다 유콘 지역에서부터 남아메리카 대륙의 남쪽 끝에 이르기까지 널리 분포되었다. 이 동물들의 전성기는 이 시기가 마지막이었다. 대부분의 인디언 문화가 야생동물들과 관련이 있음에도 불구하고, 거의 대다수의 인디언들은 이 대형 고양잇과 동물을 어떻게 대해야 할지 알지 못했다. 크리스 볼자노Chris Bolgiano는 《퓨마: 인간과 퓨마의 비정상적인 역사*Mountain Lions: An Unnatural History of People and Pumas*》에서, "퓨마는 인디언들이 이해할 수 없는 짐승"이라고 말한 누트카 족과의 1955년 인터뷰 내용을 언급했다. 그러나 퓨마에 대한 인디언의 불신은 유럽의 초기 정착민들이 느낀 적대감에 비하면 아무것도 아니었다. 20세기에 접어들 무렵, 미국의 동쪽 지역에서 어찌나 퓨마를 사냥해댔던지 거의 멸종이 될 지경이었고 서부라고 더 나을 것도 없었다. 캘리포니아에서는 사냥을 하면 장려금이 지급되는 포식동물 대열에 퓨마를 합류시켜, 1907년에서 1963년 사이에 이곳에서만 1만 2천 마리 이상, 즉 한 해 평균 215마리의 퓨마들이 사냥꾼들에 의해 죽임을 당했다. 1963년에는 장려금이 지급되는 동물에서 수렵 금지 동물로 분류되었지만, 할당 규제가 폐지되어 오히려 일 년 내내 사냥이 가능했고 사살된 퓨마의 수가 훨씬 많아졌다.

1972년 캘리포니아 주지사였던 로널드 레이건Ronald Reagan이 이 전리품 사냥을 중단시켰고, 이를 계기로 얼마 후 퓨마 사냥이 금지되었다. 그러나 이 금지 법안은 썩 효과를 발휘하지 못했다. 가장 활발한 활동을 하는 퓨마 보호단체인 퓨마재단Mountain Lion Foundation에서 실시한 연구에 따르면, 최근 몇 년 동안 "미국 서부에서 인간의 손에 의해 죽임을 당한 퓨마의 수는 지난 세기 그 어느 때보다 많으며, 정부가 장려금을 지급해가며 퓨마를 근절시키려 애쓰던 시대를 훨씬 능가한다." 1997년에서 2005년 사이에 약 3만 마리, 그러니까 한 해에 약 3600마리의 퓨마가 11개 주에서 도살당했다. 다시 말해 1970년 이후 퓨마의 죽음이 400퍼센트 증가한 것이다. 따라서 캘리포니아에 남아 있는 퓨마의 수는 5천 마리쯤으로 추정되며 어쩌면 그보다 더 적을 수도 있다. 이런 이유 때문에 세계자연보호연맹World Conservation Union은 퓨마를 '관심 필요 종species of least concern'에서 '취약 근접near threatened'으로 다시 분류했다.

내 판단으로는 지금이야말로 미안하다고 사과하기에 딱 좋은 기회였다.

암, 그렇고말고. 그래서 나는 우리에 뛰어들어 퓨마의 머리를 붙잡았다. 먹이사슬 최정상에 오른 만물의 영장과는 거리가 먼 순간이었다. 나는 나 같은 인간을 사냥하도록 특별히 진화된 한 생명체 덕분에 과거의 어느 시기로 물러서고 있었다. 그 느낌은 뭐랄까, 마치 전기에 감전된 듯 강렬했다. 나는 야생 자체인 이 동물에 다시 한 번 몸을 비볐고, 다시 한 번 태고로 돌아가 원형과 하나가 된 느낌을 받았다. 그리고 박사가 포옹 같은 게 없어도 야생동물과 살 수 있었던 건 바로 이런 이유 때문이었음을 대번에 알 수 있었다. 이건 포옹보다 훨씬 큰 보상이었던 것이다.

이 느낌은 우리가 퓨마에게 두 번째 마취제를 주사하고 퓨마를 트럭에 실은 다음까지 계속되었다. 우리가 일을 모두 마쳤을 땐 이미 날이 어두워졌다. 다음 날 아침 일찍 우리는 퓨마가 자유를 되찾을 알도 레오폴드 야생지구Aldo Leopold Wilderness로 떠날 터였다. 퓨마가 자유의 품에 안길 때쯤, 나는 지독한 땀 냄새와 퓨마 냄새를 풀풀 풍기며 집으로 향하고 있었다. 그리고 내가 현관문 안으로 한 발작 딱 딛었을 때, 개들은 나한테서 풍기는 고약한 냄새를 맡더니만 홱 하고 돌아서더니 쏜살같이 달아나버렸다.

알도 레오폴드는 1887년에 아이오와 주 벌링턴Burlington에서 태어나 1909년 예일대 삼림학부를 졸업한 후, 1912년 뉴멕시코 주 카슨 국유림Carson National Forest의 감독관이 되었다. 십 년 후 그는 모름지기 야생지구라면 너른 부지의 미개발지가 포함되어야 한다는 재미있는 발상을 하게 됐다. 그리고 1924년 뉴멕시코 주의 힐라 야생지구Gila Wilderness를 설립할 수 있게 해달라는 청원에 성공해, 마침내 30만 헥타르의 자연경관을 보호하는 미국 최초의 공식 자연환경 보호지역을 조성했다. 후에 레오폴드는 위스콘신 주 매디슨에 위치한 위스콘신 대학교로 자리를 옮겼다. 그리고 1933년, 토종 야생생물 개체군의 보존 및 복원을 위한 근본적인 기술을 정의한 저서 《수렵 관리 *Game Management*》를 출간했고, 동시에 미국 최초의 수렵관리국장이 되었다. 2년 뒤 친구 세 명의 도움으로 야생 협회Wilderness Society를 설립했으며, 4인조로 이루어진 이 단체는 다음과 같은 목표를 내걸었다. "인간의 침입으로부터 보호하기 위해 우리가 간절히 바라는 것은 오직 하나, 물리적인 힘으로 만들어진 풍경, 소리, 향기로부터 아직은 벗어나 있는 미국의 극히 작은 땅덩어리뿐이다."

레오폴드는 자신의 역작 《모래 군의 열두 달*Sand County Almanac*》 출간을 불과 몇 달 앞둔 1948년 4월, 마을 농장 잡목 지대의 화재를 진압하던 중 사망했다. 이 책에서 그는 토지에 대한 자신의 윤리관을 다음과 같이 낱낱이 털어놓았다. "지금까지 모든 윤리학은 개인은 상호 의존적인 부분들로 이루어진 공동체의 일원이라는 하나의 전제를 바탕으로 발전해왔다. 개인의 본능은 이 공동체 안에 자신의 자리를 마련하기 위해 경쟁하도록 부추기지만, 그의 윤리는 협력하도록 부추긴다(아마도 경쟁할 수 있는 장소를 마련하기 위해서). 이렇게 토지 윤리는 공동체의 경계를 흙, 물, 식물, 동물로까지, 총체적으로 말해 땅으로까지 확대한다." 1980년, 의회는 힐라 야생지구에 바로 인접한 뉴멕시코 주 지역에 20만 헥타르의 땅을 따로 확보하고 알도 레오폴드 야생지구라는 명칭을 붙였으며, 그 후로 그를 '미국 야생 생물의 아버지'로 여기게 됐다. 이곳이야말로 퓨마를 놓아주기에 적합한 장소 같았다.

치마요에서 차를 타고 알도 레오폴드 야생지구로 향하는 길은 다른 세상으로 향하는 여행이었다. 먼지 자욱한 야생지구 내부는 작은 마을들과 유령 마을들이 죽 이어져 있어 전반적으로 기이한 분위기가 감돈다. 몇 년 전, 나는 캘리포니아 출신의 한 여자를 알게 됐는데, 그녀는 장난삼아 LSD 두 알을 삼키고 관광객들을 자신의 픽업트럭 뒤에 올라타도록 부추긴 다음 일명 '촌사람들의 샌프란시스코 관광’을 시켜주었다. 산불 진압에도 앞장섰다. 주로 몬태나 주와 아이다호 주에서 거의 10년 가까이 불규칙적으로 삼림 소방대원 일을 해오다가 레오폴드 야생지구의 대형 화재를 진화하기 위해 한 차례 내려온 적이 있었는데, 그때의 경험을 ‘완전히 다른 종류의 섬뜩한 화재’였다고 말했다. 그녀가 그렇게 말할 정도면 굉장한 일은 굉장한 일이었던가 보다.

우리는 뱀처럼 굽이치는 블랙 산맥Black Mountains을 지나 애리조나 주 킹먼이라는 마을 외곽에서 그 증거를 발견했다. 당시 타즈가 나와 함께 당일치기 여행길에 나섰다. 우리는 박사와 그녀의 남편과 퓨마 뒤를 따라 달리고 있었다. 당초 계획은 그들이 우리 바로 앞에서 우리를 인도하기로 되어 있었으나, 고도는 수시로 높아지고 U자형 커브도 수차례 만난 데다 잠시 정차해서 소변도 봐야 했기 때문에, 그들을 놓치고 말았다. 마침내 가파른 절벽 꼭대기 평평한 곳에서 그들을 발견했지만, 차 문이 활짝 열린 채 트럭 안은 텅 비어 있었다. 옆에는 낡은 혼다 승용차 한 대가 주차되어 있고 가까이에는 고물과 함께 나무판자들이 전조등까지 쌓여 있었지만, 역시 운전자는 없었다. 불안해서 어쩔 줄 모르는 얼룩 고양이 한 마리를 제외하면 혼다 승용차도 텅 비어 있었던 것이다. 우리는 로즈웰(Roswell, 뉴멕시코에 있는 도시로 1947년 UFO 추락 사건으로 유명하다)에서 불과 몇 시간 떨어진 곳에 있었다.

“외계인한테 유괴당했나?” 타즈가 물었다.

“외계인한테 유괴당했네.” 내가 결론을 내렸다.

우리는 그들을 — 박사와 그녀의 남편, 그리고 우리가 생전 처음 보는 어떤 남자를 — 절벽 아래에서 몇 미터 떨어진 곳에 세워진 가드레일 옆에서 발견했다. 최대한 머리를 굴려 상황을 추측해보건대,

이 남자는 직업과 가정을 잃고 아내마저 죽어, 남은 것이라고는 낡은 혼다 승용차 한 대와 불편한 다리 한쪽, 그리고 얼룩 고양이 한 쌍이 전부였다. 그가 다리를 스트레칭하기 위해 갓길에 차를 세운 틈을 타 고양이 한 마리가 열린 창문 밖으로 쏜살같이 달려 나갔다. 절벽의 처음 부분은 가파른 내리막으로 30미터나 되는 급경사에서 끝났다. 이 급경사 바로 위에 작은 바위 턱이 있는데, 그의 고양이가 바로 여기에 자리를 잡고 앉았다.

남자는 어찌어찌 바위 턱까지 내려가긴 했지만, 불편한 다리 하나로 한 손에 고양이까지 안고 다시 올라오기란 불가능했다. 남자는 도와달라고 소리를 지르기 시작했다. 한편 박사는 이곳에서 몇 킬로미터 떨어진 곳을 달릴 땐 기어를 3단으로 넣었다가 산맥을 가로지르면서 2단으로 바꾸었는데, 덕분에 트럭이 속도를 늦추면서 남자가 외치는 소리를 똑똑히 들을 수 있었다. 우리는 박사가 도착한 지 약 5분 후에 도착했고, 그땐 이미 구조 작업이 다 끝나간 뒤여서 남자의 쓸쓸한 사연만 겨우 들을 수 있었다. 남자가 "이 고양이들은 저에게 세상 전부나 마찬가지예요. 저는 동물들을 정말 사랑해요, 특히 고양이는 더요"라고 말하는 사이, 타즈가 박사의 트럭 안에도 고양이가 있다고 슬쩍 언급했다.

"당신 고양이보다 조금 커요." 타즈가 설명했다.

"설마요." 남자가 말했다. "우리 머핀도 꽤 통통한데요."

박사의 트럭 창문은 선팅이 되어 있어서, 트럭 내부를 보려면 유리에 얼굴을 바싹 갖다 대야 했다.

"가서 한번 보세요." 박사가 말했다.

동물을 야생에 풀어주는 작업 가운데 일부는 반드시 야생으로 되돌려주는 것이므로, 우리는 전날 밤 퓨마에게 마취 주사를 놓았다.

동물을 놓아줄 장소가 가까워지면 동물의 정신을 깨워야 하며 그러자면 가급적 불안하게 만드는 것이 좋다. 우리의 퓨마는 트럭 뒤에 놓인 작은 우리에 갇힌 채 다섯 시간 동안 구불구불 험한 길을 지나온 덕분에 마취가 완전히 풀려서 지금 몹시 불안해하고 있었다. 편도체는 작은 아몬드처럼 생긴 뇌 구조물로, 불안과 분노와 같은 기본적인 감정뿐 아니라 이러한 감정에 의해 만들어진 기억 형성을 관장한다. 인간의 뇌에서 가장 오래된 부분들 가운데에는, 너무 오래된 나머지 특정한 위험들에 대한 반응이 굳어질 대로 굳어져서 아예 본능이 돼버린 것이 있다. 뱀, 거미, 그리고 심기가 좋지 않으신 대형 고양잇과 동물의, 피를 얼어붙게 만들 정도로 오싹한 포효에 걸음아 날 살려라 줄행랑치는 우리 인간의 반응은, 이 과정이 잘 처리되고 있다는 좋은 예다. 그 좋은 예가 이 남자를 혼비백산하게 만들어 엉덩방아를 찧게 했다.

"그, 그렇군요." 잠시 후 남자가 흙바닥에서 일어서며 말했다. "확실히 제 고양이보다 큰걸요."

존 버거(John Berger, 영국의 비평가이며 소설가)는 그의 에세이 〈왜 동물을 보는가?Why Look at Animals?〉에서 이렇게 이야기한다. "인간의 상상 속에 들어오는 동물의 첫 이미지가 고기라든지 가죽이라든지 뿔 같은 것이라면, 그것은 새 천년에 역행적인 19세기식 태도를 보이는 것이다. 동물은 메신저나 가능성의 모습으로 맨 처음 인간의 상상력 속에 들어왔다. 예를 들어 소를 가축으로 사육하기 시작한 건 단순히 우유와 고기를 얻기 위해서가 아니었다. 소는 때로는 신탁과 같은 의미로 존재했고 때로는 희생 제물로 바쳐지는 등 마법적인 기능을 지녔다."

버거는 동물이 마법적인 생명체로부터 사육된 가축으로 변화된 것은 자연으로부터 어느 정도 분리되었기 때문이라고 기술하는 한편, 이와 다른 의견을 지닌 학자들은 인류가 수렵인에서 농경인으로 이행하면서 변화가 시작되었다고 믿는다. 이 주제에 관한 많은 논문들이 나와 있는데, 우리가 우리의 신령스러운 숭배의 대상을 배신한 이유는, 무자비한 농장 생활을 하려면 야생과 정서적으로 아주 먼 거리를 유지해야 할 필요가 있었기 때문이라는 방향으로 일반적으로 결론이 내려지고 있다. 초기에 이 대결이 벌어지게 된 배경에는 언어가 한몫했다. 한때 신성하게 여겼던 동물들에 새로운 이름표가 달렸다. 식물은 잡초 아니면 농작물이 되었다. 동물은 유해 동물 아니면 애완동물이 되었다.

펜실베이니아 대학교 수의학과 교수, 제임스 서펠은 《동물, 인간의 동반자*In the Company of Animals*》에서 이 과정을 보다 정확하게 설명한다.

> 전통적인 사냥꾼들은 일반적으로 자기가 사냥한 동물을 자신과 동등한 대상으로 여긴다. 그들은 비록 특정한 마술적 혹은 종교적 관례를 통해 동물이 쉽게 잡히게 해달라고 소망하긴 하지만, 동물에게 힘을 과시하지는 않는다. 이처럼 본질적으로 평등주의적인 관계는 가축화가 시작되면서 사라졌다. 가축들은 이제 인간 소유자에게 자신의 생존을 의지한다. 인간은 권력자이자 주인이 되고 동물은 하인이며 노예가 된다. 그로 인해 당연하게도 가축은 인간의 의지에 굴종하며, 이처럼 가축화된 대부분의 종들은 자립심을 잃음으로써 장기적으로

대단히 파괴적인 결과를 맞게 되었다.

이 결과들 가운데에는 우리가 동물의 복종을 정당화하기 위해 익혀온 여러 가지 방법들이 있다. "우리가 동물은 영혼도 감각도 없는 기계에 불과하다는 데카르트의 견해를 받아들인다면, 우리는 아무런 도덕적 죄책감 없이 마음 내키는 대로 동물을 대할 수 있을 것이다." 서펠은 이렇게 말한 후 나중에 더 자세하게 덧붙인다.

> 인간에게 다른 창조물을 지배할 권리가 있다는 통념은 농업과 사육의 확장을 대단히 수월하게 만드는 유용한 문화적 적응이었다. 이런 통념은 가축을 물건 내지 상품으로 간주하게 만들었으며, 나아가 자연계에 대해 공격적이고 착취적인 태도를 취하도록 부추겼다. 따라서 쓸모없는 것으로 간주된, 혹은 인간의 터전에서 감히 인간과 겨루려는 실수를 저지른 야생동물들은 기회가 될 때마다 무조건 몰살해야 하는 해로운 동물로 일반적으로 분류되었다. 그리고 숲이라든지 황무지라든지 히스가 무성한 황야 같은, 경작되지 않은 지역은 피에 굶주린 늑대들과 전설 속의 괴물들이 떠돌아다니는 황량하기 그지없고 사람이 살기에 적합하지 않은 미개지로 여겨졌다. 그러므로 이런 지역을 길들이는 것, 다시 말해 이런 지역을 정복해 우월한 인간의 지배하에 두는 것이야말로 인간의 의무였다. 바꿔 말하면, 이러한 통념은 어마어마한 생존가survival value를 지니고 있었기 때문에, 그만큼 중요하고 또 열심히 옹호되었다.

때때로 이러한 통념은 이상한 방식으로 표출되었다. 앞에서 언급했듯이 '길들여진' 늑대에게 할당된 첫 번째 임무 가운데 하나는 아기를 돌보는 것이었다. 엄마와 아빠가 사냥과 수렵을 하러 떠나면 늑대와 그 친구들이 남아서 요새를 지켰을 것이다. 뭐, 그만큼 원시 사회는 오늘날의 우리보다 자식에게 관심을 덜 쏟았을 거라고 주장할 수도 있다. 과거의 수많은 생태 활동을 깡그리 무시하기로 작정한다면 말이다. 그러나 대신 우리는 늑대를 옐로스톤공원에 돌아오게 할지 말지를 놓고 논쟁을 벌인다(1910년경 미 의회는 목장주들의 요청을 받아들여 옐로스톤 지역의 늑대를 멸종시킨다. 그러자 초식동물이 폭발적으로 늘어나 오히려 자연을 위협하기에 이르렀고, 1973년 미 의회는 늑대를 돌아오게 하는 프로그램을 시작한다). "늑대는 해로운 동물이잖아요." 목장주들은 논쟁을 벌이는 동안 툭하면 이런 이유를 댔다. "늑대는 위험한 동물이란 말입니다." 그런데 이처럼 해로운 동물이 우리의 후세를 돌보는데 이용되었다면, 그건 너무 기괴한 일이 아닐까?

하긴, 한때 초대륙 전체를 고향이라 부르던 고양잇과 동물 한 마리를 풀어주자고 자동차로 뉴멕시코 주를 가로질러 주구장창 달려야 하는 우리의 현실도 기괴하긴 마찬가지였다. 우리에게 닥친 또 하나의 어려움은 수렵 감시관이었다. 뉴멕시코 주는 동물을 풀어줄 때 무조건 사람을 대동해야 한다고 법으로 정해져 있으며, 우리가 보기에 이 수렵 감시관은 자기가 무슨 말보로맨(Marlboro Man, 말보로 담배 광고에 등장하는 카우보이 모습의 캐릭터)의 직계 후손이라도 되는 줄 아는지, 담배에 콧수염에 2연발 산탄총까지 완벽하게 갖추고 나타났다. 이 말보로맨이 가장 크게 바라는 건 성가신 일을 만들지 않는 것이었다. 퓨마는 본성상 혼자 있길 좋아하는 동물이라, 혼자 지낼 넓은 공간이 필요하다. 퓨마의 활동 범위는 40킬로미터에서 480킬로미터까지 연장될 수 있다. 당초 계획은 가능하면 힐라 야생지구까지 운전하는 것이었지만 그 일은 말보로맨이 맡았다. 그는 우리를 고속도로에서 5킬로미터 떨어진 곳까지 안내한 다음 거기에서 자신의 임무를 마쳤다.

우리는 고산 숲 한가운데 낮은 봉우리 위에 차를 세웠다. 어둑어둑한 오후의 빛은 퓨마의 털 색깔과 닮았다. 박사는 트럭 지붕 위에 올라갔다. 그녀는 갈고리를 이용해 지붕에서 우리의 문을 들어 올릴 수 있도록 우리를 개조해놓았다. 발톱 한 번만 슬쩍 휘둘러도 동맥을 절단할 수 있는 동물을 돌볼 때 꼭 필요한 안전 대책이었다. 감시관은 멀지 않은 곳에 자리를 잡고는 바지를 추켜올린 다음 양 발을 넓게 벌리고 섰다. 그는 산탄총의 방아쇠를 잠그고 공이치기를 당겨서 총알이 발사되는 걸 막았다.

혹시 우리에서 풀어줄 때 위험한 동물이 있었는지 박사에게 물은 적이 있었다. "회색곰은 아주 위험해요. 하지만 풀려날 상황에서 우리 주변을 얼쩡대는 모습은 한 번도 본 적이 없습니다. 다들 서둘러 야생으로 돌아가려고 뒤뚱뒤뚱 정신이 없지요. 방울뱀들을 풀어준 적이 있는데 일부러 나를 물게 했어요. 방울뱀은 뒤끝이 긴 동물이잖아요. 당신이 어떻게 생각하실지 모르겠지만, 방울뱀은 제 평생 만나본 동물 중에서 유일하게 뒤끝 있는 종인 것 같아요."

그럼 퓨마는?

"퓨마는 좀 다른 동물이지요. 퓨마는 굉장히 유능한 살인범이에요. 퓨마의 공격을 받고도 살아남는다면 그건 퓨마가 상대를 살려주기로 했기 때문이에요."

박사는 위험한 요소를 조금도 만들지 않았다. 타즈와 나는 퓨마가 사라질 때까지 트럭 안에 가만히 앉아 있으라는 명령을 받았다. 잠시 후 박사가 우리의 문을 열었다. 아무 일도 일어나지 않았다. 퓨마는 우리 모두를 빤히 쳐다보며 우리 안에, 트럭 안에 그대로 멈춰 있었다. 우리는 뒤를 돌아보았다. 시간은 가고 있었다. 더 많은 시간이 지났다. 마침내 그가 한쪽 발을 내밀더니 슬그머니 바닥으로 내려왔다. 그는 오른쪽 한 번, 왼쪽 한 번을 쓰윽 훑어보더니만 6미터 정도 떨어진 작은 빈터까지 어슬렁어슬렁 걸어간 후 그대로 멈췄다. 어라, 우리가 예상한 상황은 이런 게 아닌데.

감독관은 산탄총을 쏘고 싶어서 종일 몸이 근질거리던 참에 드디어 기회를 잡았다. 미리 말해둘 게 있는데, 뉴멕시코 주 사람들은 총을 엄청 좋아하면서도 조작법에 대해서는 도대체 아는 게 없어서, 주요 명절만 되면 며칠 전부터 경찰이 텔레비전에 출현해 공중에다 대고 총을 쏘는 행위는 법으로 금지되어 있다고 주민들에게 상기시켜야 할 정도다. 정확하게 말하면, 위로 올라간 것은 떨어지게 되어 있다는 중력의 법칙이 늘 문제다. 이 비극적인 시나리오의 주요 피해자들은 애완동물과 사람이다. 우리의 감독관은 이 메시지를 깜박 잊어버린 게 분명했다. 그가 공중을 향해 똑바로 총을 발사한 것이다.

산탄총을 발사한 건 퓨마에게 겁을 줘서 달아나게 할 생각이었기 때문이다. 그런데 퓨마는 어디에도 달아나지 않았다. 그는 다시 한 번 그 거대한 머리를 뒤로 돌려 우리를 돌아보았다. 그러고는 한 차례 쉿 소리를 내고 덤불 속으로 껑충 뛰어들었다. 아무도 그를 찾을 수 없었다. 그런데 잠시 후, 그는 우리가 있는 자리를 중심으로 크게 원을 그리면서 으스대며 걷더니 마침내 우리 바로 뒤에 있는 나무들 사이에서 딱 멈추었다.

"이 녀석 지금 우리를 가지고 노는 거냐?"

"응. 이 녀석 지금 우리를 가지고 노는 거야." 타즈가 말했다.

마지막으로 우리를 보기 위해 그 거대한 머리를 들어 올린 모습이 우리가 본 그의 마지막 모습이었다. 그는 덤불 속으로 멀어지더니 우리를 바라보던 시선의 흔적만 남긴 채 아주 사라져버렸다. 나는 그가 우리에게 뭔가 할 말이 있었던 게 아닐까 하고 아주 진지하게 생각했다. 그의 표정을 보건대 절대 틀림없었다. 나중에 이 일에 대해 타즈에게 물었는데, 타즈도 나와 똑같이 느꼈다고 말했다. 그 표정은 뭘 말하려고 했던 걸까? 그건 혐오감이었다.

두려움은 아니었다. 증오도 아니었다. 단지 혐오감이었다.

치마요의 두 번째 가을이 시작됐을 무렵 우리의 인생에도 변화가 시작되었다. 그 무렵엔 우리가 뉴멕시코 주에서 지낸지도 제법 오래되어, 이제는 적당한 규모의 네트워크를 구성할 수 있을 정도가 됐다. 그건 이제 개들에게 집을 찾아주기가 좀 더 수월해졌다는 걸 의미했고, 돌볼 개들이 더 많아졌다는 걸 의미했으며, 무엇보다 우리가 잘 모르는 동물 두세 마리를 늘 데리고 있게 됐다는 걸 의미했다. LA에 살았을 땐 일종의 심사 과정을 거쳐 새 동물을 데리고 왔지만 — 조이가 동물보호소에서 동물을 고르거나 조이와 아주 친한 누군가가 선택 작업을 대신하면서 — 여기에서는 치마요에 정착하느라, 그리고 여러 수의사들과 여러 보호소들, 주변에 있는 소수의 구조 단체와 관계를 발전시키느라, 어떤 동물을 데리고 와야 할지 아직 안목을 갖추지 못했다. 그 바람에 누가 도움을 요청하면 우리는 무리해서라도 도와주려 애썼고, 또 그 바람에 결국, 우리가 '사회화가 필요한' 동물이라고 칭했던 개들을, 그럴싸하게 표현해서 그렇지 그래봐야 '떠돌이' 개들을 죄다 끌어모으게 됐다.

떠돌이 개들은 일단 물기부터 하고 질문은 그다음에 던진다. 이런 떠돌이 개들은 인간을 무서워하고 인간을 피하기 때문에, 이들을 사회화시킬 수 있는 유일한 방법은, 음, 이 개들을 사회화하는 것뿐이다. 우리는 이런 개들과 이야기를 나누지 않는다. 쓰다듬으려 하지도 않고, 심지어 눈도 마주치려 하지 않는다. 모든 책임은 전적으로 그들에게 달려 있다. 우리는 이들이 달라지도록 온갖 애를 써보지만, 이들은 좀처럼 쉽게 바뀌지 않는다. 조이는 이 과정이 몇 달, 아니 때로는 몇 년이 걸릴 수도 있다고 경고했었고, 그러는 동안 우리는 그야말로 야생동물들과 동고동락하는 특이한 상황에 놓이게 됐다.

헨리 데이비드 소로Henry David Thoreau는 수많은 환경 철학자들의 선두에 선 사람으로, '야생wildness'과 '황야wilderness'의 차이 — 야생은 정신적인 용어이고 황야는 장소적인 용어다 — 를 이해한 동시에 황야 못지않게 야생의 중요성을 강조했다. "야생성 안에 세계가 보존되어 있다"라는 소로의 대단히 유명한 말은 도덕적 목적에 대한 진술이자 도전적인 말이기도 하다. 야생을 포용하는 그의 태도는 외부의 황무지와 내면의 야생을 길들이는 것이야말로 가장 위대한 인간의 책임 가운데 일부라고 생각한, 플라톤으로부터 이어지는 모든 사상가들과 반대되는 것이었다. 여기에서는 사실이 그러냐 아니냐를 따지기보다, 이 생각이 현대 생활에 미치는 영향이 더 중요하다.

도시에 살 땐 주로 두 가지 측면에서 야생을 생각했다. 가령 이런 식이었다. 로스앤젤레스 협곡을 돌아다니던 코요테들은 야생이지만, 그들이 노리는 집에서 기르는 애완동물들은 길들여진 동물이었다. 실제로 야생과 접촉할 때라고는 하이킹을 한다든지, 등산을 한다든지, 캠핑을 하면서 야생을 찾아다닐 때뿐이었지만, 개 구호 활동에서는 야생이라는 것이 두 가지 측면으로 생각할 대상도 굳이 찾아다녀야 할 무엇도 아니었다. 아침에 눈을 뜨자마자 곧바로 보이는 그곳에, 밤에 잠자리에 드는 그 자리에 야생이 있었다. 사실 밤에 침대에 누우면 바로 곁에서 야생을 느끼는 때도 종종 있었다.

은유적으로 하는 말이 아니다. 떠돌이 개를 사회화시키려면 다단계 과정이 필요하다. 첫 번째 단계는 문제의 개가 처음으로 집 안에 들어올 때 시작된다. 대개 이 과정은 빨리 일어난다. 일반적으로 개들은 단서를 찾기 위해 다른 개들을 관찰하는데, 따라서 우리 집에 처음 발을 들인 개들, 심지어 전혀 길들여지지 않은 떠돌이 개들조차도 집 안에 편안하게 누울 자리가 있고 — 소파와 개 침대 같은 — 다른 개들이 인간의 개입 없이 집 안팎을 자유롭게 돌아다닌다는 걸 확인하고 나면, 다른 개들과 똑같이 행동하는 경향이 있다. 이렇게 한 달쯤 지나면 떠돌이 개들도 우리와 함께 있는 것이 익숙해지기 시작하고, 이따금 우리 곁에서 잠을 자려 할 것이다. 이런 모습은 침대가 개의 은신처 역할을 하기 때문이고, 아무리 떠돌이 개라도 본능적으로 은신처에 끌리기 때문이다. 하지만 역시나 떠돌이 개들은 여기까지 오는 데 오랜 시간이 걸린다. 처음엔 침실에서 어슬렁거리기만 할지도 모르고, 설사 침실에서 자기로 마음을 먹었다 하더라도 대개는 벽장 안에서 잠을 잔다. 그러다 몇 주에서 한 달 정도 지나면 맨 구석으로 가서 침대 옆 탁자 밑이나 어쩌면 의자 아래에 몸을 숨길 것이다. 그렇게 두 달쯤 지나면, 침대 끄트머리 근처 바닥에서 잠을 자기 시작한다. 그리고 더 오랜 시간이 지나 조금씩 용기가 생기면 마침내 침대 위로 올라오지만, 그것도 안전하다는 확신이 들 때에 한해서다. 다시 말해 조이와 내가 업혀 가도 모를 정도로 잠에 깊이 빠져든 후에야 겨우 있을 수 있는 일이다. 그런데 여기에서 중요한 사실이 있다. 이 개들이 이렇게 되기까지 조이와 나 둘 중 한 사람이 오래전부터 실제로 그들과 몸을 접촉했고, 그래서 그들은 우리 둘 중 한 사람이 자기들 몸에 손을 대도록 놔두자고 오래전부터 생각했을 테지만, 그럼에도 불구하고 우리가 접촉을 시도할 때마다 그들은 번번이 우리를 물어 고통스러운 상처를 입히곤 했다.

이 일은 나를 이상한 상황에 놓이게 했다. 나는 아침에 일찍 일어나는 편이라, 종종 해가 뜨기 훨씬 전에 잠에서 깬다. 내 하루 일과는 침대에서 일어나 염소의 헛간으로 내려가 일을 시작하는 것이지만, 치마요에서 보내는 두 번째 여름에는, 아직 자기들한테 손끝 하나 건드리지 못하게 하면서도 나하고 한방에서 자는 건 개의치 않는 여섯 마리 개들 때문에 일과가 어그러졌다. 침실은 어둡기 때문에 매일 아침 침대 밖을 나오려면 먼저 누가 어디에 자고 있는지 가늠해야 했고, 그러고 나면 집 밖을 나가는 동안 그들을 밟지 않도록 조심하면서 쥐들의 미로 같은 복잡한 경로를 빠져나와야 했다. 어둠 속에서 이 떠돌이 개들 가운데 한 놈과 부딪쳤다간, 그들이 아무리 내 바로 옆에서 잠을 자게 되고, 혹은 차츰 편해지기 시작하면서 종종 내 머리 위에서 잠을 자게 된다 하더라도(길들여지는 과정에 있는 개들은 사람의 발치에서 자는 걸 좋아하는데, 자기가 먼저 움직이지 않으면 우리도 움직일 수 없다는 걸 알기 때문이다), 그들에게 물리기 십상이었다. 그러다 보니, 한밤중에 소변을 보러 일어나는 것에서부터 아침에 눈을 떠 일을 하러 나가는 것에 이르기까지, 길들여진 동물과 야생동물 사이의 어정쩡한 상태인 이 개들과 매번 타협을 봐야 할 판이었다. 어정쩡한 상태라. 캘리포니아에 살 땐 그런 상태가 있는 줄도 몰랐다.

이런 어정쩡한 상태로 사는 데에는 한 가지 기술이 있고, 그 상태에 익숙해지려면 이 기술이 필요했다. 이제 야생의 결정적인 특징 가운데 두 가지인 어느 정도 위험과 예측 불가능함이 우리 집 분위기를 만드는 기본 패키지의 일부가 됐다. 이상한 일이지만, 나는 퓨마하고 지낸 경험이 다소 도움이 됐다는 걸 알게 됐다. 혐오스럽다는 듯한 퓨마의 표정은 동물과 인간 사이의 힘의 불균형을 강렬하게 인식하게 해주었다. 사건의 진상을 말하자면, 인간이 황야를 지나치게 훼손하고 야생의 가치를 지나치게 낮게 평가한 바람에, 퓨마 한 마리가 본래 자기 '생활권'이었던 곳을 지나는 동안 차에 치였던 것이다. 나는 그런 일이 너무나 부당하게 느껴졌다. 그래서 내가 욕실로 가는 길에 좀 더 야생에 가까운 동물에게 물릴 수도 있다는 사실이, 비록 보복까지는 아니라 할지라도 최소한 보복의 시작일지 모른다는 생각을 하게 됐다.

내 관점도 바뀌기 시작했다. 이런 상황에 접하기 전에는 개와 퓨마를 절대 같은 범주에 넣지 않았다. 개는 인간 세계의 평범한 구성 요소이며 결코 야생이 아니었다. 퓨마는 정반대였다. 그러나 떠돌이 개들이 온 뒤로 이런 구분이 무너지기 시작했다. 나는 모든 동물을 연속선상에서 보기 시작했다. 그 선의 한쪽 끝에는 목줄에 묶여 산책하는 교외 지역에서 자란 애완용 푸들이 있고, 반대쪽 끝에는 인간을 잡아먹는 대형 고양잇과 동물이 있다. 우리 집 개들은 그 중간 어디쯤에 있다. 그리고 우리 집 개들이 지금까지 내가 퓨마의 자리라고 여겼던 야생의 등급에 위치한다고 생각하자, 뭐랄까, 애정 같은 언뜻 하찮아 보이는 감정이 훨씬 덜 하찮게 여겨졌다.

이제는 개들과 좋은 관계를 맺게 된 걸 감지덕지 여기게 되었으며, 일단 이런 근시안적인 관점에서 벗어나자 그 밖에 많은 사실들이 아주 분명하게 드러났다. 가령, 우리가 기린을 끌어안을 때 얼마나 조심에 조심을 하겠는가. 그런데 이건 비율로 치면 치와와가 사람에게 바싹 달라붙을 때와 비교할 수 있다. 아, 당연히 다 자란 치와와를 말하는 거다. 나는 기젯의 키보다 17배 크고, 기젯의 몸무게보다 32배 더 나간다. 기젯이 내 가슴팍 위로 올라와서 특유의 춤을 추기로 결심할 때, 한 치의 망설임 없이 그런 행동을 한다는 건 나를 엄청나게 신뢰해야 가능한 일이라는 걸 나는 이제 이해할 수 있다. 기젯은 내 가슴 위에서 전혀 겁을 내지 않는다. 두 눈을 감고 입은 헤벌린 채 고개를 꾸벅꾸벅 흔드는 모습이, 스티비 원더가 피아노를 치는 모습하고 많이 닮았다. 말하자면, 보통 크기의 인간이 약간 작은 크기의 티라노사우르스 렉스 위에 올라와 판당고 춤을 추는 것과 거의 맞먹는다고 할 수 있는데, 그런데도 요 녀석, 겁도 없이 너무 막나가주신다.

하지만 이런 감격은 야생의 개와 처음으로 친구가 된 것에 비하면 아무것도 아니다. 대부분의 사람들은 함부로 만질 수 없는 동물과 생활하지 않기 때문에, 종을 막론하고 관계를 확장시키는 것이 얼마나 엄청난 사건인지 알지 못한다. 더구나 사람이 들어오면 방 밖으로 달아나고, 어쩌다 출입문이 닫혀 있으면 화가 나서 이빨을 드러내는 떠돌이 개들과 한집에서 지낼 때, 마침내 이 개들이, 에라 모르겠다, 내 저 인간이 한번 쓰다듬게 해주자, 하고 마음을 먹는 순간 밀려오는 감격은 아무나 느낄 수 없는 놀랍고도 놀라운 것이다.

이 모든 일들이 나머지 다른 개들에게도 뚜렷한 영향을 미친 건 어찌 보면 당연한 일이었다. 다시 말해, 우리 집의 모든 개들이 각자 선호하는 대상을 갖게 된 것이다. 나를 제일 좋아하는 개들도 있지만 대부분의 개들은 조이를 더 좋아한다. 조이를 더 좋아하는 개들 가운데에는 나한테 한 번도 살갑게 대한 적이 없는 개들도 있다. 그러나 떠돌이 개들이 그들 나름의 두려움을 극복하기 시작하자, 나머지 다른 개들 가운데 일부도 두려움을 극복하게 됐다.

그 가운데 파라도 있었다. 몇 년 전, 조이가 로스앤젤레스 사우스

센터 보호소에서 파라를 발견하면서 우리와 파라의 만남이 시작되었다. 당시 파라는 여덟 시간 후면 안락사로 세상을 떠날 예정이었다. 보통은 개가 세상을 떠날 때쯤이면, 보호소에서 일하는 사람들은 개에게 집을 찾아주기 위해 필사적으로 애를 쓴다. 그런데 이번엔 달랐다. 조이는 파라를 안락사시키게 두어야 한다고 그들에게 강력하게 충고를 들었다. 파라는 어떻게 손을 쓸 수 없을 정도로 온몸이 성한 데가 없었다. 개 공장의 상자 안에서 태어난 파라는 불량품으로 낙인 찍혀 동물보호소에 버려졌다. 옴으로 털이 거의 다 빠져서 남은 것이라고는 벌겋게 드러난 속살과 파충류처럼 우툴두툴한 피부가 전부였다. 여기에 성질까지 더러웠다. 파라는 아무나 물어댔다. 그러니까 파라는 딱 조이가 좋아할 타입이었다.

파라는 조이와 함께 집에 왔고, 집은 이제 파라가 지내는 곳이 됐다. 검은 털이 자라자 파라는 파라 포셋 마이너(1970년대를 풍미한 여배우 파라 포셋의 이름을 본뜬 듯하다)라는 성과 이름이 어울릴 만큼 매력적인 암컷 개가 되어 다른 개들의 관심을 한 몸에 받았다. 조이는 세 차례에 걸쳐 파라가 입양될 집을 알아보았다. 아무도 파라를 데려가려 하지 않았다. 파라는 조이가 곁에 없으면 잠시도 쉬지 않고 비명을 질러댔다. 파라의 비명 소리는 디즈니 만화에 나오는 오리의 비명 소리하고 똑같아서, 파라의 연속적인 비명 소리를 듣고 있노라면 월트 디즈니 만화의 지옥 속에 갇힌 것 같은 착각마저 들었다.

파라가 우리와 함께 지낸 첫해에, 파라는 조이가 집 안에 있으면 나를 가까이 하지 않았다. 심지어 조이가 외출하고 없을 때에도, 내가 파라를 집어 들거나 뇌우가 쏟아질 때가 아니면 — 파라는 뇌우를 어찌나 무서워하던지, 아무나 가까이 있는 사람한테 무작정 달려들어 안겨야 안심을 했다 — 우리는 거의 접촉할 일이 없었다. 그런데 떠돌이 개들이 내 주변에 다가오기 시작한 다음부터 파라도 슬슬 나에게 다가오기 시작했다. 처음엔 나를 마음에 들어 했고, 얼마 후에는 나를 정말로 좋아했다. 파라는 나한테 딱 달라붙어 떨어지려 하지 않았고 언제나 한결같은 애정을 보여주었으며, 내가 퓨마를 풀어주고 돌아온 후 2주 동안 독감을 앓았을 땐 보아하니 나를 무척 걱정하는 것 같았다. 늑대를 포함해 많은 종들의 경우, 죽은 동물을 포식한 후 삼켰던 먹이를 어린 새끼를 위해 다시 게워내는 건 흔히 있는 일이다. 간혹 수컷 늑대가 암컷 늑대에게 구애를 시도할 때 애정의 표시로 먹이를 토해내기도 한다. 혹은 무리 가운데 아픈 동물에게 게워낸 먹이를 주기도 하고, 친한 친구에게 선물로 주기도 한다. 이런 이유 말고는 그날 아침 파라가 나를 깨워 자기가 먹던 걸 내 입속에 토해낸 일을, 죽을 때까지 잊지 못할 감각에 의해 깊은 잠과 달콤한 꿈에서 정신이 번쩍 났던 일을 달리 해석할 방법이 없다.

인간에게 감정은 세 가지 기본적인 기능을 한다고 여겨지며, 그 첫 번째 기능은 **암시**로 알려져 있다. 공포는 곧 닥칠 재난을 암시하며, 메스꺼움도 마찬가지다. 인간이 메스꺼움을 느낀다면, 그것은 종종 치명적인 독소임을 경고하는 쓴맛이나 유독한 냄새에 대한 본능적인 반응이다. 연구원들은 메스꺼움이 감춰질 수는 있지만 아주 없앨 수는 없다는 걸 알아냈다. 숙련된 심리학자라면 반드시 찾아낼 정도로 메스꺼움은 너무나 기본적이고 강한 느낌이어서 감추려야 감출 수가 없다. 그런데 개 한 마리가 내 입 속에다 먹이를 토했는데도 — 이것은 분명 코골이로 인한 여러 위험들을 예방하기 위한 일종의 도덕극이다 — 본능적인 반응이고 자시고 간에 나는 메스꺼움을 느끼지 않았다. 나는 단지 오물을 뱉어내고, 평소보다 더 많은 구강청결제를 사용한 다음, 돌아서서 파라를 부를 뿐이었다. 우리가 나눈 대화의 골자는 이거였다. "나도 네가 걱정돼." 또한 이것은 보다 의미 있는 삶을 찾고자 할 때 생길 수 있는 위험들에 대한 도덕극일 수도 있다. 개 한 마리의 구토에 아무런 반응을 보이지 않는 것으로 내가 이미 그런 삶을 찾았다는 증거가 될 수 있을지 모르겠지만.

며칠 뒤 친구 마이클에게 이 일을 이야기했는데 그는 내 의견에 동의하지 않았다.

"너 **변태** 아니냐? 아니, 개가 네 입에다 대고 토했는데 거기에서 인생의 의미를 찾은 것 같다니?"

나는 이 일은 내가 찾고 있던 의미를 찾았다기보다 내가 올바른 방향으로 잘 가고 있다는 걸 의미한다고 열심히 설명했지만, 전혀 먹혀들지 않았다. 이해시키기에는 그와 나의 거리가 너무 멀었다. 마이클은 자신의 식사를 인간과 나누려는 어느 동물의 근사한 친밀감의 표시를 조금도 근사하게 여기지 않는 세계에 살고 있었다. 그가 사는 세계에서는 어떤 개가 내 입속에다 토하는 것이 메스꺼움을 느끼기에 충분한 이유가 됐다. 반면에 내가 사는 세계에서는 어떤 개가 내 입속에다 대고 먹은 걸 토했고, 왜 그런지 모르겠지만 나는 이 일을 대단하게 보게 되었다.

아주 최근까지만 해도 나 역시 마이클과 같은 의견이었을 테지만 — 토사물에 주의하라는 본능의 경고는 엄청나게 강력한 힘을 발휘하니까 — 이제 마음을 바꾸기에는 너무 멀리 왔다고 생각하는 순간, 나는 또 하나의 특이한 사실을 깨닫고 깜짝 놀랐다. 그러니까 나는 방향을 선택하는 데 있어서 정말이지 눈곱만큼의 망설임도 없이 여기까지 온 것이다. 그래, 더 많은 의미가 깃든 인생을 찾아 여기까지 오긴 왔는데, 그런데 하필이면 왜 그걸 개들한테서 찾을 수 있을 거라고 확신했을까? 돼지도 있고, 뱀도 있고, 너구리도 있는데 하필이면 왜 개였을까? 소로가 옳고, 그것이 단지 야생의 신비를 받아들이는 것이라 치자. 그렇다 하더라도, 내가 치마요로 이사하기로 결정했을 무렵만 해도 나는 개를 전혀 야생이라고 여기지 않았다. 물론 그 당시 누군가 나에게 물었다면 아마도 나는 개들에게는 대단히 신성한 무언가가 있다고 대답했을 테지만, 그렇다고 내가 뭘 알고나 하는 말이었겠는가? 누군가 이런 식으로 말하는 사람이 있다면, 과연 뭘 알고 하는 말일까? 나는 대부분의 구호자들이 자신들의 일을 영적인 것으로 여긴다는 걸 알았다. 어쩌면 나도 그들의 생각에 동의했을지 모르지만, 밖에서 듣는 것과 안에서 보는 것과는 천지차이였다. 매일같이 똥 치우느라 바빠 죽겠는데, 도대체 어디에서 심오한 영성을 찾는단 말인가? 이런 생각을 하면 할수록, 나는 구루guru에 대해서는 아무것도 모르고서 아슈람(ashram, 힌두교 수행자들의 마을)에 들어왔다는 생각이 점점 강하게 들었다.

그리고 좀 더 다양한 관점들을 찾아보면서 일련의 탐구를 입증하게 됐을 때, 나를 더욱 어리둥절하게 만든 문제에 부딪쳤다. 역사상 고대의 모든 종교는 동물을 중심으로 만들어졌다. 그렇다면 그들은 왜 이 동물들을 신성하다고 확신했을까? 그리고 오늘날 수많은 사람들은 왜 여전히 동물을 신성하다고 여기는 걸까? 왜 어떤 동물은 다른 동물보다 더 신성할까? 이건 문화적인 편견일까, 영적인 선호일까, 아니면 생물학적인 적응일까? 사실상 생물학적인 이유 때문이라면, 그러니까 동물의 신성함이 일종의 진화에 따른 적응이라면, 그러한 성격은 인간들에게만 발견되는 걸까, 아니면 동물들도 인간과 똑같이 느끼고 있을까? 동물도 동물이 신성하다고 생각할까? 동물도 어떤 동물은 다른 동물보다 더 신성하다고 여길까?

"그러니까 뭐야, 개가 네 입에 먹이를 토한 이유를 완전히 이해했다는 거야?" 마이클이 물었다.

"그래서 넌 어떻게 생각하냐, 개들도 영적인 경험을 한다고 생각하냐?"

"나 이만 전화 끊을란다."

마이클은 전화를 끊었지만, 이것으로 내 고민이 끝난 건 아니었다. 나는 이 문제에 빠져 있었다. 그리고 두 번째 여름이 다 끝나갈 무렵 내 인생이 달라지기 시작했다고 아까 말했는데, 그건 이를테면 뭔가 해답을 찾기 위해 노력하기 시작했다는 의미이다.

과학자들은 이 같은 문제의 해답을 찾기 위해 고군분투하며 지난 2세기를 보냈다. 가장 최초의 시도는 토테미즘으로, 이 개념은 19세기의 두 철학자 허버트 스펜서와 루돌프 오토가 종교에 대해 정의하고자 노력할 때 시작되었다. 두 철학자는 종교는 기본적으로 초자연적인 현상에 대한 인식에 관한 것이라고 결론을 내렸다. 이후 사회생물학의 아버지 에밀 뒤르켐은 1912년에 그의 저서 《종교 생활의 원초적 형태 *The Elementary Forms of Religious Life*》에서 다음과 같이 이야기했다. "이것은 우리의 이해를 넘어선 것의 어떤 질서를 의미한다. 초자연적인 현상은 신비한 세계, 알 수 없는 세계, 이해할 수 없는 세계이다. 이제 종교는 전반적으로 과학 및 명확한 사고를 벗어난 모든 것에 대한 일종의 고찰이 될 것이다."

뒤르켐은 두 철학자의 견해에 동의하지 않았다. 그는 초자연적인 현상은 자연, 다시 말해 이 불가사의한 영역의 대척점에 존재하는

'자연법칙'을 전제로 한다고 생각했다. 그러므로 이 자연법칙에 위배되는 것은 무엇이든 자연을 넘어서는 것이며, 오토와 스펜서에 따르면 종교의 근간이 된다. 그렇지만 종교는 기적에 거의 관심을 두지 않는다. 종교는 주로 현세적인 일에 관심을 둔다. 하느님이 모세에게 불꽃이 이는데도 타지 않는 가시덤불을 보여준 건, 염력으로 불을 지피는 법을 가르치기 위해서가 아니라 십계명을 널리 알려 일상생활을 위한 규칙을 제공하기 위해서였다. 더구나 이런 기적적인 사건들은 지리적으로 독특한 특징을 지녀, 규칙도 문화별로 다양하다. 가령 인도에서 소는 신성한 동물이지만, 미국에서 소는 우리의 점심거리다. 그러므로 종교는 사실상 사람, 지역, 초자연적이라고 규정하는, 혹은 뒤르켐이 선호하는 단어인 '신성하다'고 규정하는 무엇처럼 명사로 표현될 수 없는 것이다. 뒤르켐은 오히려 "종교는 신성한 것, 다시 말해 따로 구별되고 금지된 것에 관한 믿음과 실천의 통합 체계"라고 말한다.

그는 신성한 것과 세속적인 것의 양분을 종교의 필수 요소로 보았지만, 이것은 우리가 동물을 신성하게 여기는 이유를 설명해주지 못한다. 뒤르켐은 이 문제를 해결하는 가장 좋은 방법은 문제를 단순화하는 것이라고 생각했다. 그는 서구 문명과 근대성을 제거하고 그가 찾을 수 있는 가장 '원시적인' 종교에서부터 시작하기로 결심하여, 오스트레일리아 원주민인 애버리지니의 신앙에 해답의 근거를 두었다. 원주민들에게 필수적인 것은 토템 — 이승과 저승에 대한 영적인 연결을 보여주는 집단의 성스러운 상징물 — 이다. 원주민들은 수렵채집인이었고, 집단을 벗어난 사회생활의 대부분은 동물을 중심으로 돌아갔다. 동물의 행동은 오토와 스펜서가 '초자연적인 현상'이라고 부르던 모호한 범주에 속하는 경우가 매우 많기 때문에, 동물은 초자연적인 것의 상징이 되었다. 그리고 결정적으로 중요한 사실은, 뒤르켐은 동물이 수렵채집 사회의 유대를 위한 상징이 되었다고 생각했다는 것이다.

뒤르켐에 따르면 성스러운 상징들을 공유하는 것은 도움이 된다. 성스러운 상징은 공동체를 단결시키는 영적인 접착제 역할을 한다. 종교는 집단을 결속시킴으로써 개개인이 서로 연결되고 보호받는다고 느끼게 해주며, 이렇게 해서 심리사회적 욕구들을 상당 수준 채워준다. 뿐만 아니라 토템은 집단을 넘어, 본질적으로 위험하다고 오랫동안 증명되어온 수많은 불가해한 현상들이 포함된 자연환경으로 끈끈한 유대를 확장시키는 수단이 되기도 한다. 이렇게 토템은 인간을 더 넓은 미지의 세계와 연결시켰고 — 역시나 개개인이 관계를 맺음으로써 보호를 받을 수 있다는 생각에서 — 이것은 집단을 더욱 안전하게 느끼게 해주었다. 따라서 뒤르켐은, 우리가 동물을 신성하게 여기는 이유는 이 세계에서 안심하고 지낼 수 있도록 도와줄 동물이 필요하기 때문이라고 결론을 내렸다.

하지만 이 주장은 또 다른 문제를 제기했다. 왜 어떤 동물은 다른 동물보다 더 신성한가? 왜 독수리는 숭배하고 딱정벌레는 무시하는가? 안전이 목적이라면 도대체 왜 이런 구분을 하는 걸까? 이 수수께끼를 해결한 사람은 인류학자 클로드 레비스트로스였다. 그는 이런 구분이 음식 섭취의 제한과 관련이 있는 만큼, 그에 관한 구분을 조사함으로써 이 수수께끼를 풀어나갔다. 어떤 음식은 신성하다고 해서 섭취가 제한되고, 어떤 음식은 그렇지 않다. 도대체 왜? 레비스트로스는 사람들은 단백질을 찾아다니지도 독성 음식을 피하지도 않으며, 우리가 특정 음식을 금기시하는 요인은 식이요법도 식도락도 아니라는 사실을 발견했다. 인류학자 메리 더글러스Mary Douglas는 《상품의 세계*The World of Goods*》에서 이렇게 설명했다. "어떤 동물이 금기시된 이유는 그 동물이 사유思惟하기에 좋아서이지 먹기 좋아서가 아니다."

그렇다면 이 말이 의미하는 것은 무엇이고 또 그것은 왜 참일까? 존 버거는 그의 저서 《본다는 것의 의미*About Looking*》에서 다음과 같은 유명한 말을 했다. "인간과 동물 사이의 본질적인 관계는 은유적이었다. 이 관계 안에서 인간과 동물이라는 두 용어가 공통으로 공유하는 것을 통해 둘을 구분 짓는 것이 무엇인지 드러났다." 이 설명은 레비스트로스에게 중요했는데, 그는 자신의 연구 주제에 대해 선배들과는 다른 믿음을 갖고 있었기 때문이다. 다시 말해 그는 원시사회의 인간이 단지 '원시적'이라는 이유만으로 아둔했다고 믿지 않았다. 그는 원시사회의 인간들도 우리와 다를 바 없이 인간 존재의 의미에 대해 골몰했을 거라고 생각했다. 또한 레비스트로스는 원시사회의 인간들이 동물을 통해 문제의 해답을 얻었던 만큼, 동물은 사유하기에 좋은 대상이라고 믿었다. 동물은 우리 자신에 대해 생각할 거리를 던져준 존재였다. 동물은 인간이 비교하게 된 최초의 근거였으며, 이런 점은 동물과 닮았고 저런 점은 닮지 않았으며 인간이란 모름지기 이러저러해야 한다는 식으로 인간이라는 종을 정의하기 위한 최초의 수단이 되었다. 그리고 우리가 일상생활에서 무언가를 사유하기 위해 특정 동물을 이용하는 시간이 많아질수록 그 동물이 금기시되는 영역이 차츰 확대되어 마침내 식탁에 오르는 것이 금지되었다.

이런 식으로 '동물을 사유하는 것'은 하찮은 움직임이 아니었다. 이것은 상징적인 사고, 놀라운 발전의 시작이었다. 올더스 헉슬리는 그 이유를 다음과 같이 설명한다.

인간은 동시에 두 세계에 사는 양서류다. 하나의 세계는 기존의 만들어진 세계, 물질과 생명과 의식의 세계이며, 또 하나의 세계는 상징의 세계다. 우리는 사고할 때 언어적, 수학적, 회화적, 음악적, 제의적 등등의 굉장히 다양한 상징체계를 이용한다. 이런 상징체계가 없다면, 우리는 예술도, 과학도, 법도, 철학도 가질 수 없으며 문명의 기초조차 이룰 수 없다. 다시 말해 우리는 동물이 될 수밖에 없다.

그러나 헉슬리는 우리의 변화가 변형보다는 확대에 더 가깝다는 사실도 지적했다.

그 결과, 짐승들이 분노나 욕망이나 공포가 최고조에 달해 미친 듯이 흥분할 때나 짧은 순간 저지를 수 있는 행동을, 인간은 냉혹하게 오랜 기간 동안 두고두고 저지를 수 있게 되었다. 인간은 상징을 이용하고 숭배하기 때문에 이상주의자가 될 수 있고, 이상주의자이기 때문에 동물의 단속적인 탐욕을 로즈(Cecil John Rhodes, 1853~1902, 영국의 정치가로 영국 정부가 추진한 아프리카 종단 정책에 가담한 제국주의자)나 JP모간과 같은 거대한 제국주의로, 약한 대상을 괴롭히면서 느끼는 동물의 단속적인 쾌락을 스탈린주의나 스페인 이단 심문으로, 영역에 대한 동물의 단속적인 애착을 국수주의라는 계획된 광란으로 완전히 바꾸어놓았다.

이 같은 확대의 과정은 초현실적인 것을 초자연적인 것으로 변화시키는 데 한몫했다. 오늘날 우리는 동물의 행동을 전부 이해하지는 못하지만, 우리가 수렵채집인이었던 시절엔 그 행동을 이해하는 것이 식탁에 올릴 거리를 찾는 데 대단히 중요했으며, 따라서 많은 시간을 동물의 행동에 대해 생각하며 보냈다. 또한 인간은 상징을 확대시키는 습성이 있어, 하나의 추상적인 개념은 또 다른 추상적인 개념으로 이어졌고, 세속적인 것은 신성한 것이 되었다. 그리고 아마도 이와 같은 일련의 추상적 개념들이 우리에게 적용되길 바랐을 것이다. 우리는 동물과 다르며, 그렇기 때문에 동물은 초현실적인 것과 관련이 있다. 그러나 우리는 또한 동물과 유사하며, 그렇기 때문에 어쩌면 우리 역시 초현실적인 것과 관련이 있는지도 모른다. 이렇게 동물은 우리 인간들도 신성하게 느끼게 해주므로 동물은 신성하다.

이게 왜 좋은 일일까? 우리는 언젠가 죽을 거라는 걸 알기 때문이고, 이 사실은 대부분의 인간에게 문제가 되기 때문이다. 많은 사상가들은 언젠가 죽을 운명임을 알고 있다는 사실이 인간과 동물의 주된 차이라고 여겼으며, 이것을 **인간의 조건**으로 간주한 이유도 그래서다. 이 문제를 해결하는 것 — 언젠가는 반드시 죽는다는 공포를 통제하는 것 — 은 인간의 가장 강력한 생물학적 욕구 가운데 하나로서, 많은 과학자들은 이 조건을 해결할 필요가 있음을 입증해왔다. 1973년에 어니스트 베커(Ernest Becker, 1924~1974, 영국의 문화인류학자)는 죽음의 부정이 모든 인간 행동의 기본적인 동기부여, 즉 사회의 기초인 동시에 애초에 우리가 사회를 만든 이유라고 주장해 퓰리처상을 수상했다. 많은 과학자들은 또 이 조건을 해결하는 방법은 딱 하나, 유한한 자아를 무한한 타자에 소속되게 하는 것이라고 지적했다. 많은 사람들은 이것이 바로 종교의 기원이자 목적인, 죽음에 대한 공포를 해결하는 방법이라고 믿는다.

유대교와 기독교는 영혼의 매개체를 통해 언젠가 죽을 운명인 현생의 인간을 영원불멸인 내생의 존재와 연결시킴으로써 이 문제를 해결한다. 동양의 종교들은 이와 정반대로 접근한다. 즉, 죽음은 환영이며 우리는 무한한 경험을 맛보는 유한한 존재라는 것이다. 더 오래된 전략들도 있다. 작가 테드 앤드루스Ted Andrews가 이 주제에 관한 그의 기발한 개론서 《동물이 말한다: 크고 작은 모든 창조물의 영적이고 마법적인 힘*Animals Speak: The Spiritual and Magical Powers of Creatures Great and Small*》에서 설명했듯이, 고대인들은 동물의 존재를 잘 이해하지 못했기 때문에, 동물을 설명할 수 있는 있는 세계와 설명할 수 없는 세계 사이를 배회하고, 자연과 초자연 사이의 가교 역할을 하며, [우리] 자신의 생활 … 환경 안에서 양쪽의 실재를 일깨우는 경계적인 존재로 간주했다. 동물은 많은 측면에서 인간과 닮았기 때문에, 어쩌면 인간들 역시 양쪽 세계를 배회하는, 죽음을 받아들여야 하는 존재이자 영원불멸의 존재일지 모른다. 그런 측면에서 동물은 우리가 앞서 언급한 최초의 전략, 아주 잊히지는 않았지만 거의 잊힌 원시적인 전략, 죽음을 부인하기 위한 효과적인 전략이다. 그리고 어쩌면 이것은 우리가 여전히 동물을 신성하다고 생각하는 이유이고, 또 어쩌면 우리 내면의 어느 한 부분에서 동물의 신성성을 기억하는 이유일지도 모른다.

8

거울 신경세포

대부분 눈으로 볼 수조차 없는데도,
이게 우주려니 여기면서 이 안에 살고 있다고 생각하면
조금 억울하다.

– 빌 브라이슨(Bill Bryson)

나는 신성함에 대해 깊이 숙고하는 것 외에, 두 번째 가을의 대부분을 큰 개들을 지치게 만드는 데 보냈다. 아무리 애를 써도 결국 제자리였지만 그걸 깨닫기까지 한참의 시간이 걸렸다. 처음엔 주로 체력에 대해서였다. 이고르는 강바닥 벽을 타고 수도 없이 오르락내리락하며 달리는 법을 배우더니 나중엔 도무지 멈출 생각을 하지 않았다. 그는 이내 완만한 곡선에 숙달한 뒤 완전히 일직선으로 경사진 곳으로 이동했고, 이젠 작은 협곡 양쪽 비탈을 한달음에 달리는 법을 익히려고 안간힘을 쓰고 있었다. 비탈이 너무 가팔라 달리기 힘들면, 이고르는 꼭대기까지 캣 리프(cat-leap, 달려가서 손과 발을 이용해 벽에 매달리는 동작)를 시도하곤 했다. 하지만 대부분의 불테리어들과 마찬가지로, 이고르는 어려운 나눗셈이 불가능한 것만큼이나 캣 리프에 젬병이었다. 반면에 벨라는 무엇이든 시도만 했다 하면 거의 성공했고, 그 바람에 이고르는 잔뜩 약이 올랐다.

종종 이고르가 따라 할 수 없는 꽤 어려운 묘기를 벨라가 선보일 때면, 이고르는 아예 자취를 감추곤 했다. 그럴 땐 내가 이고르를 아무리 불러도 그는 모습을 나타내려 하지 않았다. 어느 날, 나는 이고르를 더 이상 부르지 않고 대신 그가 뭘 하고 있는지 알아보기로 마음먹었다. 그런데 세상에, 이고르는 다른 절벽에서 벨라의 동작을 흉내 내며 열심히 연습을 하고 있는 게 아닌가. 그날 벨라는 마치 스파이더맨처럼 절벽 기어오르기를 했었다. 벨라는 작은 협곡 비탈 위를 달려가 튀어나온 바위에 도착했다. 그런 다음 이 바위를 도약대 삼아 협곡을 가로질러 온몸을 날린 다음, 공중에서 멋지게 반 비틀기를 시행해 건너편 바닥에 앞발을 착지했다.

이고르는 최선을 다해 연습했지만 그가 보여주고 싶은 최고의 모습은 스파이더맨이 아니었다. 이고르는 벽 위를 올라 옆으로 쏜살같이 달렸고, 그러는 동안 발을 헛딛기도 하고 부딪치기도 하면서 몇 차례 힘들게 안간힘을 쓰고 나서야 마침내 그럴듯하게 해냈다. 이고르가 이런 연습 과정을 굳이 숨기려 하는 이유를 설명해주는 기본적인 과학 이론이 있다. 조금이라도 약한 모습을 보이는 것은 무리의 서열에서 뒤처지기 딱 좋은 조건이라는 식의 주장이 대세인데, 개들이 한쪽 발을 다칠 경우 다리를 절뚝거리는 걸 감추려 애쓰는 모습을 자주 목격하게 되는 현상과 일맥상통할 것이다. 그렇지만 이고르의 경우는 순전히 창피해서 그랬을 거라고 생각한다. 이고르는 좀 얼뜬 데가 있었다. 그는 수시로 크게 넘어졌다. 그러니 몰래 연습하고 싶은 마음도 충분히 이해할 수 있을 것 같았다.

그런데 버킷이 이고르가 숨어 있는 이유를 알아채고 자기도 벽 위로 뛰어 올라가려고 낑낑대기 시작하자 이고르는 창피한 감정을 서서히 잊기 시작했다. 버킷은 작고 땅딸막해서 외바퀴 손수레만큼이나 공기 역학적이다. 이제 이곳에서는 '다섯 마리 개들의 운동 시간'이 잠시 '태양의 서커스단Cirque du Soleil 불합격자들의 시간'이 되었다. 그리고 이고르는 이곳에서 자기만 얼뜬 게 아니라는 걸 알게 되자, 더 이상 노력을 감추려 하지 않았다. 벨라는 공중제비를 선보이려 했고, 이고르와 버킷은 이후 하이킹을 하는 내내 여기저기에서 넘어져가며 요령을 배우려 애쓰고 있었다.

1976년 침팬지 연구원 심슨M.J. Simpson은 붉은털원숭이에게서도 이와 유사한 모습을 목격했다. 그는 붉은털원숭이들이 나무의 가지와 가지 사이를 건너뛰는 어려운 동작을 연습하는 것에 주목했는데, 가지의 크기, 도약 거리, 건너뛰는 방식에 어찌나 자주 변화를 주던지, 심슨은 각각의 과정을 '프로젝트'라고 칭하게 될 정도였다. 해양 생물학자 캐런 프라이어Karen Pryor도 돌고래들에게서 같은 행태를 관찰했다. "나는 돌고래가 미적으로 힘든 재주에 숙달하기 위해 노력하는 모습을 보아왔다. 그들은 한 가지 재주를 확실히 익힐 때까지 '상으로 주는 생선'조차 거부했다." 그러나 내가 목격한 것은 어려운 재주를 숙달하는 것 이상이었다. 내가 행동주의 심리학자 퍼트리샤 매코널Patricia McConnell에게 전화를 걸었을 때 그녀가 내게 했던 말처럼, 그것은 '상당히 높은 수준의 모방 행동'이었다.

나는 이것에 관해 비디오테이프에 녹화해보라는 조언도 들었다. "사람들이 당신 말을 믿을 수 있게 말이에요."

"그게 무슨 말씀인가요?" 내가 매코널에게 물었다.

"당신이 이야기한 내용들 말이에요. 많은 사람들은 그런 게 가능하다고 생각하지 않거든요."

대부분의 사람들이 개들은 모방이 불가능하다고 믿는데, 그런 믿음이 시작된 건 개를 집에서 기르면서부터다. 동물의 가축화는 곧 뇌신경 축소로 이어지기 때문에 — 가축화된 동물들은 뇌의 크기가 줄어든다 — 동물의 원래 지능보다 둔해진다고 여겨져왔다. 가령 개들의 조상은 늑대이므로, 우리는 개가 늑대보다 아둔하다고 짐작했다. 얼마나 아둔해졌느냐는 논란의 여지가 있지만, 대부분의 연구원들은 가축화된 과정에서 잃어버린 많은 특징들 가운데 모방 행동을 가장 중요한 특징으로 꼽는다.

1980년대에는 이 가정이 확신으로 바뀌었다. 당시 과학자들은 인간이 걸쇠에 의해 잠긴 문을 여는 광경을 한 차례 본 다음부터 늑대도 똑같이 문을 열 줄 알게 됐지만, 반면에 개들은 문을 여는 광경을 여러 차례 반복해서 보았으면서도 여전히 혼란스러워했다는 사실을 발견했다. 그런데 이 실험의 어떤 부분이 헝가리의 동물행동학자 빌모시 차니Vilmos Csányi를 계속 신경 쓰이게 했다. 차니도 여러 마리의 개를 키웠다. 그가 키우는 개들은 걸쇠에 잠긴 문을 열 줄 알 정도로 영리했던 모양이다. 그는 실험에 참여했던 개들이 단지 세련되게 행동하지 못했을 뿐, 사실은 문을 열어도 좋다는 주인의 허락을 기다리느라 문을 열지 않았던 것이 아닐까, 하는 의심을 하기 시작했다.

1997년 차니는 부다페스트의 외트뵈시 로란드 대학교 팀과 함께 이 사실을 밝혀내기 위해 연구를 시작했다. 첫 번째 실험에서 한 무리의 개들은 음식이 가득 담긴 접시에 닿으려면 긴 손잡이를 잡아당겨야 했다. 첫 번째 시도가 진행되는 동안, 주인의 집 안에 들어가는 것이 허용되었던 개들은 늘 집 밖에서 지낸 개들보다 더 나쁜 결과를 얻었다. 그러나 두 번째 시도에서 모든 주인들이 자기 개에게 음식에 가까이 가도 좋다고 허락하자, 이 차이가 사라졌다. 이 결과를 통해 차니는 어쩌면 개는 늑대보다 아둔한 게 아니라, 단지 인간의 요구에 더 잘 대응했을 뿐인지도 모른다고 생각했다.

이후 차니는 몇 년에 걸쳐 다른 종류의 모방 행동을 지켜보았다. 그는 거의 훈련을 받지 않은 개들이 고개를 숙여 인사를 하거나, 방주위를 움직이거나, 원을 그리며 달리거나, 손[앞발]을 흔들거나, 두 지점 사이의 최단 거리를 찾거나, 심지어 공을 발사하는 장치를 작동하는 등 인간을 똑같이 따라 할 수 있다는 사실을 발견했다. 뿐만 아니라 가리키고, 고개를 끄덕이고, 응시하는 인간의 행동이 의미하는 바를 이해할 줄 안다는 사실도 발견했다. 이 세 가지는 침팬지들이 거의 이해하기 힘든 것들이다. 최근에 그는 처음 시도했던 늑대 실험을 변형시켜 실험을 재개했다. 개의 새끼들과 늑대의 새끼들을 석 달 동안 동일한 환경에서 키운 다음, 밧줄을 잡아당기면 방 안에 있던 조련사들이 고깃덩어리를 내보내주도록 했다. 개와 늑대들 모두 이 문제를 재빨리 해결했다. 이제 밧줄을 묶어놓아, 고기를 얻기 위해 밧줄을 잡아당기는 것이 불가능하게 만들었다. 개들은 몇 차례 시도하다가 실패하자, 도움을 청하기 위해 인간을 쳐다보았다. 늑대들은 인간에게 신경 쓰지 않고 지칠 때까지 밧줄을 잡아당겼다.

차니는 이것이 늑대와 달리 개에게는 인간에게 주의를 기울일 줄 아는 선천적인 능력이, 서로 다른 종끼리 수천 년간 협력하고 소통하면서 형성된 이 능력이 내재되어 있다는 증거라고 믿는다. UCLA의 정신의학 및 생물행동과학 교수인 마르코 야코보니Marco Iacoboni는 이같이 말한다. "이 견해는 다소 혁명적이다. 19세기의 모든 훌륭한 자연주의자들은 동물이 모방을 통해 학습한다고 믿었다. 그러나 실험실에서 실제로 모방 행동을 관찰하기 힘들었다. 이 때문에 행동주의 심리학이 지배하게 된 20세기에는 그에 대한 반발이 거셌다. 과학자들은 거의 노골적으로 그 가능성을 무시했다.

그러나 연구원들이 두뇌 안에 모방을 담당하는 영역이 있다는 사실을 발견하면서, 이 문제가 노골적으로 묵살당하는 사태는 면하게 됐다. 이는 1995년, 자코모 리촐라티Giacomo Rizzolatti라는 신경과학자와 이탈리아 파르마 대학교 팀이 움켜쥐는 능력, 다시 말해 야코보니가 한때 기자들에게 말한, "문손잡이를 돌리지 않고 집을 나가려고 시도해보기 전까지는 그 중요성을 알지 못할" 행동을 연구한 덕분이었다. 리촐라티는 짧은꼬리원숭이의 전두엽에 장치를 연결해, 원숭이가 물체를 잡으려고 손을 뻗을 때마다 모니터가 뇌의 발화 패턴을 기록하도록 했다. 그러던 어느 날, 한 대학원생이 아이스크림콘을 들고 실험실에 들렀다. 짧은꼬리원숭이는 아이스크림을 빤히 응시했다. 학생이 아이스크림을 핥으려고 들어 올리자, 마치 원숭이가 아이스크림을 들기라도 한 것처럼 모니터가 정신없이 기록을 해대기 시작했다. 하지만 원숭이는 손가락 하나 까딱하지 않았다. 단지 움직여야겠다고 생각만 했을 뿐이다.

리촐라티는 동물이 특정한 움직임을 행할 때, 그리고 다른 동물이 그와 똑같은 움직임을 행하는 걸 볼 때, 새로운 종류의 신경세포가 발화된다는 사실을 발견했다. 이 신경세포는 이 다른 동물의 행동을 거울을 비추듯이 반영한다고 해서 '거울 신경세포mirror neurons'라는 이름을 얻었다. 그 후 과학자들은 원숭이의 거울 신경세포보다 더 영리하고, 더 유연하며, 더 발달했을 뿐 인간에게도 거울 신경세포가 있다는 사실을 발견했다. 그리고 이후 다른 영장류와 코끼리, 돌고래, 개, 새에게도 거울 신경세포를 발견했으며, 지금은 모든 포유류에게 이 신경세포가 있다는 사실이 이론화되고 있다.

샌디에이고에 있는 캘리포니아 대학교의 뇌와 인지기능 센터 학장인 라마찬드란V. S. Ramachandran에 따르면, 거울 신경세포에 대한 지식은 흉내 내기를 훨씬 뛰어넘는 이해의 근거를 제공한다. 그는 Edge.com에 기고한 글에서 "'독심술', 공감 능력, 모방, 학습, 심지어 언어의 진화까지도" 전부 거울 신경세포에 의해 설명될 수 있다고 주장했다. "다른 사람이 무언가를 하는 모습(심지어 무언가를 하려고 시작하는 모습)을 볼 때마다 이에 상응하는 거울 신경세포가 우리 뇌에 발화하고, 그렇게 함으로써 다른 사람의 의도를 '읽고' 이해할 수 있으며, 따라서 정교한 '여러 마음 이론'을 전개할 수 있게 한다." 다른 사람의 마음을 읽는 능력, 즉 다른 사람의 입장에 서보는 능력은 공감을 위해 기본적으로 필요한 요건이다. 거울 신경세포가 뇌의 공감 능력을 촉진하는 것으로 보인다고 해서, 라마찬드란은 이 신경세포를 '달라이라마 신경세포' 혹은 '간디 신경세포'라고도 부르는데 최근 《뉴요커*New Yorker*》 지를 통해 "이 신경세포들이 당신과 나 사이의 장벽을 허물어주기 때문"이라고 이유를 설명했다.

이제 우리는 다른 종들 사이에 놓인 다리도 이와 똑같은 방식으로 건널 수 있다는 걸 알 수 있을 것이다. 2009년 8월, 미국 아동보건 및 인간발달 연구소National Institute of Child Health and Human Development의 연구원, 안니카 포크너Annika Paukner는 인간과 흰목꼬리감는원숭이 — 높은 수준의 사회성으로 인해 선택되었다 — 에게 위플볼(wiffle ball, 구멍을 뚫어 멀리 날지 못하게 만든 플라스틱 공)을 주고 놀게 했다. 원숭이들은 공을 받은 다음 공을 손가락으로 찔러보기도 하고, 딱딱한 표면에 쳐보기도 하고, 입에 넣어보기도 했다. 이때 두 인간 연구원이 원숭이들과 함께 앉았다. 한 사람은 원숭이들이 공을 찌르거나 입에 넣거나 표면에 탕탕 칠 때마다 자기도 그들의 행동을 흉내 낸 반면, 다른 한 사람은 원숭이가 공을 표면에 대고 치면 그는 공을 입에 넣는 식으로 일부러 원숭이와 다른 행동을 보였다. 나중에 원숭이들은 자기들을 똑같이 흉내 낸 연구원과 어울리고 싶어 한 반면, 자기들과 다른 행동을 보인 연구원과는 어울리지 않았다. 두 번째 과제에서 원숭이들은 먹을 것으로 교환할 수 있는 토큰을 받았다. 음식은 두 연구원들이 보관하고 있었는데, 원숭이들은 자기들 행동을 모방했던 연구원과 토큰을 바꾸려고 계속해서 시도하는 반면, 다른 연구원은 무시해버렸다. 이상의 모든 결과를 통해 인간의 경우에서와 마찬가지로 동물들도 유대감을 형성하기 위한 방법으로 행동을 일치시키려 한다는 걸 알 수 있다.

개의 거울 신경세포가 얼마나 정교한지는 여전히 의문이지만, 다른 모든 것들이 그렇듯이 거울 신경세포도 훈련을 거듭할수록 점차 강화된다. 우리 개들 역시 서로를 모방하게 되면서 그들의 거울 신경세포 체계도 점차 강해졌다. 더불어 다리도 더 튼튼해지고 더 빨라져서 이제는 협곡 벽쯤이야 한달음에 달릴 수 있을 정도가 됐고, 나중엔 고작 강바닥 정도는 머무르려고도 하지 않았다. 나는 입으로 백날 잔소리하는 것도 지쳐서 녀석들을 훈련시키기 시작했다.

이제 우리의 달리기는 선두를 따라가는 거대한 경기가 되었지만, 속도만 엄청나게 지체될 뿐이었다. 버킷은 자기가 좋아하는 작은 협곡의 낮고 완만한 만곡부만 가려고 하고, 이고르는 협곡 벽으로 이루어진 스케이트보드 장으로만 향했으며, 벨라는 어딜 가든지 그저 곧장 앞으로만 가려고 했다. 나는 수차례 엎드려야 했다. 흙이 부드러워서 가능했다. 흙은 부드럽고 점성이 있어서 쉽게 파였는데, 덕분에 급하게 방향을 돌릴 수가 있었다. 우리 개들은 마치 늑대마냥 똘똘 무리 지어 달렸기 때문에, 이렇게 갑자기 방향을 확 돌리는 지점들이 필요했다. 바른 자세로 서서 그들이 어디에 있는지 주의를 기울이기란 불가능했으며, 그렇다고 그들이 어디에 있든 말든 무시하다간 어떤 위험한 일이 일어날지 몰랐다. "개들과 함께 지내면서 느낄 수 있는 즐거움 가운데 하나는, 원시적인 무리 생활로 돌아가는 의식에 함께 참여하고 있다는 느낌이다." 제프리 메이슨은 그의 저서 《개의 사랑에는 거짓이 없다》에서 이같이 말했다. 맞는 말이다. 어느 날 우리가 가파른 절벽을 내려오고 있는데 이고르가 내 앞을 가로막았다. 나는 이고르의 몸에 걸려 넘어졌고, 이고르는 내 몸에 부딪쳐 굴러 떨어졌으며, 벨라는 우리 몸뚱이 위로 떨어졌다. 우리는 한데 뒤엉킨 채 재주넘기를 하며 바위를 지나 선인장 속으로 데굴데굴 굴렀다. 그리고 이 모든 걸 함께한 덕분에 다 같이 즐거움을 누릴 수 있었다.

그런데 잠시 후 정신을 차리고 정황을 살펴보니, 아무도 실수로 걸려 넘어지지 않았다. 아무도 잘못해서 굴러 떨어지지 않았다. 우리는 개개의 독립체라기보다 하나의 근사한 혼합체가 되어, 서로에게 완벽하게 맞추어서 움직였던 것이다. 어쩌면 우리의 거울 신경세포가 작동한 것인지도 몰랐다. 어쩌면 아주 오래전 습성들이 겉으로 드러난 것인지도 몰랐다. 심리학자 융은 '인간의 원형적 과거에서부터 전해 내려온 기억의 숨은 흔적들을 저장한 곳'을 설명하기 위해 **집단 무의식**이라는 용어를 사용했다. 그리고 이후 '선행 인류pre-human나 동물의 조상까지' 포함해 종의 경계를 넘어서 이 정의를 확대했다. 그리고 나는 정확히 어디에 가야 집단 무의식을 발견할 수 있는지 확신한 적이 없었던 반면, 개들은 그 길을 틀림없이 알고 있는 것 같은 순간이 제법 여러 번 있었다.

어느 날 우리는 세로로 홈이 파인 절벽 위 산등성이를 달리고 있었다. 벨라가 선두에 섰고 버킷이 그다음, 그다음이 나, 그리고 이고르가 후미를 맡았다. 벨라가 1미터 아래 바위 턱에 뛰어내리는 바람에 절벽 홈에 붙어 있던 돌이 떨어져 약 10미터 아래 강바닥을 맞혔다. 그러자 버킷이 벨라를 따라 했고, 나는 버킷을 따라 했다. 그런데 내가 바닥에 내려온 순간, 흙과 돌멩이들이 내 머리 위로 우수수 쏟아지기 시작했다. 고개를 들어 보니 이고르가 굉장히 가파른 다른 길 위에 서 있었다. 이고르는 주르륵 미끄러졌지만, 앞발은 절벽의 한쪽 홈에 뒷발은 다른 쪽 홈에 끼워 넣어 온몸을 쭉 뻗고서 떨어지지 않으려고 안간힘을 쓰고 있었다. 하지만 홈과 홈 사이가 점점 벌어졌고, 그럴수록 이고르는 점점 아래로 내려왔다. 내 자리에서 똑바로 올려다 보니, 이고르가 버티기에는 홈과 홈 사이가 상당히 벌어져 있었다. 결국 이고르는 지면에서 약 4미터 아래까지 내려오다가 마침내 수직으로 뚝 떨어졌다. 어떻게 그럴 수 있었는지 모르겠지만, 그 순간 나는 일분일초도 망설이지 않고 두 팔을 내밀어 침착하게 이고르를 받았다. 내가 개들에게 배운 건 이런 거다. 개들은 나에게 때로는 심층 생태학을 가르쳐주고, 때로는 뚱뚱이와 홀쭉이처럼 어울리지 않는 것 같으면서도 죽이 척척 맞는 우정을 가르쳐준다.

심층 생태주의deep ecology는 1972년, 노르웨이의 생태철학자 아르네 네스Arne Næss가 인간 중심주의로부터 완전히 벗어난 세계관과 개구호 활동의 기초를 이루는 환경에 관한 에토스 — 그는 이것을 '생태철학ecosophy'이라고 불렀다 — 를 설명하기 위해 만들어낸 용어이다. 이 생태철학은 모든 종은 인류에 대한 유용성으로는 가치를 판단할 수 없는 본질적인 가치를 지니고 있다는 중심 사상을 기반으로 한다. 이것은 **생물 평등주의**biotic egalitarianism라는 철학으로, 네스는 "생존을 위한 모든 형태의 권리는 수량화할 수 없는 보편적인 권리이다. 살아 있는 존재인 그 어떤 종도 생존할 권리, 삶을 전개할 권리인 이 특정한 권리를 다른 종들보다 더 누릴 수는 없다"라고 말한다.

심층 생태주의가 '심층적'인 이유는 이 세계에서 인간이라는 종이 차지하는 위치에 대해 날카롭게 질문을 던지도록 강요하기 때문이다. 우리는 누구인가? 우리는 왜 여기에 있는가? 어떻게 해야 제대로 살 수 있는가? 오늘날 우리는 인간을 자연의 관리자 내지 자연의 주인으로 환경과 분리된 존재로 보고 있지만, 네스는 우리 자신을 자연의 일부로서 다른 종과 다르지 않은 존재로 똑똑히 인식해야 한다고 생각한다. 툴레인 대학교의 철학 교수 마이클 지머먼Michael Zimmerman은 이와 관련해 다음과 같이 주장한다. "우리는 우리의 자아나 직계 가족들과 동일시하는 대신 나무와 동물, 식물, 사실상 모든 생태권과 동일시하는 법을 배우게 될 것이다. 그러기 위해서는 상당히 급진적인 인식의 변화가 필요하겠지만, 그로 인해 우리의 행동은 과학이 이야기하는 지구상 모든 생명체의 행복을 위해 필요한 것에 더욱 일치하게 될 것이다. 우리는 스스로 제 손가락을 자르지 않는 것처럼, 이 행성에 해가 되는 어떠한 짓도 하지 않을 것이다." 그리고 네스의 주장대로 "이것은 우리 자신의 일부로서 환경을 보호해야 한다는, 세계를 바라보는 하나의 시각이다"라고 말한다.

심층 생태학은 인간을 '지구의 위에 있는 존재'가 아닌 '지구의 일부인 존재'로 위치시키며, 따라서 데카르트 논리에 대한 가장 완전한 해결 방법으로 여겨진다. 특별한 경우라는 건 없기 때문에 인간이라고 특별한 경우가 될 수는 없다. 모든 생명체는 서로 관련되고, 연결되며, 궁극적으로 하나이기 때문에 — 그리고 이것은 심층 생태학의 또 하나의 핵심 견해이다 — 모든 생명체는 모든 생명체의 건강과 행복에 책임이 있다. 이러한 이유로, 심층 생태학자들은 예컨대 재활용처럼 환경을 위한 단기적인 해법에 찬성하지 않으며, 그보다는 심층 생태주의 재단Foundation for Deep Ecology의 문헌에 언급된 것처럼 '생태학적, 문화적으로 다양한 자연 분류 방식을 올바르게 보존하기 위한 가치와 방법'을 바탕으로 완벽하게 재설계된 사회를 선호한다. 우주론자이며 문화 역사학자인 토머스 베리Thomas Berry는 그의 에세이 〈생존 가능한 인간The Viable Human〉에서 이에 대해 좀 더 자세히 설명한다. "이 윤리는 자동차 생산을 늘리는 방식에 대해 걱정하기보다 고속도로, 도로, 주차장을 굳이 파괴하지 않고도 인간의 기동성을 해결하는 문제에 관심을 둘 것이다."

조이는 다른 구호자들로부터 하루에 4백 통 이상의 이메일을 받는다. 하나같이 개의 성격 묘사, 배경 이야기, 최근의 건강 상태를 언급하며 제발 도와달라고 간청하는데, 가장 심한 경우 사망하기 직전인 개의 사진까지 첨부하기도 한다. 미국 동물학대방지협회 같은 조직이 설립된 이후 백여 년 이상 인간은, 외부에서는 목줄을 채워야 한다는 규칙, 개 소유 면허증, 공공 인식 캠페인 같은 단기적인 해결책과 더불어 동물의 행복에 대한 문제를 해결하기 위해 노력해왔다. 그렇지만 어느 것 하나 크게 효과를 본 것은 없었다. 미국에서만 여전히 해마다 수백만 마리의 개들이 안락사로 죽어가는 마당에, 전 세계를 놓고 보면 더 이상 말할 게 뭐가 있겠는가. 대부분의 구호자들은 대부분의 인간이 아이들을 가엾게 여기는 것과 거의 똑같은 마음으로 개들을 가엾게 여기므로, 이런 '이메일 문제'를 처리하는 것은 구호자들이 심층 생태학을 선호하는 한 가지 이유이다.

또 다른 이유는 과학적이다. 만물이 서로 연결되어 있음을 강조하는 대부분의 철학들은 본질적으로 영적이며, 따라서 신앙의 도약을 지속적으로 필요로 한다. 그러나 심층 생태학은 사실에 입각한 통찰력을 기반으로 한다. 따라서 네스의 사고는 노자의 《도덕경》에서부터 알도 레오폴드의 땅의 윤리학에 이르는 모든 내용의 최신판으로 여겨지며, 가장 결정적인 영향을 미친 사례는 화성에 관한 연구였다.

1962년, 미국 항공우주국NASA은 어떤 어려운 문제를 해결하기 위해 과학자 제임스 러브록James Lovelock을 고용했다. 항공우주국은 붉은 행성(Red Planet, 화성의 속칭)에 생명체가 있는지 발견할 수 있는 간단한 방법이 필요했다. 러브록은 생화학자의 포괄적인 접근법을 취했다. 생명체는 화학적 반응을 요구한다. 우리는 공기를 들이마시고 이산화탄소를 내뿜는다. 러브록은 화성에 생명체가 없다면 이 행성의 대기권에 이러한 반응들이 나타나지 않을 거라고 추론했다. 다시 말해 화학평형 상태에서는 반응이 안정적일 것으로 가정했으며, 나중에 우주 탐사선 보이저 1호와 2호를 통해 이 사실이 확인되었다. 반면 지구에서는 생명체가 화학평형에 현저한 영향을 미칠 터이므로 지구의 대기권은 엄청나게 불안정할 것으로 가정했다. 그러나 그렇지 않다는 사실이 밝혀졌고, 러브록은 이유를 알고자 했다.

지구상 생명체의 섬세한 균형이 어떻게 이토록 잘 유지될 수 있을까? 실제 지구 대기의 화학적 결합은 매우 독특하고 도무지 가능할 것 같지 않지만, 전체 시스템은 완벽하게 굴러가고 있으며 묘하게도 스스로 조절을 할 줄 안다. 러브록은 이 항상성의 예를 모든 곳에서 발견했다. 지구의 기온은 3억여 년 동안 거의 일정하게 유지되었지만, 같은 기간 태양의 화력은 30 내지 40퍼센트까지 증가되어왔다. 그리고 모든 상태는 안정이 깨지는 방향으로 흐른다고 주장하는 엔트로피 법칙, 즉 열역학 제2법칙에도 불구하고 지구의 대기권에 포함되어 있는 화학물질과 해양의 염분 또한 안정적으로 유지되어왔다.

러브록은 이처럼 자기 규제 시스템이 작동하는 데에는 그럴 만한 충분한 이유가 있을지 모른다고 판단하고, 먼저 학술지 논문과 이후 1979년 그의 저서 《가이아 : 살아 있는 생명체로서의 지구*Gaia: A New Look at Life on Earth*》에서 그 이유를 설명했다. "고래에서 바이러스, 참나무에서 해조류에 이르기까지, 지구상에 존재하는 모든 범위의 생명체는, 지구 전체의 요구에 적합하도록 지구의 대기권을 조절할 줄 알고 대기권의 구성 요소들을 능가하는 기능과 능력을 부여받은, 살아 있는 단일 실체로 간주될 수 있다." 러브록의 관점에서 지구는 '이 행성의 생명체를 위해 최상의 물리적 화학적 환경을 추구하는' 사이

버네틱 피드백 시스템인 '초유기체super-organism'였다. 러브록은 저자이자 시나리오 작가인 그의 이웃 윌리엄 골드먼William Goldman의 제안으로, 고대 그리스신화에 등장하는 대지의 여신 이름을 본떠 이 시스템을 가이아Gaia라고 불렀다.

그러나 유사종교적인 함축과 순한 공격적인 비난으로, 가이아 이론을 둘러싼 추잡한 전쟁이 오랫동안 이어져왔다. 리처드 도킨스와 스티븐 제이 굴드 같은 영향력 있는 과학자들이 가이아 이론을 비난하는 데 앞장섰다. 반면 도처의 자연을 사랑하는 사람들은 무턱대고 이 이론을 지지했다. 대부분의 동물 구호자들은 오늘날 일단의 최고 과학자들이 그렇듯 이 이론을 매우 가치 있게 여기는 것 같다. 러브록의 연구에 대한 수많은 컴퓨터 모델링과 보완 연구, 일부 오류 수정을 거치면서, 한때 '뉴에이지 컬트'라고 조롱을 당하던 이 이론은 30년이 지난 지금 거의 타당한 이론으로 받아들여지고 있다.

오류를 수정하기 위해, 러브록은 목적론적 언어 — 모든 현상은 어떤 이유가 있어서 일어나며 생명체는 이 이유에 의해 움직인다는 — 의 오점을 모두 걷어내고, 대신 생명체의 정교한 균형은 창발성(emergent property, 부분들의 상호작용에 의해 자발적으로 불시에 만들어지는 예기치 못한 속성)에 의해 이루어진다고 하는 개념을 채택했으며, 이 개념은 훨씬 쉽게 받아들여졌다. 창발성 이론은 한때 카오스 이론 혹은 파국 이론이라고도 하던 복잡성 이론complexity theory에서 비롯되며, 세 이론 모두 시스템이 더욱 복잡해질 때 일관된 패턴을 형성하기 시작한다는 관찰을 중심으로 만들어졌다. 간혹 어느 패턴은 패턴을 이루는 부분들의 총합보다 크고, 어느 땐 훨씬 클 때도 있다. 한 마리 한 마리의 개미 수백만 마리가 모여 집단을 형성하고 공동행동을 하는 것을 한 가지 예로 들 수 있으며, 10억 개의 신경세포들이 협력해 만들어진 점화 패턴으로부터 인간의 의식이 진화된 것을 또 하나의 예로 들 수 있다. 그리고 행성 지구에서 모든 생명체가 모든 생명체를 유지시킨다고 하는 언뜻 믿기 어려운 개념이 세 번째 예가 되지 않을까 싶다.

네스와 그의 지지자들은 심층 생태학을 이론이 아닌 현실에 대한 정확한 묘사이자, 우리가 스스로를 보호하듯 지구를 보호해야 한다는 행동의 요구로 간주한다. 이 철학은 오늘날 환경 운동의 상당 부분과 개 구호 활동이라는 대의의 많은 부분의 근간이 된다. 네스는 이것은 "개를 인간의 즐거움을 위한 수단으로 생각하는 것이 아니라" 오히려 지구의 생명망의 본질적인 일원으로서 다른 생명과 똑같이 소중하게 생각한다는 의미라고 말한다. 그리고 개 구호자들은 종종 의견이 다른 사람들과 부딪치기 마련이므로, 심층 생태학은 그들이 고수하는 중요한 가치이다.

치마요에서 두 번째 가을을 보낼 무렵, 캐런이라고 하는 가까운 친구 한 명이 샌타페이 동물보호소의 환경을 보더니 크게 화를 냈다. 캐런에게는 에런이라는 오빠가 있는데, 에런은 20년 동안 포틀랜드에서 노숙자에 마약 중독자로 살고 있었다. 에런은 헤로인보다 병원 진료가 더 다급해지자, 마침내 여동생 집으로 들어오기로 결심했다. 캐런이 오빠를 데리러 갔을 때, 오리건 주가 노숙자들을 수용하기 위해 마련한 말도 안 되게 형편없는 시설들이 한눈에 들어왔다.

에런이 뉴멕시코 주에 도착한 지 닷새쯤 지난 어느 날, 캐런은 개 한 마리를 입양하면 오빠가 빨리 회복하는 데 도움이 될 거라고 판단했다. 우리 보호소에는 그들에게 맞는 개가 없었기 때문에, 조이는 그들의 선택을 돕기 위해 그들과 함께 샌타페이 보호소로 차를 몰고 갔다. 샌타페이 보호소는 미국의 동물보호소 가운데 그나마 나은 편에 속하는 곳이다. 이곳에는 개들이 가지고 놀 장난감이며 돌아다닐 공간이 확보되어 있을 뿐만 아니라, 개들을 차분하게 유지하기 위해 사육장에 음악도 틀어준다. 그런데 캐런은 이곳 환경을 둘러보더니 노발대발 화를 내는 것이었다. "우리 오빠는 20년 동안 집도 절도 없이 떠돌아다녀도 잠잘 곳 하나 변변히 없었는데, 떠돌이 개 주제에 어떻게 이렇게 좋은 대접을 받을 수 있지?" 캐런은 어려움에 처한 사람이 얼마나 많은데 고작 개를 돕는 데 돈을 쓴다는 건 지나치게 부당한 조치라고, 다시 말해 도저히 납득할 수 없는 일종의 사회의 구조적 실패라고 생각했다. 그리고 하필 조이에게 이 문제를 설명하라고 따졌다. 그러나 대부분의 개 구호자들과 마찬가지로 조이는 생명 평등주의에 찬성했다. 조이는 동물의 생명보다 인간의 생명에 더 특권을 부여하지 않으며 자신의 의견을 감추지도 않는다. 개 구호 활동을 하다가 우정에 금이 간 일이 이번이 처음은 아니다.

아마 이번이 마지막도 아닐 것이다.

우리가 더 이상 이 논쟁을 하지 않으려면, 동물의 가치에 대해 결단을 내려야 한다. 생명 평등주의가 승리하게 하려면, 동물에게도 인간과 똑같은 권리를 부여하려면, 인간의 치료 수준을 개에게 똑같이 적용하는 것을 더 이상 못마땅하게 여기지 않고 우리의 생존을 위해 사투를 벌이듯이 개의 생존을 위해 싸우려면, 데카르트 철학의 유물을 흔적도 없이 없앨 방법을 찾아야 한다. 일각에서는 이것을 윤리학의 문제로 보기도 하지만, 일반적으로 — 최소한 법적인 선례에 따르면 — 해답은 결국 생물학에서 찾게 될 것이다. 다시 말해, 동물이 우리와 유사하다면 동물 역시 스스로의 권리를 가질 수 있지만, 동물이 우리와 다르다면 더 이상 우리가 고민할 필요가 없다.

다트머스 대학교의 뇌공학연구소장 리처드 그레인저Richard Granger는 이 문제를 연구하는 데에, 특히 인간의 두뇌에서 사실상 인간과 동물을 구분하게 하는 영역을 찾는 데에 경력의 대부분의 쏟았다. "우리가 무엇보다 먼저 알아야 할 사실은 인간과 동물의 신경학적 차이라고 해봐야 열 손가락에 꼽을 정도라는 것이다. 그 차이는 대체로 아주 미미하고 하찮으며 일시적인 것에 지나지 않다. 그리고 우리는 모든 기술을 '인간의 특별함'이라는 데카르트식 주제 아래에 두기 때문에, 언어 같은 건 이 차이에 해당도 안 된다."

그레인저에 따르면 인간과 동물의 기술 차이를 설명할 수 있는 것은 뇌의 크기이다. 뇌가 컴퓨터이고, 그래서 인간과 동물이 같은 하드웨어와 같은 소프트웨어를 가지고 있다고 가정할 경우, 우리의 뇌는 더 큰 상자 속에 들어 있을 뿐이다. 상자가 더 크기 때문에 신경세포들끼리 더 복잡하게 관계를 맺을 수 있는 공간이 더 많다. 따라서 뇌의 상호 연결 배선도에 더 많은 연결선을 가질 수 있다. 그리고 이처럼 더 큰 상자와 조금 더 많은 연결선이 우리 인간이 막강한 힘을 발휘할 수 있는 원천이다.

그레인저는 현재 이 막강한 힘들이 발휘되는 지점, 다시 말해 본질적으로 우리가 더 이상 '그들' 되기를 멈추고 '우리' 되기를 시작하는 지점을 분리하려 애쓰고 있으며, 그렇지만 그 지점을 발견하려면 몇 년이 걸릴지 모른다고 솔직하게 인정한다. 그때까지는 유사성을 중심으로 한 견해가 보다 지배적일 텐데, 아마도 이 막강한 힘이라는 것은 그레인저의 주장과 반대 방향에서 문제를 다룰 때 만들어진 개

넘이기 때문일 것이다.

1982년, 캘리포니아 클레어몬트Claremont에 있는 피처 대학교의 인간생태학 교수 폴 셰퍼드Paul Shepard는 상호 연결이라는 심층 생태학의 견해들을 심리학의 영역으로 확장시켰다. 그는 자신의 저서 《자연과 광기*Nature and Madness*》에서 만일 행성 지구와 인류가 본래적으로 깊은 관계 — 러브록이 그의 가이아 이론에 도입하려 했던 종류의 관계 — 를 맺고 있다면, 이런 관계들은 인간의 정신으로 확장될 것이라고 주장하며 그 사례를 보여준다. 이제 그 사례들을 만나보자.

셰퍼드는 뇌는 진화를 거듭하면서 범주화되고, 그로 인해 복잡성이 감소되었다는 견해로부터 출발한다. 그러기 위해 우리의 뇌는 모든 정보를 작은 상자들 속에 집어넣는다. 이 상자 가운데 일부는 생존을 위해 '우리'와 '그들'의 구분이 매우 중요했던 우리의 영장류 조상에 대한 것이다. 이 부분은 언어가 발달하는 과정에서 형성되었는데, 사물에 이름을 부여하려면 먼저 사물을 범주별로 묶는 것이 필요했다. 또한 이 범주들은 우리가 주변에서 보는 대상을 바탕으로 했기 때문에, 초창기 언어는 자연계로 향하는 다리로서의 역할을 했다고 볼 수 있다. 우리는 bat our lashes(눈을 깜박거린다는 의미. bat은 박쥐라는 의미도 있다)라든가 dog tired(몹시 피곤하다는 의미), pack rats(쥐처럼 생긴 북미 서부산의 작은 동물. 쓸데없는 것을 모으는 사람을 이르기도 한다)처럼 집 안을 어지른다는 표현을 지금도 여전히 쓰고 있지만, 더 옛날에는 이런 비유들이 훨씬 많았다. 알파벳 A는 히브리 문자 알레프aleph에서 유래되었으며, 알레프는 '황소'라는 의미의 단어에서 유래된다. A를 거꾸로 돌리면 황소의 머리를 나타내는 상형문자가 되는 것도 그래서다.

셰퍼드는 《타자들*The Others*》에서 이에 대해 자세하게 설명한다.

동물을 기반으로 언어와 관련된 범주가 만들어진 것은 인류 정신 진화의 중심인 동시에 언어의 시작이었다. 자급자족하며 사는 민족들은 오늘날에도 분류군 목록을 지속적으로 열심히 확대하고 확장하는데, 정말이지 이들을 취미 학자 내지 동식물 연구가로 부를 수 있을 정도다. 전 세계 부족민들은 수백 종의 식물과 동물의 이름과 자연사를 알고 있다. 아프리카 누바 족은 40여 종 이상의 메뚜기[생물학자들도 기껏해야 열 종 정도만 알고 있다]와 27가지 종류의 사탕수수[식물학에서는 세 종류로 분류한다]를 식별할 줄 안다. 한 인류학자는 이렇게 말한다. "나는 문자 이전의 사회 두 곳에서 현장 조사를 실시했는데, 내가 볼 때 이곳에서는 생물계에 대한 지식이 모든 형태의 지식의 총합보다 훨씬 많은 양을 차지한다." 그는 원시 부족들은 동식물에 대한 어휘를 평균 1000개에서 1200개 정도 사용하며, 나아가 이처럼 무척 다양한 종류의 유기체들에 정통한 이유가 경제적인 유용성 때문이 아니라는 사실에 주목한다.

셰퍼드는 범주화하는 심리와 그것이 인간의 지능 발달에 어떤 영향을 미치는지에 관심을 가졌다. 그는 언어뿐만 아니라 그 밖에 모든 것들도 자연계를 기반으로 만들어졌다는 사실을 알게 됐다. 인간은 인류 역사의 99퍼센트를 수렵채집인으로 살아왔으며, 이것은 두뇌 전체 구조가 자연계의 발판 위에서 형성되었음을 의미한다. 그렇기 때문에 셰퍼드는 생태계 파괴가 인간의 영적 안정에 미치는 영향에 대해 우려했으며, 특히 우리에게 사고하는 법을 가르친 바로 그것이 사라질 때 어떤 일이 벌어질지 걱정했다.

이 두려움이 새삼스러운 것은 아니다. 150년 전, 인디언 추장 시애틀Chief Seattle도 이와 똑같은 문제를 걱정했다. "짐승이 없는 인간은 어떻게 될까? 짐승이 모두 사라지면 인간은 크나큰 영적 외로움으로 인해 죽어갈 것이다. 짐승에게 일어나는 일은 곧 인간에게도 일어나기 때문이다. 모든 것은 연결되어 있다." 나중에야 우리는 그의 말이 근거 없는 두려움이 아니었음을 알게 된다.

허리케인 카트리나 자문단이 실시한 조사에 따르면, 허리케인 카트리나가 지나간 이후, 해당 지역 거주민들의 정신병 비율이 두 배나 증가했다고 한다. 이와는 반대로 최근 일리노이 대학교의 과학자들은 주의력 결핍 과잉행동 장애를 앓는 어린이들의 경우, 시중에 유통되고 있는 온갖 약물을 복용하는 것보다 20분간의 숲 속 산책이 더 효과적이라는 사실을 발견했다. 심리학자 에리히 프롬은 **자연사랑** biophilia이라는 용어를 처음 사용했는데, 하버드 대학교 사회생물학자 에드워드 윌슨Edward O. Wilson은 '인간이 잠재적으로 추구하는 다른 생명체들과의 관계'를 설명하기 위해 이 용어를 차용했다. 그리고 미국의 언론인이며 작가인 리처드 루브Richard Louv는 십 년 동안 이 주제를 연구한 후, 2005년 저서 《자연에서 멀어진 아이들*Last Child in the Woods*》에서 그의 의견에 동의한다. 루브는 '자연 결핍 장애nature deficit disorder' 라는 용어를 만들어, 자연과의 접촉이 부족한 아이들 — 다시 말해 자연친화적인 본능이 키워지지 않은 아이들 — 이 불안, 우울, 주의력 장애로 고통받는 경향이 훨씬 높은 이유를 설명한다. 그러나 자연과 인간의 마음과의 직접적인 관계를 알고 싶다면, 심리학자 스탠리 코렌이 《사이콜로지 투데이*Psychology Today*》 웹사이트의 2009년 블로그 글에서 지적한 것처럼, 최고의 관찰 대상은 개들이다.

> 개들이 인간 친구들에게 정신적 육체적으로 큰 도움을 줄 수 있으리라는 가능성은 최근 중요한 심리학 연구들의 주제가 되고 있다. …

최근 《심신의학 저널*Journal of Psychosomatic Medicine*》에 발표된 한 연구는, 이러한 효과들이 사실임을 확인했을 뿐만 아니라, 코르티솔과 같은 스트레스 관련 호르몬 수치가 낮아졌음을 입증하는 혈액 내 화학 성분에 변화가 있었음을 보여주었다. 이러한 효과들은 무의식적으로 나온 듯하며, 연구원들은 스트레스를 받은 개인 쪽에서 어떠한 의식적인 노력을 하거나 훈련을 하도록 요구하지 않는다. 아마도 가장 놀라운 일은, 이 긍정적인 심리적 효과들이 스트레스를 완화하는 웬만한 약물을 복용하는 것보다 더 빠르게 — 개와 단지 5분 내지 24시간 상호작용을 한 후에 — 나타난다는 사실이다. 개와 상호작용했을 때 결과와, 스트레스와 우울증을 완화하기 위해 이용되는 프로작이나 자낙스 같은 약물을 복용한 후 결과를 비교해보자. 이런 약물들은 체내의 신경전달물질인 세로토닌의 수치를 변화시키며, 긍정적인 효과가 나타나기까지 몇 주 정도의 시간이 걸릴 수 있다. 더구나 장기간 약물을 복용해서 기껏 효과를 보았더라도 단 몇 차례만 약물 복용을 잊어버리면 도루아미타불이 될 수 있다. 하지만 개를 쓰다듬는 행위는 거의 즉시 효과가 나타나며 언제라도 할 수 있는 일이다. 최근 연구원들은 개를 기르는 60세 이상의 독거노인들을 관찰함으로써 이 연구를 확대했다. 애완동물을 기르지 않는 노인들은 같은 연령의 애완동물을 기르는 노인들보다 임상적으로 우울증을 진단받는 가능성이 네 배 이상 높았다. 또한 이 증거는 애완동물을 기르는 노인들이 의료 서비스를 받아야 할 일이 더 적고 자기 생활에 더욱 만족한다는 사실도 확인시켜주었다.

폴 셰퍼드는 인간의 정신과 자연계 사이에는 본래적이고 밀접한 관련이 있으며, 개들은 인간과 공진화하는 유일한 종으로서 이 자연계와 가장 긴밀한 관계를 맺고 있는지도 모른다는 점을 지적하려는 것 같다. 더불어 우리 인류는 줄곧 함께해온 한 동물 덕분에 먼먼 태고의 시대로 향하는 초고속도로를 타게 된다는 사실도.

그렇지만 나는 개들과 생활하는 시간이 많아질수록, 이 길을 더 멀리 따라가다 보면 다른 무언가를 발견할지 모른다는 확신이 생겼다. 거의 모든 고대의 문화들은 인간과 동물이 같은 언어로 말하던 시기가 있었음을 보여준다. 지금도 어느 정도는 그렇다. 가장 잘 알려진 예는 애버리지니의 '꿈의 시대(Dreamtime, 모든 생명체는 조상들이 그 모습으로 나타난 것이라는 창조 신화)'지만, 주니 족(Zuni, 아메리카 원주민의 한 종족)의 전래 동화들 역시 "아주 먼 옛날 모든 동물이 말을 할 줄 알던 시절에…"라는 말로 시작된다. 시카고 대학교의 종교역사학 교수인 미르체아 엘리아데는 그의 역작 《샤머니즘*Shamanism*》에서 이렇게 설명한다.

> 마지막으로, 우리는 인간과 동물 사이의 신령스러운 결속을 당연하게 받아들여야 한다. 이것은 원시 사냥꾼 종교의 지배적인 특징으로, 그 덕분에 어떤 인간들은 동물로 변신하거나, 동물의 언어를 이해하거나, 동물의 예지력과 주술적인 힘을 공유할 수 있다. 주술사가 동물의 존재 방식을 공유하는 데 성공할 때마다, 어떤 면에서 그는 태초의 시대in illo tempore, 다시 말해 아직 인간과 동물의 분리가 일어나지 않던 신령스러운 시대의 환경을 부활시키는 것이다.

동물로 바뀌는 과정으로 알려진 변신술, 언어 공유, 주술적인 힘 — 이런 문제에 대한 대부분의 이성적인 탐구들은 바로 이 지점에서 멈춘다. 어쩌면 나 역시도 이쯤에서 끝내야 했을지 모르지만, 나는 동물들과 함께 뒹굴며 그들을 알아가는, 대부분의 과학자들이 불가능하다고 제쳐놓았던 경험을 하며 지난 2년을 보냈다. 공감 능력, 이타심, 동성애, 모방 행동, 도덕적 행동, 지능, 추상적 사고력, 언어 능력, 웃음 등 목록은 얼마든지 나열할 수 있다. 변신술이라니, 이건 너무 터무니없지 않냐고 생각하겠지만, 거의 대다수의 과학자들이 개들도 성격이 있다는 생각을 말도 안 되는 소리로 치부한 것도 불과 30년이 되지 않았다. 그래서 나는 생각했다. 최소한 나만은 생각을 열어놓아야겠다고.

그러는 사이, 나는 인류학자 카를로스 카스타네다Carlos Castaneda의 저서 《익스틀란으로 향하는 여행*Journey to Ixtlan*》을 읽다가, 그가 멕시코 원주민 주술사 돈 후안Don Juan의 독특한 가르침하에 '세계를 멈추는 법'이라고 하는 주술을 공부하는 동안 코요테 한 마리와 마주친 일을 묘사한 구절을 만났다.

> 나는 바위 위에 앉아 있었고 코요테는 거의 내 몸에 닿을 만큼 가까이에 서 있었다. 나는 너무 놀라서 어안이 벙벙했다. 야생 코요테를 그렇게 가까이에서 본 적이 한 번도 없었는데, 순간 그에게 말을 걸어야겠다는 생각 말고는 아무 생각도 나지 않았다. 나는 친근한 개에게 말을 걸 듯 입을 열기 시작했다. 그러자 코요테도 나에게 '응답'을 한다는 생각이 들었다. 나는 그가 무언가를 이야기했다는 분명한 확신이 들었다. 조금 당황스러웠지만 내 감정을 생각할 겨를이 없었다. 코요테가 다시 '말을 했기' 때문이다. 인간이 표현하고자 하는 내용을 듣는 익숙한 방식으로 동물의 말을 들었다기보다, 동물이 말하고자 하는 바를 '느꼈다'고 하는 편이 정확한 표현일 것이다. 그렇지만 애완동물이 주인과 의사를 주고받는 것처럼 보일 때하고는 느낌이 달랐

다. 코요테는 정말로 무언가를 말했던 것이다. 이 동물은 자신의 생각을 전달했고, 그 전달은 거의 문장의 형태로 표현되었다. 나는 "꼬마 코요테야, 잘 지내니?"라고 말했고, 코요테가 "응, 잘 지내, 너는?"이라고 대꾸하는 걸 들었다고 생각했다. 코요테가 내가 한 말을 되풀이해 말했을 때 나는 너무 놀라 그 자리에서 벌떡 일어섰다. 코요테는 눈 하나 깜짝하지 않았다. 내가 갑자기 벌떡 일어나도 조금도 놀란 기색을 보이지 않았다. 코요테의 눈동자는 여전히 다정하고 맑았다. 코요테는 바닥에 엎드리더니 고개를 기울이며 이렇게 물었다. "왜 그렇게 무서워하는 거야?" 나도 코요테를 마주 보고 앉아 내 평생 가장 희한한 대화를 이어갔다. 마지막으로 코요테는 나에게 여기에서 뭘 하고 있었냐고 물었고, 나는 '세계를 멈추기' 위해 이곳에 왔노라고 말했다. 코요테가 "Que bueno!"('와, 멋진걸!'이라는 의미의 스페인어)라고 말했고, 나는 그가 두 나라 말을 할 줄 아는 코요테라는 걸 알았다.

그때까지만 해도 나는 '동물과 대화하기'는 물리적인 실제 사실이라기보다 은유적인 생각이겠거니 여겼다. 그런데 카스타네다의 이야기는 두리틀(Doolittle, 미국의 코미디 영화 주인공으로 동물과 대화하는 내과 의사) 저리가라였다. 지난 2년 동안 개들과 대화라는 걸 해본 내 경험상, 개들이 정말로 사람의 말에 대꾸할 수 있을지도 모른다는 가능성은 무시하고 넘기기에는 꽤나 흥미로운 주제라고 말하고 싶다.

주술의 핵심인 신비체험을 탐구하고자 한다면, 네 가지 현상에 초점을 맞추어야 한다. 첫 번째 현상은 모든 살아 있는 생명체와의 결속 혹은 일치라는 본질적인 경험으로, 이 감각은 자주 찾아온다. 일치는 주술적인 관념일 뿐 아니라, 이 땅에 존재하거나 존재해온 거의 모든 종교가 표방하는 아주 보편적인 제안이다. 이 개념은 워낙 대중적이어서 올더스 헉슬리는 '영원의 철학perennial philosophy'이라고 불렀고, 하버드 대학교의 철학자이자 심리학자인 윌리엄 제임스는 다음과 같은 말로 동의했다. "이것은 나라나 신념의 차이로도 좀처럼 변하지 않는, 영원히 성공적으로 이어나갈 신비한 전통이다. 힌두교에서도, 신플라톤주의에서도, 수피즘에서도, 기독교 신비주의에서도, 미국 시인 휘트먼의 사상에서도 우리는 같은 관념이 거듭거듭 되풀이되는 걸 발견한다. 그러므로 신비주의적 발언에는 비평가를 멈추어 사유하게 만드는 영원한 일치, 생일이나 고향이 아닌, 앞에서도 말했듯이 신비 문학들이 지닌 것을 다시금 되새기게 하는 영원한 일치가 있다."

그러나 20세기 내내 어디에서나 흔히 접했던 개념이었음에도 불구하고, 합리적 유물론이 대세로 떠오르면서 과학자들은 인간과 자연의 조화를 진지하게 다루지 못했다. 그러다가 1990년대 초, 구세대 연구원들이 자리를 떠나기 시작하고, 형이상학적인 문제에 크게 거부감을 보이지 않는 신세대 연구원들이 그 자리를 차지하면서 변화가 시작되었다. 동시에 조지 부시 대통령이 1990년부터 2000년까지를 '뇌 연구 10년Decade of the Brain' 기간으로 선포하고 신경과학에 자금을 투입했다. 그리고 새로운 세대가 고성능 뇌 영상 장비 — 소위 신비주의 경험에 관심을 보인 과학자들이 실제로 이 경험들을 연구하도록 도와주는 장비들 — 를 이용하는 때와 거의 같은 시기에 이 투입된 자금이 현금화되어 돌아왔다.

이 연구의 선두에 선 사람은 펜실베이니아 대학교 영성과 마음 연구소장 앤드루 뉴버그 박사Dr. Andrew Newberg다. 1990년대 말, 뉴버그 박사는 펜실베이니아 대학교의 인류학자이며 정신과 의사인 유진 다킬리Eugene D'Aquili와 함께 가톨릭 수녀들과 티베트 불교 신자들을 한데 모아놓고 단일광자단층촬영SPECT 스캐너에 넣은 다음, 그들이 매우 구체적인 의미를 지녔지만 언뜻 어렵게 느껴지는 **초월 명상**에 드는 동안 그들의 뇌를 촬영하기 시작했다. 불교 신자들은 이 상태를 모든 만물과 하나가 되는 **완벽한 합일 상태**라고 하고, 가톨릭에서는 **유니오 미스티카**Unio Mystica, 즉 하느님의 사랑과 일치되는 상태라고 한다. 어느 쪽이든 양쪽 모두 일치의 경험을 설명한다.

SPECT 스캔은 많은 것을 보여주었는데, 이번 논의에서 가장 중요한 것은 우측 두정엽에서 나타난 명상 효과다. 주로 정향연합영역OAA이라고 불리는 우측 두정엽은 각도, 곡선, 거리, 신체, 몸의 자세 등을 판단하게 해주어 우리가 바른 자세를 유지하도록 돕는 뇌의 한 부분이다. 특히 이 부분은 자기와 타인 사이의 경계를 규정하도록 돕는다. 뇌졸중에 걸리거나 이 부분에 손상을 입은 사람은 소파에 앉기가 어려운데, 자기 다리가 어디에서 끝나고 소파가 어디에서 시작되는지 분명하게 알지 못하기 때문이다. 뉴버그와 다킬리는 깊은 몰입이 이 부분의 감각 정보 처리 과정을 일시적으로 차단한다는 사실을 밝혀냈다. 정향연합영역은 '나'의 끝을 규정하므로, 뉴버그가 《신은 왜 우리 곁을 떠나지 않는가*Why God Won't Go Away*》에서 설명하듯이 우리가 깊이 몰입할 때 "뇌는 자아가 무한하며, 마음이 느끼는 모든 사람 및 대상과 밀접하게 얽혀 있다고 인식하지 않을 수 없다. 그리고 이때의 인식을 의심할 나위 없이 완벽하게 진짜라고 받아들인다." 뉴버그는 이것으로 불교 신자와 가톨릭 신자들이 느끼는 합일의 감정을 설명할 수 있다고 주장하는데, 내가 그에게 전화로 질문을 했을 때 그는 이 원리가 인간과 동물과의 신비한 결속을 설명하는 데에도 도움이 된다고 생각했다.

나머지 세 가지 주술적 현상들인 주술적인 힘의 공유, 변신술 및 동일한 언어로 말하기는 이보다 훨씬 이해하기 어렵다. 지금까지 이 문제에 가장 가까이 접근한 사람은 영국의 생물학자 루퍼트 셸드레이크Rupert Sheldrake다. 케임브리지 대학교의 세포생물학 및 생화학과 학장을 지냈으며 영국 왕립학회 연구원인 그는 지난 20년 동안 동물들, 특히 개들이 주술적인 힘을 지닐 가능성에 대해 연구했다. 셸드레이크의 연구는 여전히 엄청난 논란을 불러일으키고 있으며, 몇 년 전 그가 샌타페이 부근에서 연설을 했을 땐, 《USA 투데이*USA Today*》의 기사를 인용하면, 강의 내용에 '불편해진' 한 청중이 셸드레이크의 허벅지를 찔렀을 정도였다.

이 논란은 1996년에 시작됐는데, 당시 셸드레이크는 케임브리지 대학교 수의과대학에서 개들이 미래를 예견하는 능력이 있는 것으로 보이며, 특히 주인이 개의 감각이 미치지 못하는 먼 곳에 있을 때에도 주인이 집으로 돌아오는 때를 감지하는 것 같다는 연구 내용을 발표했다. 그는 오랜 기간 연구를 진행하면서 '직장에 있는 주인이 퇴근 준비를 하고 있을 때, 집에서 비디오테이프로 애완동물의 행동을 녹화'했다. 그는 이 연구에서, 주인들이 일부러 일상적인 퇴근 방식에서 벗어났는데도 불구하고, 연구 집단에 속한 개들의 46퍼센트가 주인이 집에 도착하기 한 시간 전에 주인의 귀가를 감지했다고 확인했다. 이 연구는 영국과 미국에서 똑같이 실시되었는데, 역시 평균 51퍼센트의 개에게 선견지명이 있음을 발견했다. 셸드레이크는 개들이 주인의 귀가 시간을 감지하는 것 외에 다른 영역에서도 예지 능력을 발휘한다고 발표했다. 또한 연구를 더 깊이 진행하면서, 개들이 질병과 죽음에서부터 지진과 홍수와 같은 천재지변에 이르기까지 모든 것을 예견하는 데 탁월한 능력을 지니고 있음을 발견했다. 이 모든 내용들은 여전히 열띤 논쟁을 일으키고 있지만, 그의 실험들은 대단히 엄격하게 진행되어왔으며 따라서 결과에 대해서는 논의의 여지가 없다. 개인적으로 나는 우리 개들이 예지력을 드러내는 행동 같은 걸 하는 것을 본 적이 없지만, '다섯 마리 개들의 운동 시간' 동안 느꼈던 기이한 일체감, 즉 도무지 믿기지 않는 통일된 움직임과 집단을 협력하게 만드는 심리를 경험한 다음부터는, '신축성 있는 고무줄'처럼 사람과 개를 이어주는 '보이지 않는 연결선'이 있다는 셸드레이크의 주장이 지금까지 접해본 그 어떤 설명보다 설득력 있게 다가온다.

나머지 두 가지인 변신술과 언어 공유는 어떻게 이해해야 할지 여전히 잘 모르겠고, 누구도 아는 사람이 없는 것 같다. 최근 몇 년간, 뉴버그 같은 연구원들은 신비주의에 대해 신경과학적으로 접근하고 이해하는 데 커다란 진전을 보여주었다. 유체이탈, 임사체험, 무아지경, 성흔聖痕, 방언 등 그 밖에 이와 유사한 여러 현상들이 지금은 일반생물학의 결과로 간주되고 있다. 그러나 이러한 불가사의한 현상들이 일반적인 현상으로 받아들여지는 데에 20년도 채 걸리지 않은 반면, 이러한 진전에도 불구하고 대부분의 주술적 현상에 대해서는 아직 아무도 그럴듯한 설명을 하지 못하고 있다. 나는 어쩌면 지금이야말로 근원으로 돌아가야 할 때가 아닐까 하고 생각했다.

샌타페이 가까이에 살아서 좋은 점 가운데 하나는 전화번호부에서 주술사를 찾을 수 있다는 것이다. 나는 여섯 개의 주술사 전화번호를 찾아서 하나하나 전화를 걸어 메시지를 남겼다. 나에게 다시 전화를 걸어준 주술사는 켄 로빈슨뿐이었다. 로빈슨은 학부에서 철학을 전공하고 대학원에서 인문학을 공부한 다음, 다시 상담과 심리학을 공부했고, 공부를 마친 후 교사, 환경보호 운동가, 어린이를 위한 야생 보호구역 캠프의 책임자로 일했으며, 지금은 성인을 대상으로 한 보다 전통적인 상담을 하게 되었다. 그러던 중에 라코타 부족과 친해지게 됐고, 라코타 부족에게 고대 아마존 부족인 헤타카 부족을 소개받았으며, 그렇게 해서 로빈슨의 주술 교육이 시작되었다. "인간이 된다는 것, 그것은 성스러운 과제다." 로빈슨은 그가 받은 모든 교육을 헤타카 부족의 말을 인용해 한마디로 이렇게 요약했다. 로빈슨과 나는 잠시 이야기를 나누었다. 나는 헤타카 족이 인간과 동물이 연대를 이루며 살던 신비로운 시대를 믿을 뿐 아니라, 우리가 그 연대를 다시 발견하지 않으면 반드시 문제가 생길 거라는 인디언 추장 시애틀의 말에 동의한다는 사실을 알게 됐다. 그리고 헤타카 족이 변신술을 행하지 않는다는 사실도 알게 됐는데, 그래서 로빈슨은 그것에 대해 별로 해줄 이야기가 없었다. 나는 헤타카 족이 동물과 이야기할 줄 아는지 물었고, 로빈슨은 언어에 현혹되지 말라고 답했다.

"대부분의 사람들은 **주술사**니 **신비체험**이니 하는 말을 들으면 불꽃놀이처럼 뭔가 흥분되는 일이 일어날 거라고 기대하지요. 하지만 변신술과 동물과의 대화는 단지 의식의 형태이며 의사소통의 방식일 뿐이에요. 그런 것들이 마법처럼 들리고 마법처럼 보일지 모르지만, 사실은 지극히 평범한 것이지요."

이 무렵부터 퍼즐 조각들이 맞춰지듯 내 궁금증도 하나씩 해결되기 시작했다. 순전히 우연이었을지 몰라도, 나는 한 달 새에 두 번이

나 이와 똑같은 말을 들었다. 로빈슨과 대화를 하기 몇 주 전, 나는 취재를 위해 칠레 남부 지역 파타고니아로 향했다. 여행이 막바지에 다다를 무렵엔 카레테라 아우스트랄Carretera Austral 북부로 향하는 사람들과 함께 차를 탔는데, 언덕을 올라 굽은 길을 돌 때 차가 끼익 소리를 내며 멈추었다. 카레테라는 아우구스토 피노체트(Augusto Pinochet, 1974년부터 17년간 칠레를 통치했던 군부독재자)라는 미치광이가 건설한 안데스 산맥을 통과하는 고속도로다. 그는 칠레의 근대화를 상징할 목적으로 이 고속도로를 건설했으며, 따라서 고대부터 살아온 동물들의 통행로와 소 떼가 지나는 길 위에 이 도로를 놓았다. 그러나 전설적인 파타고니아의 카우보이인 가우초들은, 발전이라는 명목으로 자신들의 방식을 하찮게 여기도록 내버려둘 리 없는 자부심 강하고 완고한 사람들이다. 따라서 소 떼를 몰기 편리하도록 특별히 설계된 새 길을 놓아두고 여전히 옛길을 이용해 소 떼를 몬다. 그 바람에 우리는 고속도로의 4백 미터가량을 가로지르며 뿔뿔이 흩어져 있는 소들과 충돌을 피하기 위해 끼익 소리를 내며 멈추었던 것이다.

족히 5백 마리는 되어 보였다. 우리 차는 순식간에 소들에 둘러 싸였다. 어떤 소들은 창문에 바싹 달라붙었고 어떤 소들은 범퍼를 끌어안았다. 다음에 무슨 조치를 취하기야 하겠지만, 한동안은 속수무책으로 묶여 있을 수밖에 없겠구나 싶었다. 어, 그런데 그게 아니었다. 가우초들 가운데 한 명이 손가락으로 작게 동그라미를 그렸더니 개 네 마리가 얼른 달려오는 것이었다. 그러더니 30초도 안 되어 개들이 다닥다닥 열을 지어 섰다. 그렇게 똘똘 뭉쳐 선 다음 가우초를 바라보며 다음 지시를 기다렸다. 내가 지난 2년 동안 개들과 함께 지내지 않았더라면, 그리고 그동안 개들을 제대로 바라보지 못했더라면, 나는 개들의 움직임을 전혀 알아차리지 못했을 것이다. 눈곱만큼의 주저함도 없이 아주 미세한 곁눈질만 있을 뿐이었다. 가우초 역시 같은 방식으로 반응했다. 가우초가 왼쪽을 향해 시선을 던지며 오른쪽을 향해 손가락 하나를 까딱 움직이자, 개들이 소떼들을 반씩 나누어 몰았다. 덕분에 10초도 안 되어 완벽하게 차선이 드러났고 우리는 다시 차를 달릴 수 있었다. 이 모든 과정이 단 한 번의 곁눈질과 손가락의 움직임만으로 이루어졌으며, 이것이 대화의 전부였다.

당시 내 친구 크리스티나도 차에 함께 있었다.

"이게 무슨 일이야?" 잠시 후 크리스티나가 말했다. "어떻게 이럴 수가 있지?"

"가우초가 손가락을 까딱 움직였거든." 내가 말했다.

"가우초가 손가락을 움직여서 개들이 홍해를 갈랐다고?"

"개들은 사람의 몸짓언어를 읽는 데 도사들이거든."

크리스티나는 자기 자리에서 몸을 돌려 소들을 흘끗 바라보더니 고개를 저었다.

"나는 잘 이해가 안 가는데." 그녀가 말했다. "나한테는 이 모든 일이 꼭 마법 같아."

나는 개들과 함께 살아온 날들이 길어질수록 우리의 비언어적 의사소통에 분명 마법 같은 성격이 있음을 차츰 편안하게 받아들이고 있지만, 그럼에도 불구하고 마법을 이루는 진정한 요인이 무엇이냐 하는 질문에는 답을 하기 어렵다. 그렇지만 또 한편, 이 재능에 대해 우리가 알고 있는 내용을 고찰해보면, 어쩌면 이건 별로 놀랄 일도

아니다. 20세기에 접어들 무렵 베를린에서는 인간의 몸짓언어를 읽는 동물의 능력에 대한 가장 유명한 연구가 진행되었다. 주인 빌헬름 폰 오스텐Wilhelm von Osten이 기르는 말 한스는 간단한 수학과 언어 문제를 풀고 발굽으로 답을 두드렸다. 한스는 사람들 앞에서 자신의 재능을 드러내 보이며 큰 돌풍을 일으켰고, '영리한 한스'라는 이름을 얻어 전 세계 데카르트주의자들을 경악케 했다. 연구의 모든 과정은 베를린 대학교의 심리학자 오스카어 풍스트Oskar Pfungst에 의해 철저하게 진행되었는데, 그는 질문자가 답을 알고 있고 질문자와 같은 방에 있을 때에만 한스가 질문에 대답할 수 있다는 사실을 발견했다.

한스는 독일어를 읽거나 산수를 할 줄은 몰랐지만, 주로 무의식적인 몸짓언어의 아주 미미한 변화를 완벽하게 감지해 해답을 알아낼 수 있었던 것이다. 그러나 이 이야기는 동물들이 굉장한 속성을 지니고 있다고 믿고 싶은 사람들을 위해 지어낸 낭설이라며 논란이 불거졌고, 이후 '영리한 한스'는 '경고성 한스'가 되었다. 그러나 한스는 고의적으로 자신을 난처하게 만들기에 여념이 없는, 공모자라기보다 의도적으로 사실을 혼동시키려는 수많은 사람들 앞에서 자신의 재능을 드러내 보였다. 모두가 풍스트에게 한스의 재주를 보여달라고 요구했고, 모두가 표정에 변화를 주지 않고 몸짓언어를 감추려 노력했다. 하지만 그럼에도 불구하고 한스는 여전히 암시를 알아차렸다.

말은 기원전 4000년 전부터 가축으로 길들여졌다. 말이 인간의 몸짓언어를 알아듣게 되기까지 6천 년이 걸린 셈이다. 하지만 이 기간은 개에 비하면 아무것도 아니다. 인간의 가장 친한 친구인 개는 10만 년 이상 이 기술을 연마해왔으니까. 오늘날 개는 인간의 감정의 의도를 알아차리는 데 역대 최고 챔피언으로 여겨지고 있다. 심지어 우리가 우리 마음을 읽는 것보다 개들이 우리 마음을 더 잘 읽는

다고 말하는 연구자들도 있다.

이 기술이 완벽해지기까지는 어느 정도 시간이 걸렸다. 처음에 개들은 비언어적인 언어를 찾기 위해 우리 인간의 몸을 탐색했지만, 얼마 후 진정한 정보의 샘인 인간의 얼굴을 향해 시선을 옮겼다. 이 주제에 대해 우리가 알고 있는 대부분의 내용은 샌프란시스코에 있는 캘리포니아 대학교 의과대학에서 심리학 교수를 지낸 폴 에크먼Paul Ekman으로부터 비롯된다. 1960년대에 에크먼은 표정을 읽는 것에 대해, 특히 메시지가 읽혀지는 것에 대해 궁금하게 여겼다. 한때 심리학자들은 얼굴 표정은 각 문화에서 비롯되는 것이며, 따라서 세계 각 나라별로 표정도 다르다고 믿었다. 하지만 에크먼은 그렇지 않을 거라고 생각했다. 그는 얼굴 표정은 보편적인 공통성을 지닌 진화적 적응일지 모른다고 생각했다. 그래서 화, 슬픔, 기쁨 등 다양한 감정을 느끼는 사람들의 사진을 찍고, 전 세계를 돌아다니며 이 사진을 보여주었다. 그 결과 브라질의 열대우림 지역에 사는 사람이든 일본의 대도시에 사는 사람이든 관계없이, 모두가 자신들이 보고 있는 사진이 어떤 내용인지 정확하게 알고 있었다. 얼굴 표정은 전 세계적으로 보편적인 것 같았다.

여행에서 돌아온 후 에크먼은 더 확실한 증거를 얻길 원했다. 그는 파푸아뉴기니의 두 부족에 대한 사진을 입수했다. 하나는 낙관적이고 행복한 사우스 포레 족이고, 또 하나는 남성 연장자들이 십대 소년들을 종종 성적으로 착취하는 심술궂은 살인 집단 쿠쿠쿠쿠 족이었다. 에크먼은 월리스 프리즌Wallace Friesen과 작업하면서 몇 달에 걸쳐 사진을 분류했고, 얼굴 표정을 근접 촬영한 부분을 제외한 나머지 부분은 모두 오려냈다. 그의 계획은 두 부족을 비교하는 것이었다. 이 계획은 심리학자이며 저명한 표정 부호 연구자인 그의 스승 실번 톰킨스Silvan Tompkins가 그의 연구실을 방문하며 단숨에 진행되었다. 이에 관한 이야기는 맬컴 글래드웰Malcolm Gladwell의 저서 《블링크*Blink*》에 자세하게 언급된다.

> 에크먼이 영사기를 설치할 때, 톰킨스는 뒤에서 기다리고 있었다. 톰킨스는 이 연구에 관련된 부족에 대해 아무런 정보를 듣지 못했으며 정황을 파악할 만한 장면은 모두 삭제된 상태였다. 톰킨스는 안경을 쓰고 사진들을 자세히 들여다보았다. 영사기의 필름이 다 돌아갔을 때, 그는 스크린 앞으로 다가와 사우스 포레 족의 얼굴을 가리키며 이렇게 말했다. "이 사람들은 다정하고 온화한 사람들이군. 상당히 관대하고 무척 평화로운 사람들이야." 그런 다음 쿠쿠쿠쿠 족의 얼굴을 가리키며 다음과 같이 말했다. "이쪽 부족 사람들은 폭력적이군. 게다가 동성애 성향을 암시하는 증거들도 아주 많아." 30년이 지난 지금까지도 에크먼은 톰킨스가 어떻게 이 사실들을 알 수 있었는지 이해하지 못하고 있다. 나는 에크먼의 반응을 똑똑히 기억한다. "세상에! 실번 선생님, 도대체 어떻게 그처럼 정확하게 아시는 거예요?" 에크먼은 당시의 일을 이렇게 회고한다. "그러고는 실번 선생님은 스크린 앞으로 가셨어요. 우리가 필름을 뒤로 천천히 돌리는 동안, 실번 선생님은 자신이 판단의 자료로 삼은 얼굴의 주름과 독특하게 불룩 튀어나온 부분들을 가리켰지요. 제가 '얼굴을 분석해야 한다'는 걸 깨달은 건 바로 그때였습니다. 모두가 간과했지만 얼굴은 정보의 보고였던 거예요. 하지만 그는 얼굴을 통해 정보를 알아낼 수 있었고, 그가 알 수 있었다면 다른 사람들도 알 수 있을 겁니다."

에크먼과 프리즌은 얼굴을 분석하기 위해 가능한 모든 얼굴의 움직임을 분류하기로 결심했다. 그들은 표정을 만드는 근육을 조사하고, 이 근육들이 만드는 43가지 운동들을 확인함으로써 이 작업을 시행했다. 먼저 그들은 몇 개월에 걸쳐 각각의 근육이 어떻게 독립적으로 움직이는지 알아냈고, 이후 몇 년에 걸쳐 모든 근육들이 어떻게 서로의 위에 층층이 겹치는지 알아냈다. 두 개의 근육이 결합해 3백 가지의 조합이 만들어지고, 세 개의 근육으로 총 4천 가지의 조합이 만들어지는 만큼 이 연구에 몇 년이 걸릴 수밖에 없었다. 7년 후, 에크먼과 프리즌은 다섯 개의 근육과 1만 가지의 다양한 조합을 통해 연구를 계속했다. 그들은 수많은 잡다한 움직임들 가운데 약 3천 가지는 의미를 지니고 있음을 밝혔다. 글래드웰은 이 3천 가지 움직임을 '감정을 드러내는 인간의 기본적인 표정 목록'이라고 묘사했다.

이 목록은 얼굴의 한쪽 방향으로 심하게 편중되어 있다. 좌뇌는 감정을 다스리는 동시에 얼굴 우측을 통제하는 기능을 한다. 두려움, 기쁨, 화 같은 중요한 신호들이 모두 이곳에서 다스려진다. 그러므로 얼굴 해석을 위해서는 얼굴의 오른쪽이 왼쪽을 읽는 것보다 훨씬 중요하다. 낯선 사람을 만날 때, 우리의 시선은 낯선 사람의 얼굴 오른쪽으로 향한다. 그래야 이 사람이 우리에게 입을 맞추길 원하는지 우리를 죽이려고 하는지 파악할 수 있기 때문이다. 이 모든 과정을 '왼쪽을 응시하는 경향left-gaze bias'이라고 하며, 이는 개들도 이미 익혀온 생존 본능이다.

2007년, 쿤 궈 박사Dr. Kun Guo가 이끄는 영국 링컨 대학교 연구팀은 일련의 개들에게 사람과 다른 개, 원숭이, 그리고 무생물의 이미지를 보여주었다. 개들이 다른 동물이나 무생물을 보았을 때, 그들의 시선은 이 이미지 전체에 고르게 이동했다. 그러나 사람을 보았을 땐 시선이 사람 얼굴의 오른쪽으로 곧바로 이동했다. 궈 박사는 이러한 현상은 원래 화를 내는 주인의 발길질을 피하려는 개의 욕구에서 비롯된 중요한 진화론적 적응이었다고 주장한다. 그리고 작게 시작했던 기술치고, 이 기술은 단숨에 굉장히 중요해졌다.

에크먼과 프리즌은 7년 여의 연구를 진행하면서, 다양한 얼굴 표정이 만들어내는 미세한 움직임들을 직접 만들어보고 분류하는 데 상당한 시간을 보냈다. 그들은 몇 주 동안 화내는 표정과 혐오감을 느끼는 표정을 지어보면서 연구를 진행했는데, 실제로 그 기간 내내 화가 나고 혐오감을 느꼈다. 에크먼은 글래드웰에게 다음과 같이 말했다. "처음에 이런 감정을 느꼈을 때 우리는 너무 놀라서 정신이 멍했어요. 이럴 줄은 꿈에도 생각하지 못했거든요. 그런데 우리 두 사람 모두에게 이런 일이 일어난 거예요. 제가 이마를 내려서 … 윗눈꺼풀을 올리고 … 미간을 좁히고 … 입술을 앙 다물면 … 우리는 몹시 기분이 안 좋았어요. … 제가 화를 일으켜볼게요. 제 심장박동은 10에서 12까지 올라갈 거예요. 손은 뜨거워질 테고요. 다시 말해, 제가 어떤 감정을 일으킬 때 그 감정은 제 몸과 분리될 수 없는 거지요."

몸의 시스템과 분리될 수 있는 사람은 아무도 없다. 에크먼과 프리즌이 발견한 사실은 우리의 얼굴 표정이 감정을 고정시킨다는 것이다. 우리는 다른 방식으로는 느낄 수가 없다. "우리가 기본적인 감정을 경험할 때마다, 그 감정은 얼굴의 근육을 통해 무의식적으로 드러난다"라고 글래드웰은 이야기한다. 그리고 이것은 우리가 자신의 감정을 느낄 때뿐 아니라 다른 사람의 감정을 느낄 때도 마찬가지다. 얼굴 표정을 흉내 냄으로써 다른 사람의 감정에 공감할 수 있는 것이다.

2003년, 신경과학자 마르코 야코보니와 UCLA 연구팀은 고급 신경 영상 기술을 이용해, 다른 사람들의 얼굴 표정을 따라 하는 사람들을 검사했다. 연구원들은 이 사람들의 뇌가 다른 사람들이 표정을 짓는 걸 그저 보기만 한 사람들의 뇌보다 훨씬 활발하게 움직인다는 획기적인 발견을 했다. 야코보니는 다음과 같이 이야기한다. "수년 동안 과학자들은 누군가 고통스러운 상처를 입어 얼굴을 찡그리면 주변 사람들이 그 표정을 반사적으로 따라 한다든지, 기쁨이나 화 같은 감정이 전염되는 특징이 있음을 관찰해왔다. 우리의 연구 결과는 이러한 반사적인 얼굴 표정이 어떻게 두뇌를 자극해 다른 이들의 감정에 대한 공감 능력을 강화시키는지에 대해 최초로 밝혔다."

인간의 얼굴 표정만 감정에 따라 고정되는 것이 아니다. 개들도 똑같이 감정에 따른 표정이 있다. 만일 원시 늑대들이 인간의 얼굴을 읽을 줄 몰랐다면, 그들의 얼굴 표정이 감정에 따라 비슷하게 고정되지 않았다면, 서로 다른 종들끼리의 진정한 의사소통 수준을 입증하기란 무척 힘들었을 것이다. 가축으로 길들이는 것도 불가능했을 것이다. 공동 진화 과정도 일어날 수 없었을 것이다. 그러나 가축으로 길들여지기도 했고 공진화 과정도 이루어졌다. 그러는 동안 상호 의존이 이루어졌다. 아마도 처음엔 평등한 협력 관계로 시작되었을 테지만, 인간이 개의 먹이 공급을 통제하기 시작한 이후로 이 권력 구조가 기울어졌다. 당시 저녁을 먹을 수 있느냐 없느냐 하는 문제가 달려 있었던 터라, 인간의 얼굴을 읽는 개의 기술은 더더욱 예리해질 수밖에 없었으며 — 얼굴 해석은 패턴 인식의 한 부분이므로 — 따라서 패턴 인식 기술이 탁월한 개들은 인간의 얼굴을 해석하는 능력이 더 뛰어나 인간과 더 바람직한 관계를 유지했고, 그 결과 더 많은 먹이와 더 안전한 생활환경을 제공받아 더 많은 새끼를 낳을 수 있었다. 곧이어 개와 인간의 두 종이 공통된 언어를 공유하지 않았다는 것은 중요하지 않게 되었다. 개들은 인간의 감정을 읽을 수 있었고,

공감 능력은 그들의 생존을 위한 또 하나의 기본 도구가 되었다.

런던 대학교 연구원 센주 아쓰시千住淳는 하품에 대해 연구하면서 같은 사실을 발견했다. 하품은 지구에 존재하는 거의 모든 종들이 자기도 모르게 하는 행동이다. 하품의 의미에 대해서는 여전히 논란이 되고 있지만, 우리는 하품의 주된 목적이 정보를 전달하는 것임을 잘 알고 있다. 사회적 동물들에게 정보는 집단 역학을 위해 매우 중요하므로 하품은 전염성이 대단히 강하다. 다시 말해, 집단에게 행동상의 반응을 함께 공유하도록 촉발시킬 정도로 상호 간의 감정 공유는 강한 영향력을 발휘한다. 인간은 다른 인간이 하품하는 걸 보면 따라서 하품을 한다. 우리는 **하품**이라는 단어만 봐도 하품을 한다. 전염은 종을 막론하고 확산된다. 침팬지들은 인간이 하품하는 걸 보고 하품한다. 센주는 개들에게도 같은 현상이 일어나는지 궁금했다. 그래서 개들을 낯선 사람들과 한방에 데려다 놓고 실험을 해보았다. 먼저 서로 시선을 마주친 다음, 낯선 사람이 하품을 했다. 센주는 대조표준으로 두 번째 실험에서 낯선 사람에게 그냥 입을 벌렸다 다물게 했다. 낯선 사람이 하품을 했을 때 29마리의 개들 가운데 21마리가 하품을 했다. 입을 벌렸다 닫았을 땐 아무도 반응을 보이지 않았다.

자폐증의 주요 증상들 가운데 하나는 공감 능력 결여다. 연구원들은 이것을 다른 사람의 정신 상태에 대한 인식 불능, 곧 **심맹**mindblindness이라고 부른다. 심맹은 자폐증에 걸린 개인의 두뇌 속 거울 신경세포가 다른 사람의 행동에 반응하지 않기 때문에 일어난다. 그리고 이것은 언어처럼 모방 과정을 학습하는 능력을 방해한다. 자폐증을 앓는 개인은 감정에 따른 얼굴 근육의 변화가 없고 다른 사람들의 얼굴 근육의 움직임을 모방할 수도 없기 때문에, 실제로 다른 사람의 감정에 공감하지 못한다. 마찬가지 이유로, 자폐증을 앓는 사람들은 왼쪽을 응시하는 경향도 없고 하품에도 쉽게 전염되지 않는다. 반면에 개들은 우리의 얼굴 표정을 놀라울 만큼 잘 따라 하기 때문에, 왼쪽을 응시하는 경향도 있고 하품에 대한 전염성도 엄청나게 강하다. 이러한 사실들을 토대로, 센주는 개들도 사람의 감정에 충분히 공감할 줄 안다는 결론을 내렸다.

이 연구 결과는 노령견들이 주인과 닮는 경향을 보이는 이유에 대한 설명이 될 수도 있다. 이와 관련된 다소 오래된 민간전승이 최근에 별개의 두 연구를 통해 타당성을 인정받기도 했다. 샌디에이고의 캘리포니아 대학교 연구원들은 순종견과 그 주인 사이에서 이러한 경향이 나타나는 반면, 잡종견과 주인 사이에서는 나타나지 않는다는 사실을 발견했다. 베네수엘라의 시몬 볼리바르 대학교 연구원 크리스티나 페인Christina Payne도 같은 결과를 얻었으며, 그 원인이 **동류교배**assortative mating에 있다고 보았다. '스스로 닮은꼴을 찾는 것'을 특징으로 하는 동류교배는 근친교배를 조장하지 않아도 동물 스스로 유전적으로 유사한 짝을 찾도록 돕는 선천적인 특성이다. 페인은 우리가 개를 고를 때에도 동류교배 현상이 나타난다고 주장한다.

그러나 동류교배는 과정의 시작에 불과하다. 우리는 표정을 읽고 따라 함으로써 기르는 개와 의사소통을 하게 되며 그 반대의 경우도 마찬가지다. 피부가 탄력적이긴 하지만 그래봐야 한계가 있다. 어떤 움직임이 수없이 반복되면 마침내 흔적이 남는데, 주름과 잔주름, 미소 짓는 입가는 모두 그렇게 해서 만들어진 흔적들이다. 결혼을 해서 오랜 세월 함께 살아온 부부들이 서로 닮아가는 이유는 그들이 정서적으로 공감대를 형성하기 때문이다. 그들은 유사한 시기에 유사한 감정을 느끼는 경향이 있고, 따라서 그들의 얼굴은 유사한 방식으로 표정이 지어진다. 그리고 이와 똑같은 과정이 인간과 개의 관계에서도 일어난다. 서로 이해하기 위해 노력하는 과정에서 얼굴이 서서히 변화하여 마침내 서로 닮아가는 것이다.

그런데 이보다 더 중요한 사실은, 개들이 인간의 얼굴을 해석하고 인간의 표정을 따라 하기 시작한 다음부터, 인간의 감정까지 똑같이 느끼기 시작했다는 것이다. 감정은 행동을 촉발시킨다. 그러므로 우리가 상당히 오랫동안 누군가의 감정을 느낀다면, 행동 역시 그들과 똑같아질 것이다. 애완동물이 주인의 외모뿐만 아니라 성격까지 닮는 경우가 많은 이유도 그 때문이다. 그리고 감정의 공유는 이 신비의 세계로 들어가는 입구일 뿐이다.

신경계는 면역계와 단단히 연결되어 있기 때문에 스트레스는 일종의 살인자라고 볼 수 있다. 대부분의 척추동물들에게 해당되는 사실이다. 조이와 내가 싸우면 우리 개들은 구토를 하고 똥을 싸기 시작한다. 개들이 잔뜩 겁을 집어먹고 사태를 이해하기 위해 우리의 얼굴을 뚫어지게 바라보는 바람에 이런 일이 일어나는 것이다. 개들이 말썽을 일으킬 정도로 우리의 싸움이 쉽게 끝나지 않는 경우, 개들은 계속해서 우리를 빤히 쳐다본다. 얼굴을 해석하다 보면 얼굴을 따라 하게 되고, 얼굴을 따라 하게 되면 감정이 전염되며, 이런 식으로 면역 체계에 영향을 미치게 된다. 곧 조이와 나는 있는 대로 짜증을 내는 걸 넘어서서, 이젠 아주 상대방을 못 잡아먹어 난리다.

시애틀 추장은 우리의 거울 신경세포가 만물을 연결하는 역할을 한다는 식의 언급은 못 했지만, 만물은 하나로 연결되어 있다고 말했다. 그는 우리가 이 사실을 받아들여 실행하지 않으면, 그에 따른 대가를 치르게 될 거라고 강조했다. 치마요에서 처음 맞은 겨울은 매우 혹독했다. 우리는 파산했고 다가올 상황이 두려웠으며, 아합의 죽음은 나를 더욱 나락으로 떨어뜨렸다. 나는 몇날 며칠을 하루 종일 안락의자에서 지냈으며, 내 개들은 몇날 며칠을 하루 종일 어떻게 하면 나를 도울 수 있을지 고민하며 지냈다. 그러면서 그들은 내 기분에 버금갈 정도로 엄청난 수준의 스트레스 호르몬이 쌓여가고 있었다. 우리는 건강에 심각한 문제가 있는 아주 늙은 개들을 몇 마리 데리고 있다. 이 개들은 아무리 좋은 환경에서도 까딱하면 병에 걸리기 십상이다. 거의 매일 밤 추운 날씨가 이어지고, 무리들의 서열 변경이 너무 잦다. 나는 몇 달째 계속 우울한 상태였고, 이런 내 기분은 개들에게 영향을 미칠 수밖에 없었다. 우리는 아합의 죽음 이후 6주 만에 여섯 마리의 개를 잃었다. 그러므로 나는 궁금하게 여기지 않을 수 없다. 제 명을 다해 저세상으로 간 개는 몇 마리이고, 내 기분 때문에 목숨을 잃은 개는 몇 마리였을지.

거울 신경세포 체계가 주술사들이 설명하는 변신술이라든지 언어 공유 같은 신비의 세계와 똑같다고 볼 수는 없을지 몰라도, 뭔가 환상적인 구석이 있는 것만은 틀림없다. 그렇다면 거울 신경세포 체계가 미치는 범위는 실제로 얼마나 될까? 우리가 느끼는 모든 감정들과 마찬가지로 공감 능력 역시 차등적으로 나누어진다. 먼저 척도의 맨 끝에는 어떠한 감정에도 공감할 수 없는 사람들, 반사회적 인격장애자들이 있다. 그다음 단계는 거의 공감이라는 걸 해본 적이 없는 자폐증을 앓는 사람들이다. 그다음이 자폐증과 유사하지만 자폐증과는 다른 증상을 보이며, 대부분의 사람들은 좀처럼 겪지 않는 질병인 아스퍼거 증후군을 앓는 사람들이다. 반대편으로 이동하면, 히피, 인도주의자, 전 인류를 가엾게 여기는 사람들이 차례로 이어지고, 그 위에 동물 구조 단체, 보수적인 환경 운동가, 어스 퍼스트(Earth First, 1979년 미국 남서부에서 시작된 급진적인 환경보호 단체) 회원, 트리 허거(tree hugger, 나무를 안는 사람이라는 의미로 급진적인 환경보호 운동가), 그 밖에 생물 평등주의자들이 있다. 척도의 제일 끝에는 나와 남의 구분이 없다고 보는 사람들, 즉 이따금 합일을 경험하는 명상가들이나 오로지 합일만을 경험하는 신비주의자들이 있다.

그리고 어쩌면 이 일련의 척도 어딘가에, **모든 존재는 평등하다**는 생물 평등주의와 **모든 존재는 하나**라는 우주의 합일 사이에서 수 세기 동안 꼭꼭 감추어진 어딘가에, 다른 무엇보다 평등한 어떤 존재들의 자리가 마련되어 있을지도 모른다. 그 어떤 존재들이 하나가 되는 곳. 나라는 경계가 육체의 범위를 넘어 확장될 때에야 가 닿을 수 있으며, 온 우주까지 가지 않더라도, 우리 존재의 많은 부분을 일깨울 수 있을 정도까지만 가도 닿을 수 있는 곳. 레비스트로스와 폴 세퍼드가 밝혔듯이, 언제나 결국엔 우리를 우주의 신비에 가장 쉽게 다가갈 수 있게 해주는 연결 고리, 바로 동물 세계 말이다.

주술사들은 어떤 언어인지 구체적으로 명시하지 않을 뿐 인간과 동물은 같은 언어를 사용할 줄 안다고 말한다. 이에 대해 생물학이 훌륭한 연구 결과들을 내놓고 있으며, 따라서 이런 현상을 초자연적인 현상이라고만 고집하기는 어려울 것 같다. 인간과 동물은 이미 감정이라는 공통 언어를 공유하고 있으며, 카스타네다가 코요테의 이야기를 귀로 듣지 않았던 이유, 정확히 말해, 코요테의 이야기를 **가슴으로 느꼈던** 이유도 아마 그래서였을 것이다. 이 공통 언어로 표현할 수 있는 방법은 오로지 서로의 마음을 공감하는 것뿐일 테니까 말이다.

다른 식으로 말해볼까. 성 프란치스코는 역대 가장 유명한 동물 신비가다. 그에 관한 과장된 이야기대로라면, 새들은 그의 곁에 둥지를 틀고, 토끼들은 다가와 그의 무릎에 앉으며, 물고기들은 그의 설교를 듣기 위해 주변을 맴돈다. 그가 부린 가장 유명한 마법은 가축을 잡아먹고 사람들을 죽이면서 이탈리아 구비오 지방을 공포에 떨게 만든 한 늑대에 관한 것이었다. 프란치스코는 마을 사람들을 돕기 위해 늑대를 만나러 가기로 결심했다. 지금까지 사냥꾼들이 늑대를 잡으러 갔지만 아무도 돌아오지 못했다. 프란치스코의 친구들은 그에게 가지 말라고 간청했다. 마을 사람들도 그에게 가지 말라고 사정했다. 하지만 결국 그는 떠났고 늑대는 그를 향해 돌진했다. 이 일화에 관한 AmericanCatholic.org의 설명에 따르면, 다음 일은 이렇게 전개된다. "프란치스코는 늑대를 향해 성호를 그었다. 하느님의 권능으로 인해 늑대는 속도를 늦추고 입을 다물었다. 그러자 프란치스코는 이 짐승에게 큰소리로 말했다. '나에게 오너라, 늑대 형제여. 그리스도의 이름으로, 누구도 해치지 않도록 명하노라.' 그 순간 늑대는 머리를 숙이고, 순한 양처럼 프란치스코의 발 앞에 엎드렸다."

그래, 뭐, 신의 권능이니 손으로 십자가 모양을 그었느니 하는 이야기들이 굉장히 인상적으로 들리긴 한다. 하지만 대대적으로 알려지지 않아서 그렇지 많은 구호자들이 늑대 못지않게 사나운 핏불테리어 — 늑대와 같은 종일 뿐 아니라 공격성을 갖추기 위해 오랜 세월 선택교배를 한 — 를 상대로 이와 똑같은 일을 하고 있다. 이 활동을 한 지 몇 년 지나고 나니, 나 같은 사람도 비슷한 경험을 이야기할 수 있게 됐다. 치마요에는 들개가 많은데, 들개들 대부분이 목줄 따윈 매지도 않고, 우리 집엔 울타리도 쳐 있지 않은 데다, 이들은 사람만 봤다 하면 무조건 공격부터 해댄다. 그러다 보니 이 거친 이웃이 최소한 일주일에 한 번은 나에게 달려드는데, 그때마다 나는 매번 같은 작전을 활용한다. 일단 돌아서서 "어이"라고 어설프게 외치며 그들의 주의를 끈다. 그런 다음 마치 오래 알던 친구인 양 차분하면서도 단호하게 말을 걸기 시작한다. 맨 처음 질문은 대개 이렇게 시작된다. "대체 뭐 때문에 그렇게 난리법석이야?" 물론 이렇게 하기까지 연습이 좀 필요했다. 하지만 요즘엔 세 번째 질문쯤 던지고 나면 들개가 대체로 차분해지거나 다른 데로 가버린다. 차분하되 단호한 태도는 개와 대화하는 남자, 시저 밀란(Cesar Millan, 애견 심리치료사이며 훈련자)이 그의 비결이라고 주장하는 두 가지 특징과 같다. 그러나 성 프란치스코는 더 근사한 비장의 카드를 활용했으니, 바로 공감하는 마음이었다.

하품은 전염되며, 같은 이유로 감정도 전염된다. 거울 신경세포가 자동적으로 이 과정을 일으키기 때문이다. 그리고 사회적 신호 — **하품**이라는 단어 — 같은 상징적 표현을 보는 것만으로도 하품이 날 수 있는 것과 같은 이유로, **공감**이라는 단어를 보는 것만으로도 다른 사람의 마음을 느낄 수 있다. 하지만 하품이 나게 하려고 굳이 **하품**이라는 단어를 볼 필요는 없다. 그냥 생각만 해도 얼마든지 하품이 날 테니까. 또한 거울 신경세포는 우리를 신경계와 연결시키기 때문에, 하품이라는 단어를 생각하다 보면 서서히 피곤해지기도 한다. 공감에 대해서도 마찬가지다. 공감에 대해 생각하다 보면 더 많은 것들을 공감하게 된다. 그리고 성 프란치스코가 행한 행동의 대부분은 바로 공감에 대해 생각하는 것이었다.

성 프란치스코의 기도는 처음부터 끝까지 이타주의에 대한 것으로, 핵심 구절은 "우리는 줌으로써 받으므로"이다. 이 구절은 이타적으로 사는 방법에 대해 말해주는데, 프란치스코는 이타적으로 산다는 건 곧 공감하는 마음을 키우는 것이라고 생각했다. 주고받음에 대한 구절 바로 앞에는 그의 신념이 나온다. "오, 주여, 제가 위로받기보다는 위로하고 / 이해받기보다는 이해하며 / 사랑받기보다는 사랑하게 하소서." 하나하나가 전부 인식의 전환이 필요한 행동으로, 자기중심에서 타인중심으로 행동하고, 무심코 타인의 얼굴을 해석해 그 사람의 감정을 느끼는 것을 넘어서서 의도적으로 타인의 입장이 되어 생각하려 애쓰며, 타인과 똑같이 느끼기 위해 진심을 다해 노력해야 한다. 프란치스코는 공감을 신앙의 초석으로 삼으면서, 의도하지는 않았지만 자신의 거울 신경세포를 활발하게 훈련시켰다.

거울 신경세포는 이 과정에 관련된 신경세포 구조이지만, 자크 판크세프가 지적했듯이 여기에서 신경화학물질도 관찰할 수 있다. 1980년대 초, 세인트루이스에 있는 워싱턴 대학교의 유전학자이자 정신과 의사인 로버트 클로닝거C. Robert Cloninger가 이 수수께끼를 풀기 시작했다. 클로닝거는 거울 신경세포보다는 정신질환에 관심이 있었다. 그는 5대 성격 특성 요인만으로는 정신병에 대한 취약성을 예측할 수 없음을 확인하고, 이를 위해서는 다른 성격 특성도 필요하다는 사실을 발견했다. 이 성격 특성은 본성nature이 아닌 양육nurture이다. 이 성격 특성은 한때 이마누엘 칸트가 말한 바 있으며, 사람들이 성격에 대해 정의해달라고 요청할 때 클로닝거가 반복해서 말했던 것처럼, '사람들이 의도적으로 만들어가는 것'이다.

클로닝거는 정신적인 생활을 통제하고 그 안전성을 측정하기 위해 이용되는 세 가지 성격 특성이 있다는 걸 발견했다. 이 세 가지 성격 특성은 얼마나 목표 지향적인지 나타내는 **자기주도성**self-directedness, 다른 사람들과 얼마나 유쾌하게 즐기고자 하는지 나타내는 **협동성**cooperativeness, 그리고 우리의 논의에서 가장 중요한 **자기초월성**self-transcendence이다. 자기초월성은 전통적인 종교적 신앙심과 관계없는 영적인 느낌이다. 미국 국립보건원의 유전학자 딘 해머Dean Hamer는 그의 저서 《신의 유전자*The God Gene*》에서 이같이 말한다. "자기초월성은 영적 믿음의 핵심에, 다시 말해 우주의 본질과 그 안에 속한 우리의 모습에 초점을 맞춘다. 자기초월적인 개인은 자신을 포함한 모든 것들을 더 큰 전체의 일부로 보는 경향이 있다. 그들은 사람과 장소와 사물이 서로 연결되어 있다는 강한 '일체감'을 지닌다."

또한 클로닝거는 자기초월성은 '서로 협력하는' 세 가지 특성 혹은 하위 특성의 조합이기도 하다는 사실도 발견했다. 다시 말해, 성격 분석표에서 한 가지 특성에 높은 점수가 나왔다면, 대체로 세 가지 특성 모두에 높은 점수가 나온다. 이 세 가지 특성은 초자연적인 현상을 기꺼이 믿으려는 의향인 **신비주의**mysticism, 순간순간에 몰입하는 **자기 몰입**self-forgetfulness, 그리고 역시 이 논의에서 가장 중요한 **자기를 초월한 일체성**transpersonal identification이다. 헤이머는 자기를 초월한 일체성에 대해 이렇게 설명한다.

> 자기를 초월한 일체성의 특징은 우주와 그 안에 존재하는 만물, 즉 산 것과 죽은 것, 인간과 인간이 아닌 것, 시각이나 청각, 후각, 그 밖에 다른 감각으로 느낄 수 있는 일체 모든 것들이 연결되어 있다는 느낌이다. 초월적 일체성에서 높은 점수를 얻은 사람은 다른 사람, 동물, 나무, 꽃, 개울, 산과 정서적으로 깊은 애착을 갖게 된다. 때로 그들은 모든 것이 살아 있는 단일 유기체의 일부라고 생각하기도 한다. … 이 특성은 그들에게 환경보호 운동가가 되고자 하는 마음을 불러일으킨다. 공식적으로 조사한 자료는 없지만, 이 [특성]에 관한 시에라 클럽(Sierra Club, 미국의 환경보호 단체)과 그린피스 회원들의 점수는 모르긴 해도 평균 이상일 것이다.

다시 말해, 자기를 초월한 일체성은 자기와 종을 넘어 더 넓은 세계로 공감 능력을 확장할 때 나타나는 성격 특성이다. 이 성격 특성은 생명 사랑을 향한 본능이 작용할 때 드러나며, 이 특성 없이는 종을 막론한 이타주의도, 치마요의 개 보호소인 란초 데 치와와Rancho de Chihuahua도, 곧 보게 될 주술사의 다양한 신비체험도 있을 수 없다.

딘 헤이머는 자기초월 능력을 담당하는 유전자를 발견한 사람이다. 이 유전자는 전문적인 용어로 VMAT2 유전자라고 불리며 세로토닌, 도파민, 노르에피네프린의 흐름을 조절하는데, 이 세 가지 신경화학물질은 자기초월성을 통제하는 동시에, 뉴버그가 묘사한 일체감의 경험을 포함해 소위 말하는 신비체험을 경험하는 동안 두뇌에 오래 나타난다고 해서, 헤이머는 이 유전자를 '신의 유전자'라고 부른다. 이 경험은 운동감각적(kinesthetic, 신체의 동작에 따르는 운동을 인지하는 감각)이므로 — 우리는 만물일체를 **느낀다** — 그렇다면 이 일체감은 궁극적인 사회적 감정이라고 설명할 수 있을지도 모른다. 그리고 일체감이 일종의 감정이라면, 적절한 전제 조건이 주어질 경우 일체감 역시 다른 감정과 마찬가지로 전염되어야 할 것이다.

늑대를 예로 들어보자. 늑대는 개나 인간처럼 거울 신경세포가 있는 사회적 종으로 역사가 오랜 동물이며, 얼굴 해석은 그들이 집단으로 살기 위해 필요한 기술이다. 한편 세로토닌, 도파민, 노르에피네프린은 모든 포유동물에게 발견되며, 우측 두정엽에 있다. 따라서 늑대에게도 일체감을 경험할 수 있는 신경세포 구조가 있다. 일체감이 모든 늑대에게 일반적으로 나타나는 감정의 일부인지는 모르겠지만, 늑대들이 일체감을 느끼는 것이 가능하다는 것은 분명하게 알 수 있다. 그리고 이를 근거로 성 프란치스코가 늑대를 길들인 이야기에 대해 약간 다른 식으로 해석할 수 있을 것 같다.

새로운 해석에서, 늑대는 성 프란치스코를 향해 돌진하고, 성 프란치스코는 평소대로 신의 권능에 기댄다. 늑대라는 동물은 선천적으로 호기심이 많은 터라, 성 프란치스코의 이런 행동이 늑대의 주의를 끈다. 늑대는 정보를 좀 더 모으기 위해 속력을 늦춘다. 그리고 역시 정보를 모으기 위해 성 프란치스코의 얼굴을 해석하기 시작하는데, 이때 그의 거울 신경세포가 가담한다. 그렇게 해서 곧이어 늑대는 프란치스코의 감정을 느끼게 된다. 우리는 프란치스코가 어떤 감정을 느꼈는지는 결코 알 방법이 없지만, 그가 일체감을 믿었고 공감 능력을 활용했다는 사실만큼은 분명히 알 수 있다. 아마도 그는 서양인들은 사랑이라고 말하고 동양인들은 자비라고 말하는 감정, 다시 말해 모든 생명체를 향한 공감을 바탕으로 한 순수한 존중, 잘 훈련된 거울 신경세포의 결과물, 일체감을 느꼈을 것이다. 그렇다면 늑대는 왜 프란치스코의 발밑에 엎드렸을까? 늑대들에게도 거울 신경세포가 있고 일체감은 전염되므로, 늑대는 이렇게 생각했을 것이다. 뭐하러 내가 나를 공격해?

이것은 과학이다. 틀림없이 그렇다. 그렇지만 어쩌면 마법일지도 모른다. SF 작가 아서 클라크Arthur C. Clarke는 "어떤 것이든 충분히 발달한 기술은 마법과 구별할 수 없다"라는 유명한 말을 했고, 얼굴 해석은 대단히 발달한 기술이다. 수억의 연구 자금과 수십 년의 국제적인 노력을 쏟아부었음에도, 우리는 얼굴 표정을 복제할 수 없다. 앤드루 뉴버그의 연구는 현실 세계와 신비체험이 서로 관련이 있음을 암시하며, 이 사실은 대체로 과학자들이 연구를 시작한 이후에야 밝혀졌다. 주술적인 경험이라고 다르겠는가. 어쩌면 인간과 동물이 의식을 교환하고 같은 언어로 말하던 그 신비의 시대는 마법의 행위보다는 신경세포와 신경화학물질의 기능이, 닌텐도를 끌어안고 사느라 까맣게 잊고 있던 경이로운 생명과학이 더욱더 활약하던 시기였는지도 모른다. 어쩌면 이러한 논리는 뱀과 대화를 하는 성경의 한 대목도 설명할 수 있을지 모른다. 어쩌면 우리가 에덴동산에서 쫓겨난 사건은 아주 심각한 수준의 인지기능 저하를 보여주는 동시에, 공감 능력을 기르려고 굳이 애쓰려 하지 않는 모든 사람들에게 여전히 그 치유가 가능하다는 걸 보여주는 사례일지도 모른다.

어쨌든 한 가지는 확실하다. 언제나 모든 일은 이야기하기 나름이라는 것. 오른쪽 각도에서 보면, 이 이야기는 완전히 원형적이다. 남자는 도시의 천박함을 뒤로 하고 짐승들 속에서 의미를 찾는다. 그 과정에서 신령스러운 식물을 피우며 당나귀와 교감하는 성스러운 여인을 만난다. 남자의 여행은 몹시 고되다. 남자는 거리의 악당들, 스라소니로 변장한 악령들과 싸우고, 퓨마와 함께 우리에 갇히는 등, 갖은 고초를 겪은 끝에 살아남는다. 그는 영혼의 어둔 밤 속으로 들어간다. 급류가 쏟아져 그를 황야로 내몬다. 남자는 산을 오른다. 위대한 개의 영혼들이 남자의 생명을 구하고 그에게 예지력을 선사한다. 아아, 그런데 이게 웬일. 남자는 또다시 길을 나서야 하나니. 그는 이제 저 먼 나라를 향해 마지막 원정을 떠나야 하는 것이다. 남자는 더 많은 위험에 맞닥뜨리고, 거리에서 마법사 한 명을, 소 떼들 주위에서 마법사 여럿을 만난다. 그렇게 해서 결국, 우리의 위대한 영웅께서는 두리틀과 같은 영험한 능력을 갖추어 이 문명 세계로 돌아오게 되었으며, 마침내 동물들과 야한 이야기를 주고받기에 이르렀으니.

진지하게 하는 말인데, 어디서 들어본 이야기 같지 않은가?

9

코요테의 길

결국 우리가 보는 것은 불분명한 것들이다.
완벽하게 명확한 것을 보려면
좀 더 시간이 걸리는 것 같다.

– 에드워드 머로(Edward R. Murrow)

스틸츠Stilts는 1월 어느 날 우리 집에 도착했다. 캘리포니아 강아지 공장 출신으로 털이 짧고, 거의 검은색 바탕에 황갈색 얼룩이 점점이 드러나 있다. 수척한 얼굴에 코는 길고 눈은 커다랗고 이빨은 몇 개 남지 않은 데다, 한쪽 귀는 반쯤 잘려 없어지고 꼬리는 완전히 사라졌다. 아르마딜로 같은 몸통으로 똑바로 서면 길이가 한 60센티미터 정도 되는데, 그것도 걷는 거라면 걷는 거라고 할 수 있을지 모르겠지만, 기린 다리 같은 가느다란 다리로 걷는 모양이 뭐랄까, 마치 섭식장애가 있는 호빗(hobbit, 영국 작가 톨킨의 작품에 등장하는 난쟁이족)이 죽마를 타고 걷는 것과 비슷하다고 해서 이름이 스틸츠(stilt는 죽마竹馬라는 뜻이 있다)가 됐다. 스틸츠의 태도는 어딘가 제롬 샐린저J.D. Salinger가 "속세를 떠나 글을 쓰길 원하는 독일계 펜실베이니아 출신의 수줍은 레즈비언"이라고 말한 모습을 연상시키기도 하고, 스티븐 킹 소설에 푹 빠진 우디 앨런Woody Allen을 연상시키기도 했다. 혹은 그 비슷한 모습이든지. 아무튼 스틸츠는 굉장히 유별났다.

사실 스틸츠는 우리와의 첫 만남을 썩 좋아하지 않았다. 새로운 집단을 만난다는 건 개에게는 고등학교를 전학 가는 것과 마찬가지다. 그래서 우리는 그 과정을 천천히 신중하게 진행한다. 우리에게는 언제나 신참 개들을 따뜻하게 맞이하는 외교사절 역할을 하는 개들이 있다. 대충 짐작이 간다고? 맞다, 우리 집 최고의 외교사절은 바로 동성애자 개들이다. 그래서 박살난 주둥이와 휴고가 늘 제일 앞에 나온다. 그런가 하면 우리 집의 진정한 폭군은 불테리어 레즈비언들이다. 그래서 다그마와 스퀴트는 맨 나중까지 꼭꼭 숨어 있다. 그러는 동안 우리는 주로 크기를 중심으로 개들을 만나게 해준다. 그래서 큰 개들은 큰 개들끼리 먼저 만나고, 작은 개들은 작은 개들끼리 먼저 만나게 된다. 그런데 이 방법이 스틸츠를 곤혹스럽게 만들었다. 스틸츠는 작은 개들 사이에 있자니 너무 크고, 그렇다고 큰 개들 사이에 있자니 너무 작았던 것이다. 이건 마치 학생들 전부가 백인 아니면 아시아인인 학교에 흑인만 아니다 뿐이지 백인이기도 아시아인이기도 한 아이가 새로 전학 온 것과 다를 바 없었다.

첫 대면을 마치자, 스틸츠는 새로 온 개들에게 흔히 보이는 모습, 극도로 피곤한 모습을 보였다. 최근까지도 스틸츠는 이 사람에서 저 사람에게로, 이 보호소에서 저 보호소로, 이 주에서 저 주로 옮겨 다니느라 바빴고, 그 밖에 또 얼마나 많은 곳을 전전했을지 모를 일이었다. 스틸츠는 충격을 떨쳐버리기 위해 잠을 잘 필요가 있었다. 보통 이틀 정도 자고 나면 회복되는데, 스틸츠는 일주일 동안 침대에서 꼼짝도 하지 않았다. 그런데 마침내 침대 밖으로 나오는가 싶더니 불쑥 다른 방으로 방을 옮기는 것이었다. 그러고는 한 달이 지나도록 탁자 밑에 놓인 베개에서 벗어날 생각을 하지 않았다. 관심, 애정, 좋은 먹이, 다정한 무리들, 전반적으로 유치한 분위기, 장거리 하이킹, 수두룩한 자유, 차고 넘치는 사랑. 이상은 탁월하기로 정평이 난 우리의 무기들이지만, 스틸츠에게는 어느 것 하나 효과가 없었다. 산책을 시켜보려 했지만, 스틸츠는 주변을 배회하다가 숨어버리기 일쑤였다. 이런 식이다 보니 나는 슬슬 짜증이 나고 속이 터질 지경이었다. 도대체 어떻게 해야 이 개하고 친해질 수 있을지 알 수가 없었다. 그러던 어느 날, 나는 산악자전거를 타고 산에 오르다가 녀석을 절벽 아래로 밀면 어떨까 하고 생각했다.

샌타페이를 벗어난 다른 지역의 산은 한 번도 가본 적 없는 개들과 함께 산악자전거를 타고 산을 오른 적이 있었다. 그날 우리의 여정에서 만난 장애물 가운데 하나는 거대한 바위였다. 바위 양쪽으로 깊은 낙하 구간이 있고 이 낙하 구간을 건너야 그 앞으로 길이 쭉 뻗어 있어서, 누구나 이곳에 도착하면 망설이고 말고 할 겨를 없이 '목표 방향을 향해 기도하기'라는 방식을 취할 수밖에 없다. 우리도 목표 방향을 향해 기도하는 마음으로 낙하 구간을 껑충 뛰었다. 그러고 나서 한껏 들떠서는 산길 한가운데에서 서로 손바닥을 치고 등을 두드리며 무척 기뻐했다. 이런 현상은 높은 수준의 아드레날린이 분비되면서 아드레날린 외에 엔도르핀, 도파민, 노르에피네프린이 같이 분비되기 때문이다. 엔도르핀은 고통을 완화하는 한편 노르에피네프린과 도파민은 반응 시간을 앞당겨 경기력 향상에 도움을 주기 때문에, 이러한 화학물질은 대단히 위험한 상황에서 매우 중요한 역할을 한다. 또한 엔도르핀은 사회적 결속을 강화시키고, 도파민과 노르에피네프린은 낭만적인 사랑을 유도한다. 이 화학물질들이 한데 결합하면 대단히 강력한 힘을 발휘하기 때문에, 2초간 바위를 뛰어넘은 다음부터 우리는 마치 새로운 관계로 똘똘 뭉친 대학 신입생처럼 굴기 시작했다. 그래서 스틸츠를 다른 개들과 함께 위험한 상황 속에 몰아넣을 수 있다면, 혹시라도 도움이 되지 않을까 하고 생각했던 것이다.

나는 마음속으로 완벽한 계획을 염두에 두고 있었다. '다섯 마리 개들의 운동 시간'을 시작한 후로 줄곧 내 관심을 끈 경로가 하나 있었다. 아래로 짧은 낙하 구간이 연속해서 이어지고, 그 아래로는 커다란 눈처마가 있으며, 또 그 아래로는 아주 멋진 사암 절벽이 이어진, 미치지 않고서야 도저히 걸을 엄두가 나지 않는 산등성이였다. 나는 이 산을 지날 때마다 이 경로를 눈여겨보았다. 그렇지만 여길 무슨 수로 지나갈 수 있겠는가? 절벽은 굉장히 가팔라 보였고, 눈처마에서 뛰어내리기에는 낙하 거리가 상당히 길어 보였다. 그렇지만 이 길은 알 수 없는 두려움으로 감히 근처에도 가고 싶지 않게 만드는 무언가가 있는 동시에, 한번 시도해보고 싶게 만드는 묘한 매력이 있었다. 아마도 나는 이 길을 지나기 위한 모종의 신호를 기다리고 있었는지도 모른다.

스틸츠가 우리 집에 도착하기 며칠 전, 한 차례 신호가 왔다. 이고르와 벨라, 버킷, 그리고 나는 하이킹을 하러 집을 나서 일출 직전에 높은 산등성이 하나를 올랐다. 내가 눈여겨봐둔 길이 바로 우리 건너편에 있었지만, 너무 이른 시간이라 절벽이 어둠에 가려 거의 보이지 않았다. 잠시 후, 온 산에 여명이 번져 모든 골짜기가 환히 비칠 무렵, 우리는 산봉우리를 올랐다. 그런데 내가 봐둔 경로 가운데에 불현듯 무언가 눈에 띄는 것이 있었으니, 세상에, 내 평생 보아온 코요테 가운데 가장 큰 코요테가 눈처마 아래로 15미터 떨어진 곳에서 마치 우리를 기다리고나 있었던 것처럼 떡하니 자리 잡고 앉아 있는 것이 아닌가.

코요테는 우리 개들 가운데 제일 큰 개보다도 컸다. 거짓말 조금 보태서 늑대만 했다. 뿐만 아니라 두꺼운 은빛 털이며 샐러드 접시처럼 생긴 발이며, 생김새도 꼭 늑대 같았다. 코요테는 즉시 우리를 알아보았다. 나는 코요테가 가버리길 바랐지만, 코요테는 달아나기는커녕 제자리에 꼼짝 않고 앉아서 우리를 빤히 쳐다보는 것이었다. 우리도 5분, 아니 10분 동안 코요테를 빤히 쏘아보았다. 잠시 후 이고르가 한 차례 짖었다. 그러자 코요테가 고개를 한 번 끄덕이더니 일어나서 걸음을 옮겼다. 코요테는 절벽 아래로 달려가는 대신 반대 방향으로 걸어가더니, 펄쩍펄쩍 뛰어 여섯 걸음 아니 어쩌면 일곱 걸음으로 이 경로를 지나 눈처마 위로 모습을 감추었다. 마치 세 시간짜리 발레를 단 몇 분으로 요약한 것 같았다. 정말 놀라운 일이었다. 코요테가 사라진 후, 나는 이 길에 이름을 붙였다. 나는 신호를 받았고, 이 일에 다른 선택은 없었다.

그날 우리는 '코요테의 길'을 달렸다. 버킷이 낙하 구간을 무서워해서 짧은 낙하 구간이 나올 때마다 버킷을 안고 넘어야 했다. 이고르와 벨라는 낙하 구간을 껑충껑충 잘도 뛰어 건넜고, 눈처마도 거뜬히 뛰어넘었다. 버킷은 눈처마 가장자리를 한 차례 쓱 훑어보더니 내리막길을 발견했다. 나도 버킷을 따라갈까 하다가 아무래도 나중에 후회할 것 같아서, 다섯, 넷, 셋, 둘, 하나를 외친 다음 목표 방향을 향해 기도하며 낙하 구간을 건넜다. 공중에 잠시 붕 떴다가 착지할 때 엉덩이가 땅에 닿긴 했지만, 흙이 워낙 부드럽고 찰져서 두 발로 땅을 딛고 일어서자 가속도가 붙었다. 나는 그저 발이 움직이는 대로 한 발 한 발 걸음을 옮길 뿐이었다. 그렇게 몇 발자국 걸음을 뗐고 잠시 후 개들이 내 곁에 나란히 모여 섰다. 우리는 다 같이 산을 달려 내려갔다. 한 걸음에 1.5미터씩 성큼성큼 내려갔고, 한 걸음 내딛을 때마다 그보다 더 깊이 사랑에 빠졌으며, 그러는 동안 서로가 서로에게 아주 푸욱 빠져들었다. 그래, 바로 이건 거지.

캐런 런던Karen London과 퍼트리샤 매코널은《함께 놀고, 함께 머무르다*Play Together, Stay Together*》에서 "우리가 개들과 함께하는 놀이 형태는 동물의 행동 세계에서는 상대적으로 드물고 … 개와 인간이 성인이 되어서도 여전히 장난을 치며 논다는 것 역시 흔한 일이 아니지만, 서로의 관계를 유지하는 데 중요한 부분이다. 놀이가 관계를 더 돈독하게 만드는 건 아닐지라도, 맨 처음 관계를 형성하는 데에는 어느 정도 도움이 된다"라고 언급한다. 나는 이 결론에 이르기까지 멀리 돌아왔지만, 이것은 내가 개들은 신성하며 개 구호 활동은 깨달음에 이르게 하는 길이라는 걸 알게 된 진정한 이유이기도 하다. 개 구호에서 놀이는 장려될 뿐만 아니라 보상을 주기도 하니까.

그로부터 몇 달 후, 나는 산악자전거를 타고 다시 그 산을 달리면서 다시 한 번 개들과 하이킹을 하고 싶다는 생각을 하게 됐고, 마침내 이고르가 빠지고 스틸츠가 합류한 걸 제외하면 지난번과 같은 구성원들로 코요테의 길을 다시 찾았다. 스틸츠는 산등성이는 별로 힘들어하지 않았지만 눈처마 앞에서는 자신 없는 모습을 보였다. 이번에도 버킷은 주변을 쓱 둘러보고는 다른 내리막길을 향해 내려갔다. 스틸츠도 버킷의 뒤를 따라가려 했지만, 내가 스틸츠의 등을 붙잡아 낙하 구간을 향해 돌려 세웠다. 그렇지만 의도가 아무리 좋으면 뭘 하나. 나는 다섯, 넷, 셋, 둘, 하나까지 다 세고 난 다음, 순간 내가 지금 무슨 생각을 하고 있는 건가 싶은 게 정신이 번쩍 났다. 스틸츠를 절벽으로 밀어내려 하다니, 도저히 그럴 자신이 없었다.

나는 스틸츠에게 사과를 했고, 스틸츠가 버킷을 따라 내리막길로 가고 싶어 할 것 같아 그를 놓아줬다. 누가 알겠는가, 어쩌면 그 방법이 더 효과가 좋을지. 그러면서도 나는 스틸츠가 놓친 것이 무엇인지 보여주기 위해 크게 함성을 지르며 눈처마 위를 껑충 뛰어넘었다. 벨라도 나와 함께 뛰어넘었다. 우리는 거의 동시에 바닥에 떨어져 마치 핀볼처럼 비탈 아래로 달려 내려갔다. 벨라는 평평한 바닥을 향해 계속해서 달려갔고, 나는 스틸츠가 어떻게 하고 있는지 확인하려고 중간에 걸음을 멈추었다. 스틸츠는 아직도 그 자리에 서 있었고, 여전히 가장자리를 빤히 쳐다보고 있었다. 처음에 나는 스틸츠가 두려움으로 몸이 굳어버린 줄 알고, 스틸츠에게 다시 올라가봐야겠다고 생각했다. 그런데 스틸츠는 내가 지금까지 다른 개들에게서 한 번도 본

적이 없는 행동을 하기 시작했다. 뒷다리로 일어서더니 자기가 말인 줄 아는지 허공을 향해 앞다리를 차올리는 것이었다. 스틸츠는 연속해서 두 차례 이런 동작을 취한 다음 짖기 시작하더니 눈처마를 향해 연달아 짖어댔다. 그러고는 풀쩍 뛰어 완벽하게 착지한 후 절벽 아래로 내려가는 내내 짖었고, 작은 협곡으로 들어가는 내내 또 짖었으며, 여기에서 속도를 늦추지 못한 바람에 벨라에게 몸을 부딪치고 버킷의 몸에 부딪쳐 튕겨져 나와서는 셋이 한 덩어리가 되어 얼굴 깨물기 놀이를 했다. 스틸츠가 다른 개하고 난생처음 몸을 부딪치며 해보는 놀이였다.

그 순간 나는 헬퍼스 하이가 물밀듯 밀려드는 느낌을 받았다. 문득 무아지경에 빠진 느낌, 행복이 콸콸 샘솟는 느낌이 들었다. 개들 역시 내 기분에 전염된 게 분명했다. 우리는 즉시 협곡을 향해 달려 내려갔고, 그러는 동안 대장 따라 하기 놀이를 하며 장난을 치면서 뛰어다녔다. 나는 한 번은 버킷을 따라갔다가, 그다음엔 스틸츠를 따라 달렸고 — 이제 스틸츠는 더 이상 뚱보 호빗처럼 달리지 않게 되었다 — 그런 다음 벨라가 앞장을 섰다. 벨라의 스타일은 달라지지 않았다. 여전히 벨라는 가는 길에 놓여 있는 것은 무조건 뛰어넘고 봐야 직성이 풀렸다. 나는 벨라의 곡예를 도무지 따라 할 자신이 없기 때문에 평소 같으면 이런 경우 번번이 게임에서 탈락되기 일쑤였다. 하지만 그날 나는 기분이 최고였고 스틸츠도 무척 즐거워했던 터라, 망설일 새도 없이 스틸츠와 함께 암벽을 껑충 뛰어넘었다.

작은 협곡으로 가려면 정확하게 오른쪽으로 돌아야 했고, 벨라는 오래된 버릇을 고수했다. 벨라는 땅에서 펄쩍 뛰어 암벽 바깥으로 튀어나온 노간주나무 뿌리 뒤쪽을 향해 곧장 달렸다. 암벽의 높이는 1.5미터 정도여서 나로서는 뛰어넘기에 상당히 벅찼지만, 이런저런 생각을 할 새도 없이 벨라를 따라 뛰어올랐다. 버킷이 나를 따라 올라왔고, 스틸츠가 버킷을 따라 올라왔다. 우리는 암벽이 나올 때마다 계속해서 넘고 또 넘었다. 벨라가 자리에서 출발하면 곧바로 내가 그 자리에 떨어졌다. 그리고 내가 떠난 자리를 버킷이 순식간에 차지했고, 버킷의 자리는 다시 스틸츠의 차지가 됐다. 벨라는 바위가 되어 암벽 밑바닥까지 금이 가게 할 태세였고, 우리는 벨라를 뒤따라갔다. 이건 마치 수직으로만 이동하는 사방치기 놀이 같았다. 우리가 암벽 위를 뛰어오를 때, 나는 내 자아의식 전체가 희미해지기 시작하는 걸 느꼈다. 그리고 그렇게 몇 차례 벽을 넘는 동안 내 관점이 확장되어 마치 개들과 하나가 된 것 같은 기분이 들었다. 그때 내 머릿속에서 어떤 목소리가 울렸다. 내 목소리인지 개의 목소리인지 확실하게 구분할 수는 없지만, 아무튼 개들이 하는 대로 똑같이 따라 하기만 하면 벽을 뛰어넘는 것쯤 문제없을 거라고 알려주었다. 여덟 번째 벽을 뛰어넘을 때, 목소리가 말해주던 바로 그 일이 일어났다. 우리 모두는 암벽 위로 곧장 달려 올라갔다. 이것은 전염된 도취감 그 이상이었다.

칙센트미하이는 **집단 몰입**이라는 용어를 사용해, 다수의 개인이 다 같이 몰입 상태에 있을 때 스스로를 발견함으로써 찾아오는 의식의 강력한 결합과 극도로 고양된 인식을 설명한다. 위대한 농구 선수 빌 러셀Bill Russell은 1979년 그의 자서전 《새로운 활력*Second Wind*》에서 집단 몰입에 대해 이렇게 설명했다. "몰입이 지속되는 동안, 나는 경기가 어떤 식으로 펼쳐질지, 다음에는 어디에서 슛을 날릴지 거의 직감으로 알 수 있었다. … 내 예감은 언제나 적중했고, 나는 항상 우리 보스턴 셀틱스 팀의 모든 선수들을 속속들이 알고 있을 뿐 아니라 상대편 선수들도 전부 한눈에 꿰고 있다고 느꼈으며, 그들도 모두 나를 알고 있다고 느꼈다."

이런 현상은 밴드가 멋진 쇼를 펼치거나 오케스트라가 훌륭한 음악을 연주할 때 일어날 수 있다. 스포츠 아나운서들이 경기 중에 어떤 팀에 대해 '한 몸이 되어 움직인다'느니 '힘을 받고 있다'고 말할 때, 주로 집단 몰입이 원인이 된다. 그리고 댈러스 카우보이스 팀의 코치, 지미 존슨Jimmy Johnson이 1993년도 슈퍼볼 경기의 우승을 칙센트미하이의 공으로 돌린 이후부터, 이 집단 몰입 상태는 지구상에서 가장 인기 있는 현상 가운데 하나가 되고 있다. 빌 클린턴 미국 대통령과 토니 블레어 영국 총리는 집단 몰입의 효과를 입에 침이 마르도록 칭송했다. 2007년, 미국 경영 월간지 《패스트 컴퍼니*Fast Company*》는 이같이 언급했다. "지난 몇 년 동안 … 마이크로소프트, 에릭슨, 파타고니아, 도요타 등을 비롯한 많은 주요 기업들은 이 느낌을 통제하고 이용할 수 있는 것이야말로 모든 관리자들이 중요하게 여기는 규정임을 깨달았다."

다 함께 암벽을 뛰어넘었을 때 나는 이것이 집단 몰입이라는 거구나, 하고 느꼈다. 물론 그 경험이 모든 종을 막론하고 일어날 수 있는지는 자신할 수 없었다. 그래서 며칠 뒤, 내 의문을 확인하기 위해 퍼트리샤 매코널에게 전화를 걸었다. 그녀는 어디 가능하다뿐이냐고 말했다. "훌륭한 목동들은 시종일관 자기 개들과 함께 몰입 상태에 들어 있어요. 어쩌면 그렇기 때문에 그들이 훌륭한 목동이 되는지도 모르죠." 그녀의 설명은 무엇보다 내가 파타고니아에서 소들에 대해 목격한 현상들을 상당 부분 이해시켜준다. 이후 나는 칙센트미하이에게 이메일을 보내 그의 견해를 물어보았다. 그는 이렇게 답을 보내주었다. "글쎄요, 저는 당신이 기술한 내용들이 전혀 터무니없다고 생각하지 않습니다. 저 자신도 상호 간의 몰입 상태를 확인하기 위한 예로, 제가 기르는 개와 함께 몇 바퀴씩 달리기한 내용을 썼는걸요."

집단 몰입이 작동되는 방식은 기본적으로 얼굴 해석에서 뚜렷하게 볼 수 있다. 그렇지만 반드시 얼굴을 볼 필요는 없고, 대신 고도의 집중력과 뛰어난 패턴 인식 체계를 통해 약간의 몸짓언어만으로도 얼마든지 정보를 전달할 수 있다. 가장 좋은 예는 집단 몰입이 아닌 무리들의 집단행동에서 찾을 수 있다. 수천 마리의 거위들이 동시에 일제히 방향을 바꿀 때, 이것이 바로 무리의 집단행동이다. 집단을 이루는 인간을 포함해 박테리아, 개미, 벌, 물고기 등 무리 지어 이동하는 모든 동물들에게 이런 특징이 발견된다. 그런데 연구원들이 무리들 사이에서 정보가 전달되는 방식을 찾고자 했지만, 문제는 집단 전체가 조직적으로 움직이는 속도가 감각에 의해 의사소통이 전달되는 속도보다 훨씬 빠르게 진행된다는 점이었다. 도대체 어떻게 벌 떼는 신호가 전달되는 속도보다 더 빠르게 회전하고, 회전할 때 전체가 일제히 기웃하게 비행할 수 있는 걸까? 수백만 마리의 물고기들은 갑작스런 침략자의 출현에 어떻게 그처럼 한 몸이 되어 조직적으로 반응할 수 있는 걸까?

한동안 동물은 우리에게는 없는 감각 기관을 지니고 있을지 모른다는 의견이 있었지만, 1986년 애니메이션 제작자이자 컴퓨터 모델러인 크레이그 레이놀즈Craig Reynolds는 동물들에게는 그런 감각 기관이 필요하지 않을 수도 있다는 걸 깨달았다. 그는《뉴욕 타임스》에 언급했듯 "새들은 동기화 속도가 놀라울 만큼 빠르다. 그리고 새들은 천재가 아니기 때문에 하늘을 날면서 깊은 사고를 할 수가 없다. 새들은 상당히 단순한 규칙들만 사용하는 것이 분명하다"라는 확고한 발상에서 출발해, 보이즈(Boids, 새를 닮은 것bird-oids이라는 의미)라고 하는 컴퓨터 시뮬레이션 프로그램을 개발했다. 따라서 그가 개발한 보이즈 프로그램에는 분리separation, 정렬alignment, 응집cohesion이라는 세 가지 요소만 사용되었다. 분리는 복잡성 분야에서는 '에이전트agent'로 알려진 각각의 보이드가 주변의 다른 보이드들을 피하도록 돕는 근거리 반발력이다. 정렬은 이 에이전트들이 주변의 다른 보이드들과 평균적인 방향을 유지하도록 조종하는 것을 의미하고, 응집은 에이전트들이 주변의 보이드들과 평균적인 위치를 유지하도록 조종하는 것을 의미한다. 이 세 가지 요소가 전부였다.

SF 소설가 브루스 스털링Bruce Sterling은 이 시뮬레이션을 살펴본 후 그 결과에 대해 다음과 같이 기술했다.

> 각각의 보이드는 실물과 아주 똑같이, 생동감 넘치게, 유기적인 방식으로 목적 없이 배회한다. 이들의 움직임에 '기계적으로 보이거나' '프로그래밍된 것처럼 보이는' 구석은 조금도 찾아볼 수 없다. 보이드들은 윙윙거리며 떼를 지어 날아간다. 가운데에 위치한 보이드들은 시종일관 만족해하며 몸을 흔들면서 움직이고, 가장자리에 위치한 보이드들은 유리한 자리를 차지하고 싶어 초조하게 대열을 따라간다. 이렇게 전 비행 중대는 함께 협력하면서 놀랍도록 우아한 자태로 선회하고, 급강하하고, 곡예비행을 한다. … 보이드들이 집단행동을 완벽하게 시뮬레이션한다고 말하는 사람도 있을지 모르지만, 인공 생명의 열렬한 지지자들이 확고하게 신봉하는 주장에 따르면, 이것은 결코 '시뮬레이션'이 아니다. 이것은 그야말로 진짜 '집단행동'

이며, 다름 아닌 새들의 실제 움직임이다. 집단행동은 집단행동이지, 그것이 미국 흰두루미의 행동이든 컴퓨터 그래픽의 행동이든 전혀 중요하지 않다.

위의 세 가지 규칙들은 이제 무리 지어 이동하는 모든 동물들에게 필요한 유전적 암호화의 일부로 여겨지고 있으며, 이 규칙들이 요구하는 것들이 집단 몰입을 설명하는 데 도움이 될지도 모른다. 각각의 규칙들은 패턴 인식[새들이 평균 거리와 속도, 움직임을 결정하기 위해 필요하다], 몸짓언어 해석[속도와 거리, 움직임을 결정하기 위한 유일한 방법은 주변 새들의 움직임을 알아차리는 것이다], 그리고 신체 흉내[집단행동을 원활하게 하기 위해 개인은 집단의 행동을 똑같이 따라 할 필요가 있다]가 요구된다. 인간은 집단을 이루어 움직여야 하므로, 우리의 뇌에도 이와 똑같은 규칙들이 유전적으로 암호화되어 있다. 바로 이것으로 인해 내가 '다섯 마리 개들의 운동 시간'에 발견한 상당히 조직화된 움직임이 만들어진다.

이와 유사한 일들은 집단 몰입을 경험하는 동안 매우 극단적인 수준에서 일어나기도 한다. 마지막 쿼터에서 극적으로 점수를 만회하는 미식축구 팀은 집단 몰입이 잘 이루어지고 있다는 아주 좋은 신호다. 만일 경기가 시작되어 리시버가 프리랜싱 — 경기에서 아무 곳이나 빈자리를 향해 달리는 — 을 시작할 때, 쿼터백이 리시버를 볼 수도 없고 그가 어디로 뛸지 전혀 감을 잡지도 못하면서도 어떻게든 그에게 공을 건네주는 상황이 어떻게 가능한지를 상상해보자. 이런 일이 가능할 수 있는 것은 쿼터백이 자기 앞에 있는 선수의 몸짓언어를 읽고, 그 몸짓언어는 또 다른 몸짓언어에 반응하며, 이런 식으로 경기장 전체가 몸짓언어에 대한 반응이 되기 때문이다. 이것은 무리 속에서는 집단의 단결로, 미식축구에서는 터치다운으로 이어진다.

이 같은 시스템이 변신술의 원인이 됐을 가능성이 크다. 주술적 의식들은 북을 두드리고, 춤을 추고, 노래를 부르는 등 몰입 상태를 야기하는 것으로 알려진 세 가지 행위들로 시작되며, 여기에서부터 다음 단계로 의식이 진행된다. 대부분의 변신 의식들에는 미르체아 엘리아데가 '동물 행동의 신비적 모방'이라고 부르는 것이 포함된다. 호피 족은 영양들의 춤을 추고, 후이촐 족은 사슴 춤을 추며, 밀림 지대에 사는 부족들은 호랑이 무언극을 하고, 스텝 지대에 사는 민족들은 늑대의 흉내를 낸다. 1895년 무렵 미국의 작곡가 루이스 고트샤크Louis Moreau Gottschalk가 흑인 노예들이 즐겨 사용하는 리듬에 동시대 기악편성법을 혼합해 래그타임(ragtime, 재즈의 전신으로 1880년대부터 유행한 피아노 음악)을 만들었을 때, 여기에 수반되는 아프리카 춤에 '여우의 빠른 걸음fox trot', '닭의 할퀌chicken scratch', '뱀의 인사snake dip' 같은 이름이 붙여진 것도 같은 이유에서다. 인류학자이며 샤머니즘 연구가인 마이클 하너Michael Harner는 《주술사의 길*The Way of the Shaman*》에서 다음과 같이 보고한다. "주술사로 입문하기 위해서는 … 한밤중에 춤을 추는 의식이 필요한데, 주술사의 길에 갓 들어선 사람은 이때 동물의 흉내를 내며 춤을 춘다. 이것은 동물로 변신하는 방법을 배우는 과정의 일부이다."

그리고 앤드루 뉴버그와 유진 다킬리가 54세의 보수적인 사업가 빌을 인터뷰하면서 알게 된 사실처럼, 변신이 일어나는 데에는 오랜 시간이 걸리지 않는다. 1990년대 초 어느 날, 빌은 저녁에 외출하다가 즉흥 재즈 연주 소리를 들었다. 그는 피츠버그에 있는 고딕 양식의 골고다 성공회 교회 의자에 앉아, 테이프로 녹음된 늑대 무리의 울부짖는 소리와 함께 폴 윈터(Paul Winter, 미국의 색소폰 연주자)의 콘서트 연주를 듣고 있었다. "그 소리는 청중을 일상에서 벗어나 또 다른 세계로 이끌 정도로 대단히 아름다웠습니다." 뉴버그의 저서 《신은 왜 우리 곁을 떠나지 않는가》에서 과학자들은 이렇게 이야기했다. "그리고 늑대의 세레나데가 감정적으로 최고조에 달하자, 빌에게도 똑같은 일이 일어나지요. 고요히, 자기도 모르는 사이에, 빌은 늑대들의 노래에 푹 빠져들고, 잊히지 않는 리듬과 날것의 목소리가 전하는 아름다움에 마음이 차분히 가라앉습니다. 그는 깊고 고요하게 평화로움을 느낍니다. 그리고 문득 밀려오는 흥분에 사로잡힙니다. 마음 깊은 곳에서부터 기쁨과 에너지가 폭발하듯 솟구쳐 올라, 빌은 조금도 주저하지 않고 그 자리에서 벌떡 일어나 고개를 뒤로 젖힌 채 영혼 저 밑바닥에서부터 길게 울부짖습니다."

빌뿐만이 아니었다. 빌이 벌떡 일어서는 순간, 주변에 있던 대여섯 명의 사람들도 마찬가지로 자리에서 일어섰다. 그 후 몇 초가 지나자, 나머지 신자들도 모두 일어났는데, 무슨 이유에선지 알 수 없지만 백여 명의 사람들이 자기도 모르게 자리에서 일어나 늑대들과 함께 울부짖는 것이었다. 그 결과 늑대와 다른 신자들과 나아가 더 넓은 세계와의 일체감이라는 심오한 경험을 할 수 있었고, 빌의 말에 따르면 그때의 일체감은 "**종교적인** 느낌이 아닌 명확히 영적인 느낌이었다. 그 느낌은 말로 옮기기 어려우며, 사실상 설명이 불가능하다."

실제로 그럴 수 있다. 리드미컬한 음악을 들으면 주의를 집중하게 되기 때문에 이런 과정이 일어날 수 있다. 깊이 몰두하고 오래 집중하다 보면 행동과 의식이 한데 녹아든다. 주술사의 경우 이것은 무아지경 상태에 들어서는 첫 시작이 될 테고, 과학자의 경우 몰입 상태가 시작되는 단계가 될 테지만, 사실상 둘 사이에는 아무런 차이가 없다. 이 상태의 핵심이라고 할 수 있는 확장된 공감 능력이 이루어지면 자아의 경계가 넓어지기 시작한다. 그러나 몰입 상태는 점진적으로 이루어진다. 지속적으로 몰두하고 지속적으로 집중하는 가운데 모방 행동 — 주의력을 증가시킬 뿐 아니라 더 나아가 전체 거울 신경체계를 관여시키는 활동 — 가 더해지면, 전 과정이 더욱 활발하게 전개되고 일체감을 향해 훨씬 가까이 다가가기 시작한다.

그러므로 마지막 스위치를 올리는 요인이 무엇인지는 말하기가 조금 어렵다. 현재로서는 거울 신경체계와 우측 두정엽의 관련성을 확고하게 밝힌 사람이 아무도 없고, 정향연합영역이 더 이상 정보를 내보내지 않는 정확한 시점이 언제인지 알 수도 없으므로, 실제로 일체감을 일으키는 유인에 대해서는 아직까지 밝혀지지 않았다. 그러나 신경학자 라마찬드란은 거울 신경체계와 자기 인식self-awareness 사이에 관계가 있으며, 이 관계가 일체감을 설명하는 데 도움이 될 수 있다고 믿는다. 라마찬드란은 최근 《뉴요커》 지에서 다음과 같이 이야기했다. "우리가 제시하는 이론들 가운데 하나는, 다른 사람의 행동을 본받고, 다른 사람의 입장에 서고, 다른 사람의 관점에서 세계를 보기 위해 거울 신경체계가 이용된다고 설명한다. 이것은 자기중심적 세계관과 반대되는 것으로 타인중심적 세계관이라고 한다. 따라서 나는 이 거울 신경체계가 진화 과정의 어느 시점에서 방향을 바꾸어, 우리 자신에 대해 타인중심적인 관점을 형성하게 했으리라고 제안한 바 있다. 나는 이것이 자기 인식의 시초라고 주장한다." 그런데 일단 이렇게 타인중심적인 관점이 형성되고 나면 — 일단 거울 신경체계가 안으로 방향을 돌려 스스로를 보게 되면 — 무엇으로 이 관점을 차단할 수 있을까?

집단행동과 마찬가지로, 그리고 의식 자체와 마찬가지로, 몰입 상태 역시 창발 현상임이 분명하다. 그런데 우리가 몰입 상태에 있게 되면, 다시 말해 거울 신경체계가 우리와 조화되는 무언가를 본뜨느라 오랜 시간 애쓰다가 이 체계가 다시 우리 내부로 확 방향을 돌리면 어떤 일이 일어나는 걸까? 공감 능력이 우리의 피부를 벗어나 자아의 경계를 확장시킨 후 타인중심적 인식이 방향을 돌려 스스로를 보게 된다면, '나는 누구인가'에 대한 대답이 문득 그 경계를 얼마나 멀리 이동시키느냐에 따라 달라진다면, 과연 어떤 일이 일어날까? 미식축구 경기장에서는 터치다운으로 이어지고, 종과 종을 넘어서는 관계에서는 변신술이 일어나며, 전 우주에서는 우주적인 합일이 일어나지 않을까.

아, 그리고 변신술에 대한 내 변변찮은 경험은 잊어주시길. 동물들이 몰입 상태에 들어간다고 하면, 이것만으로도 엄청난 파문을 일으키고도 남을 테니까. 집단 몰입을 일으키기 위해서는 여러 가지 것들, 즉 엔도르핀, 아난다미드, 세로토닌, 도파민, 노르에피네프린, 운, 거울 신경세포, 패턴 인식, 얼굴 해석, 몸짓 해석, 우측 두정엽 등등이 결합되어야 하는데, 이 말은 곧 개들도 이런 부분들을 모두 지니고 있을 뿐만 아니라 이것들을 활용하는 법을 알고 있다는 걸 의미한다. 또한 신경과학자들이 아직 연구하지 않은 모든 신비체험들도 이와 유사한 요소들의 결합으로 이루어진다. 누구나 할 수 있는 말이겠지만, 몰입 상태와 신비체험 상태에는 아무런 차이가 없으며, 다른 모든 절정체험peak experience과 마찬가지로 이 두 체험 역시 거울 신경체계가 개입되고, 일체감으로 이어지는 일련의 공감 능력이 수반된다. 그리고 일단 이러한 내용을 이해하고 나니, 이제 개들도 신을 믿는지 궁금해지기 시작했다. 흐음, 내가 그렇지 뭐.

개들도 신을 믿을까, 하는 의문은 어쩌면 당초 내가 의도한 방향에서 다소 멀리 나갔을지도 모르지만, 이 의문이 나에게는 더 이상 터무니없는 것으로 여겨지지 않았다. 개와 인간이라는 두 종 사이에 유사한 점이 얼마나 많은데, 이런 가능성을 고려하지 않을 이유가 없지 않겠는가. 어쨌든 개들도 분명히 감정이 있다. 개들도 개인적인 취향이 있고, 무아지경을 경험하며, 심지어 악덕도 저지른다. 이런 특징들이 신앙심의 전형적인 기반이 될 수 있을지 의심스러울 수도 있겠지만, 알고 보면 부적절한 출발점은 아니다.

1983년, 애리조나 대학교의 내과 의사 앤드루 웨일Andrew Weil은 그의 저서 《초콜릿에서 모르핀까지*From Chocolate to Morphine*》에서, 아이들은 의식을 변화시키기 위해 원을 맴도는 반면, 어른들은 술과 약물을 이용해 의식을 변화시킨다고 지적한다. 웨일은 이런 행동은 대단히 본능적으로 나타나기 때문에, 어쩌면 변성된 의식 상태를 적극적으로 추구하는 종이 인류가 최초가 아닐지도 모른다는 의혹을 갖게 됐다. 그는 연구를 진행하면서 자신의 의혹을 바로잡아갔다. 2006년, 제인 구달과 마크 베코프는 스페인에 있는 모나 침팬지 보호구역Mona Chimpanzee Sanctuary을 방문했다. 그들은 마르코라고 하는 침팬지를 만났는데, 마르코는 천둥이 치고 비가 퍼붓는 상황에서 완전히 넋이 나가도록 춤을 추고 있었다. 베코프는 그 모습을 보고 "무아지경에 빠져든 것 같다"라고 말했다. 구달은 다른 침팬지들, 주로 수컷 성인 침팬지들이 폭포 근처에서 똑같은 의식을 벌이는 걸 목격했다. 베코프는 《뉴 사이언티스트*New Scientist*》 지에서 다음과 같이 언급했다. "제인 구달은 침팬지가 이 폭포들 가운데 하나에 접근할 때

털이 약간 빳빳하게 곤두섰으며, 이것은 침팬지가 크게 흥분했다는 표시라고 설명했다. 구달은 이렇게 말했다. '침팬지가 폭포에 가까이 다가갈수록, 폭포 소리가 점점 커질수록 침팬지의 털이 완전히 빳빳해지고, 강 하류에 다다르면 즉시 폭포 가까이에서 장엄한 동작을 선보인다. 그는 똑바로 서서 리듬에 맞추어 한쪽씩 발을 떼며 몸을 흔들기도 하고, 콸콸 쏟아지는 폭포 아래 얕은 곳에서 발을 구르는가 하면, 커다란 돌멩이를 주워 세게 던지기도 한다. 때때로 나무 위 높은 곳에서 늘어뜨려진 가느다란 덩굴 줄기를 타고 올라가 떨어지는 폭포 속으로 흔들흔들 그네를 타기도 한다. 이 '폭포 댄스'는 10분 내지 15분 정도 지속된다.'" 그러나 춤이 의식 변성을 위해 효과적인 방법이긴 하지만 아무래도 한참 에둘러 가는 경향이 있다.

2006년 9월, NPR에서는 〈모든 것을 고려해볼 때〉라는 뉴스 프로그램을 통해 한 숙녀의 문제를 고민했다. 이 숙녀는 다름 아닌 코커스패니얼로, 언젠가부터 집 뒷마당 연못 아래쯤에서 시간을 보내기 시작했다. "이 숙녀께서는 자주 이 주변을 배회하곤 했는데요, 무언가에 홀린 듯 멍한 눈빛으로 반쯤 혼이 나간 것 같은 모습을 보이며 혼자 고립되어 있었습니다." 숙녀의 주인인 로라 미라시와 NPR의 인턴사원은 이렇게 말했다. 그러던 어느 날 밤, 이 숙녀가 집에 돌아오지 않았다. 마침내 부들 밭에서 비틀거리며 집으로 돌아왔는데, 마치 토할 것처럼 입을 벌렸다. 토하지는 않았지만, 미라시의 기억에 의하면 대신 "침으로 뒤덮여 거품이 뭉글뭉글 난 구역질 날 것처럼 생긴 두꺼비 한 마리가 그녀의 입속에서 툭 하고 튀어나왔다." 이 두꺼비는 콜로라도강두꺼비*Bufo alvarius*로, 피부에 두 가지 종류의 트립타민〔tryptamine, '환각 버섯'에서 발견되는 것과 같은 종류로 정신에 작용하는 물질〕이 포함되어 있어 피부를 핥게 되면 자극적인 환각 증세를 일으킨다.

그러나 두꺼비에 취한 개는 시작에 불과하다. 과학자들은 밤새 신나게 노는 거라면 사족을 못 쓰는 동물들을 언제 어디에서나 발견할 수 있었다. 벌은 난초 꿀에 취하고, 염소는 환각 버섯을 질겅질겅 삼키며, 새는 대마 씨를 깨물고, 쥐, 생쥐, 도마뱀, 파리, 거미, 바퀴벌레는 아편을 먹는다. 코끼리는 찾을 수 있는 거라면 뭐든 가리지 않고 마시고(주로 습지 구멍에서 발효된 과일을 먹지만 인도의 맥주 공장을 습격하는 것으로도 유명하다), 고양잇과 동물들은 개박하라면 환장을 하며, 소는 로코초(locoweed, 미국산 콩과 식물)에 미쳐 있고, 나방은 엄청난 환각 작용을 일으키는 흰독말풀 꽃을 선호하며, 개코원숭이는 그보다 훨씬 독한 이보가(iboga, 아프리카에서 자라며 뿌리 부위가 환각제로 사용된다) 나무뿌리를 먹는다.

이런 행동은 상당히 일반적인 현상이어서, 오늘날 연구원들은 UCLA의 정신약리학자 로널드 시걸(Ronald Siegel, 전통적 심리요법과 불교의 마음챙김 명상을 접목시킨 미국의 대표적인 임상심리학자)이 1989년 그의 저서 《중독: 향정신작용성 물질을 향한 보편적 욕구*Intoxication: The Universal Drive for Mind-Altering Substances*》에서 주장했던 것처럼 "약물중독을 추구하는 것은 유기체들의 행동에서 동기부여를 일으키는 일차적인 힘"이라고 믿는다.

시걸은 중독에 대한 기호는 후천적인 것이지 선천적인 것이 아니며, 일단 후천적으로 습득되고 나면 계속해서 찾아 나선다고 생각한다.

> 여타의 후천적인 동기들과 달리, 중독은 개인과 사회와 종의 행동을 조정하는 능력을 지니며 1차 충동력과 함께 작동한다. 성욕, 배고픔, 갈증과 같은 1차 충동과 마찬가지로, 중독을 추구하려는 4차 충동은

결코 억제되지 않는다. 이것은 생물학적으로 불가피하다.

그러나 진화론적 관점에서는 이 불가피함을 설명하기가 쉽지 않다.

유독하고 유해한 효과로 인해 위험을 초래할 수 있는데도 불구하고, 많은 동물들이 이런 종류의 풀이나 여러 풀들을 제조한 것을 섭취한다. 독성에 취해 몽롱해진 벌들은 쉽사리 포식자에게 희생된다. '취한' 새들의 시체가 고속도로 여기저기에 어지럽게 흩어져 있다. 고양이들은 쾌락을 주는 식물에 중독되어 뇌 손상이 일어난다. 다양한 잡초에 중독된 소들은 결국 죽을지도 모른다. 술에 취한 코끼리들은 다른 동물의 목숨뿐 아니라 막대한 재산을 파괴한다. 정신이 혼미한 원숭이들은 제 새끼도 몰라보고 안전한 무리에서 벗어난다. 인간이라고 다르지 않다.

이탈리아의 민족 식물학자 조르조 사모리니Giorgio Samorini가 2001년에 펴낸 그의 저서 《동물과 환각제*Animals and Psychedelics*》에 따르면, 중독은 심리학자 에드워드 드 보노Edward de Bono가 **수평적 사고**lateral thinking라고 일컬었던 것을 촉진시키므로, 위험은 그만한 가치가 있다고 한다. 수평적 사고란 정해진 틀에서 벗어난 사고로, 정해진 틀에서 벗어나지 않고서는 낡은 문제들에 대해 새로운 해결책을 제시할 수 없을 뿐만 아니라 생존도 불가능하다. 드 보노는 중독은 우리를 '단단하게 굳어진 사고방식, 계획, 구분, 범주, 분류'로부터 벗어나게 하는 중요한 '해방 장치'라고 여긴다. 시걸과 사모리니는 동물들이 바로 이런 이유 때문에, 그 유해성을 뻔히 알면서도 중독 물질을 이용한다고 믿는다.

우리 인간들과 마찬가지로 동물들도 특정한 목적을 위해 특정한 약물을 복용한다. 나바호 족은 곰을 통해 복통과 세균성 감염에 효과 있는 오샤osha라고 하는 나무뿌리를 알게 되었고 그 이유로 곰을 숭배한다. 또한 우리가 새들에게 배운 대로 야생 당근은 진드기를 퇴치한다. 통증으로 괴로운 말은 버드나무 가지를 찾아다니는데, 버드나무 가지 안에는 아스피린을 만드는 물질인 살리실산이 포함되어 있기 때문이다. 탄자니아의 곰베 국립수목원Gombe National Forest에서는 소화기 질환을 앓는 침팬지들이 해바라기 잎을 통째로 삼킨다. 일본 교토대학의 마이클 허프먼Michael Huffman 교수는 이 잎을 자세히 관찰한 결과, 해바라기 잎에 난 가느다란 털들이 소화관에서 기생충을 긁어낸다는 사실을 발견했다. 오늘날 샤먼 제약(Shaman Pharmaceuticals, 1989년 설립된 미국의 제약사로 열대우림을 비롯한 각종 원시림에서 찾아낸 약초를 원료로 의약품을 만든다) 같은 회사들은 '옛날 방식'을 연구하기 위해 아마존으로 연구원들을 보내는데, 실제로 그들이 노리는 것은 동물을 관찰함으로써 태초부터 반짝반짝 빛나던 의학 정보를 얻는 것이다.

환각제도 이와 다르지 않다. 환각제는 사실상 화학적 방어 장치로서, 식물들이 포식자의 공격을 피하기 위해 만들어낸 독성 물질이다. 진균류는 환각을 일으키는 원료가 가장 많이 함유된 식물에 속하며 약 6억 년 전에 진화되었는데, 초식동물의 진화 시기와 일치하는 것은 우연이라고 볼 수 없다. 어쩌면 초식동물은 굶어 죽기 일보 직전, 이것저것 가릴 처지가 아닐 때 처음으로 이런 향정신성 식물을 섭취했다가, 이후 다른 보상을 얻고자 이 식물들을 찾아다니게 됐는지도 모른다. 시걸의 설명은 이렇다. "예를 들어 나팔꽃에는 맥각[LSD의 주성분]과 같은 알칼로이드 성분이 함유되어 있고, 쥐들은 나팔꽃의 줄기와 열매를 주식으로 한다. 설치류는 씨앗에 함유된 고농축 알칼로이드를 꺼리는 경향이 있지만, 혹독한 날씨에 시달리게 되면 이따금 씨앗 하나를 간식 삼아 먹게 될 테고, 취할 때면 나타나는 고개를 까딱까딱 흔드는 특유의 모습을 보일 것이다." 시걸은 개코원숭이가 환각 성분이 함유된 이보가 나무뿌리를 먹고 약효가 나타나기까지 두 시간을 기다린 후에 경쟁자에게 영역을 놓고 싸움을 거는 광경을 목격했다. 우리의 숙녀께서도 자기가 무슨 이유로 어떤 행동을 했는지 잘 알고 있었다. 처음엔 몇 차례 두꺼비를 핥아보았다가, 나중에는 두꺼비 핥기에 중독이 됐을 테고, 그러다 이젠 주말마다 혼자 파티를 즐기게 된 것이다.

우주와 조율하라, 환각을 경험하라, 구속에서 더 멀리 이탈하라(Tune in, turn on, and drop back even further, 반문화 운동과 LSD의 대부 티모시 리어리의 구호를 모방한 것으로 보인다). 그러고 나면 우리에게 물병자리의 시대(Age of Aquarius, 점성술에서 자유와 평화, 우애의 시대로 여겨지는 시대)를 선사한 동물 행성에 감사할 수 있으리라. 동물들은 우리에게 환각의 경험을 가르쳤지만, 오스카 와일드의 말을 인용하자면 "우리는 그것에 대해 그들에게 감사할 줄 아는 예의조차 갖추지 않았다." 멕시코의 후이촐 족은 '페요테(peyote, 환각 선인장)'와 '사슴'을 종종 혼용해 사용하는데, 4세기에 과테말라에서 발견된 도자기 재질의 파이프에서 그 이유를 짐작할 수 있다. 이 파이프는 사슴 모양으로 만들어졌으며, 사슴의 이빨 사이에 페요테 알갱이가 박혀 있었다. 주술사라는 뜻의 '샤먼shaman'이라는 단어의 기원인 러시아 스텝 지대의 샤먼 족은 광대버섯*Amanita muscaria* — 독한 환각 버섯으로 순록이 이 버섯을 먹고 환각에 빠지기도 한다 — 을 무척 좋아한다. 이 샤먼 족 사람들은 순록이 오줌에 젖은 눈을 먹는 걸 보고, 이 버섯을 먹은 후 소변을 마시면 도취감이 커진다는 사실을 알게 됐다. 그리고 고상한 분위기에 좀 생뚱맞을지 모르지만, 빨간 바탕에 흰 점이 박힌 광대버섯을 보고 있노라면, 마치 턱수염을 기른 통통한 남자가 버섯 모양의 의상을 뒤집어쓴 것처럼 보인다. 학자들은 산타클로스, 하늘을 나는 순록, 소나무, 선물 주고받기가 원래는 광대버섯 수확을 기념하는 축제에서 볼 수 있는 광경이었다고 주장하고 있다. 크리스마스는 그리스도의 생일로 자리 잡았을지 몰라도, 그 시작은 시베리아의 우드스톡 축제였던 것이다. 물론, 지미 헨드릭스가 없고 수많은 순록이 있었다는 점이 다르지만.

한편 아마존의 재규어들은 야예yaje 덩굴의 껍질과 잎을 씹어 먹는다. 아야와스카ayahuasca라는 이름으로 더 잘 알려진 야예는 디메틸트립타민DMT이 함유되어 있으며, 논쟁의 여지는 있지만 지구상에서 가장 강력한 환각제임에 틀림없다. 야예를 먹으면 심하게 구토를 일으키는데, 이걸 알고도 왜들 그렇게 야예를 먹었던 걸까? 시결의 기록에 따르면, 주술사들은 "이 덩굴을 섭취함으로써 자신들도 재규어로 변신하게 될 것임"을 가르친다고 한다. 다시 말해 동물들은 우리에게 환각에 빠지는 방법을 가르치고 우리는 동물이 되기 위해 환각 상태에 빠진다는 건데, 심리적인 관점에서 보면 이것은 외로움을 극복하기 위한 확실한 치료 방법이다. 그러나 외로움보다 훨씬 심각한 심리적 문제, 다른 무엇보다 훨씬 심각하며 우리가 직면해야 할 그 어떤 문제보다 수평적 사고가 훨씬 크게 요구되는 문제가 있는데, 그것은 현실에서 드러나는 환각제의 매력일 것이다.

1963년, 올더스 헉슬리는 LSD가 '편안한 죽음'을 가능하게 하리라 믿으며, 자신의 임종을 앞두고 LSD를 주사해달라고 청했다. 그다음 해, 스타니슬라프 그로프(Stanislav Grof, 체코 출신의 정신의학자이며 자아

초월 심리학의 창시자)는 환각제가 말기 암환자들의 실존적 불안을 완화시킨다는 사실을 발견했다. 대부분의 연구들은 닉슨 대통령이 약물과의 전쟁을 선포하면서 끝이 났지만, 최근 과학자들이 다시 연구를 시작하고 있으며, 현재 하버드, UCLA 등 여섯 개 주요 기관에서 같은 목적을 위해 환각제 사용에 대한 연구를 진행하고 있다. 대부분의 연구는 존스 홉킨스 대학교의 연구원들이 실로시빈psilocybin과 신비체험 사이의 유사성에 대해 연구한 이후에 착수되었으며〔《정신약리학*Psychopharmacology*》 2006년, 2008년 판에 게재되었다〕 이 연구에서도 환각제가 실존적 불안을 경감시키는 데 탁월한 도구가 될 수 있음이 발견되었다.

이 연구에 참여한 과학자 가운데 한 사람인 빌 리처즈Bill Richards에 따르면, 고통이 경감되는 이유는 환각 체험이 대체로 세 단계의 동일한 과정을 따르는 경향이 있기 때문이라고 한다. 첫 번째 단계는 사람들이 일반적으로 약물 하면 떠올리는 것, 즉 빛과 색과 소리의 소용돌이다. 두 번째 단계는 일련의 신앙으로, 약물 이용자들은 예수, 부처, 그리스 신, 이집트 신 등, 수많은 신들을 보게 되는데, 이 단계가 '전형적인 영역'으로 알려지는 것도 그래서다. 그러나 환각제가 죽음의 공포를 완화시키는 데에 두드러진 효과를 보이는 때는 다음 단계에서다. 리처즈는 다음과 같이 말한다. "전형적인 영역이 지나면 신비로운 상태가 찾아온다. 경외감, 지극한 겸손, 발가벗겨진 자아의 차원이 찾아오는 것이다. 종교 심리학에서 신비체험은 합일, 시공의 초월, 순수지성에 의한 지식, 신성함, 형언할 수 없음 등으로 잘 묘사되어 있다. … 이것은 신성한 계시의 차원이기도 하지만, 키르케고르가 말한 '두려움과 떨림' — 믿을 수 없을 만큼 심오하고 강력한 영역 — 이 될 수도 있다." 이처럼 환각제는 종교와 같은 역할을 한다. 다시 말해, 환각제는 일체감의 증거라는, 죽음의 공포에 대해 여전히 유일한 특효약을 제시한다.

그러므로 동물들도 신을 믿는지 알고 싶다면, 다시 말해, 동물들도 신과의 합일을 통해 위로를 구하는지 알고 싶다면, 두 가지 질문에 대답할 필요가 있다. 즉, 동물들도 우리처럼 죽음을 두려워할까? 그리고 그 두려움을 달랠 방법을 적극적으로 모색할까? 두 번째 질문에 대해서는 로널드 시걸의 설명이 답이 될 것 같다. 어느 날 그는 몽구스 한 마리가 일상적인 식사로서가 아니라, 자기 짝의 죽음으로 괴로운 마음을 진정시키기 위해 나팔꽃 씨를 씹는 광경을 목격했다. 그는 이렇게 말했다. "나팔꽃 씨는 근대 멕시코 인디언들이 괴로울 때 스스로를 위로하기 위해 이용되었다. 아마 동물들도 똑같이 이용하고 있을 것이다." 그러나 '천국의 푸른색heavenly blue'이라는 별명으로 불리는 데에는 그럴 만한 이유가 있을 정도로 나팔꽃 씨는 환각 효과가 매우 강력하며, 따라서 어쩌면 몽구스는 슬픔을 그저 일시적으로 마비시키기 위해서가 아니라, 우리가 환각제에서 찾는 것과 똑같은 것 — 무한 공동집단의 일원이라는 증거, 죽음이 끝이 아니라는 증거 — 을 환각제 안에서 구하면서 슬픔을 완전히 지우려 애쓰고 있었는지도 모른다.

우리는 동물들 또한 죽음이 다가오고 있음을 알고 있다고 확실하게 말할 수 있다. 생물학자 조이스 풀Joyce Poole은 그녀의 저서 《코끼리와 함께하는 성장*Coming of Age with Elephants*》에서 새끼가 사산된 사실을 알고 비탄에 젖은 엄마 코끼리에 대해 묘사했다. 엄마 코끼리는 쓰러져 울부짖다가 새끼를 살리려고 날마다 필사적으로 애썼다. 또 한 번은 코끼리 무리가 숲을 지나 이동하는 동안 한 마리가 굴러떨어져 죽었다. 나머지 코끼리들은 친구 코끼리를 되살리기 위해 장시간

갖은 애를 쓰다 결국 밀림을 향해 떠나는가 싶더니, 다음 날 다시 돌아와 성대한 의식을 치렀다. 마크 베코프는 까치와 라마가 비통해하는 모습을 목격했다. 침팬지도 죽은 동족의 시체를 앞에 두고 여러 날 정교한 의식을 치른다. 시체가 부패하기 시작하면 아무렇게나 버려두지만. 2008년에는 독일 뮌스터 동물원에 사는 열한 살짜리 고릴라인 가나의 사진들이 인터넷을 뜨겁게 달구었다. 가나가 아직 젖먹이인 아들의 시체를 며칠 동안 제 품에서 떼어놓으려 하지 않는 모습을 본 《뉴욕 타임스》 과학 기자 내털리 앤지어는 이렇게 설명했다. "고릴라뿐 아니라 많은 동물들이 자신이 언젠가는 죽을 운명임을 잘 알고 있으며, 동족의 죽음을 비통해한다. 결국 그들도 우리와 똑같이 느끼고 생각한다."

나에게 이 문제를 해결해준 장본인은 포그햇Foghat이라는 이름의 개였다. 포그햇이라는 이름에 대해 말할 것 같으면, 여러분들의 짐작대로 머리 위로 지저분하게 삐죽삐죽 솟은 흰 털들이 녀석의 모습을 흡사 안개로 만든 모자를 쓴 개처럼 보이게 만들었다고 해서 지어진 것이다. 물론 이것은 심각한 상황에서 농담 삼아 던지는 썰렁한 유머였다. 포그햇은 도저히 구조가 불가능한 거의 야생의 개였다. 녀석은 란초 데 치와와 보호소의 특별 손님으로, 접촉이 완전히 금지되어 있었다. 눈과 귀가 멀고, 관절염을 앓고 있어 거의 걷지도 못하는 데다, 치매까지 있어서 누가 자기 털을 만지는 것 같다 싶으면 사람이든 물건이든 환영이든 덮어놓고 짖어댔다. 나는 포그햇이 우연히 소파에 부딪친 후 소파에 대고 마구 공격을 퍼붓는 광경을 목격한 적이 있었다. 모든 개들이 포그햇에게 비켜주었고, 그러면 포그햇은 보답을 했다. 조이도 나도 아무래도 포그햇이 지금껏 우리 같은 인간을 본 적이 없었을 거라고 굳게 확신했다. 포그햇은 우리를 무시한 것이 아니라, 우리가 존재하지 않는 세상에 살았던 것이다.

한동안 우리는 그 간극을 좁히기 위해 노력했다. 포그햇이 근처를 지나가면, 우리는 손을 뻗어 동작이 빠른 개가 포그햇을 앞장서지 못하게 했다. 그러나 포그햇은 거의 걷지 못하는 개치고는 고개를 민첩하게 획획 돌릴 수 있었다. 보통 우리는 무는 행위에 대해 삼진아웃제를 도입하지만, 포그햇은 우리 집에 들어온 첫날 오후에 벌써 세 번을 다 채웠다. 그렇다고 포그햇을 당장 안락사시키는 건 가뜩이나 상처 많은 생명을 더 욕되게 하는 것 같아서, 우리는 이 규칙을 깨뜨렸다. 게다가 포그햇은 도대체 길거리에서 얼마나 오래 굶주렸던지, 앞에 음식이 나타나면 — 우리는 방 건너편에 서서 마치 셔플보드(shuffleboard, 판 위에 원반을 올려놓고 막대로 원반을 밀면서 하는 게임) 원반처럼 음식이 담긴 접시를 포그햇 앞으로 부드럽게 밀어주기 때문에 **나타난다**는 표현이 정확하다 — 포그햇은 좋아서 어쩔 줄 몰랐다. 우리는 포그햇이 이런 특별한 기분을 생전 처음 느껴본다는 걸 알았고, 그래서 까짓 이 기분을 좀 더 오래 느끼게 한들 어떠랴 싶었다.

어쨌든 우리는 이렇게 야단스럽게 포그햇을 파악했다. 지난 겨울 이후로 아직 개가 한 마리도 죽지 않았고, 그래서 조이는 다음에 어떤 개가 죽음을 맞게 될 때 내가 잘 감당할 수 있을지 걱정하고 있었다. 이런 걱정을 한 사람이 조이만은 아니었다. 그러는 동안 나는 무얼 하든 개들과 공감하는 정도가 더욱 깊어졌고, 그만큼 작은 일에도 크게 가슴이 아팠다. 나는 더 좋은 구호자, 어쩌면 더 친절하고 더 인내심 많은 구호자가 됐는지는 몰라도, 분명 더 강인한 구호자는 되지 못했다. 개의 죽음을 받아들이는 법을 배우는 것이 내 마지막 고비인 것 같았다. "문에 가까이 다가갈수록 사자는 더욱 사나워지나니." 불교 신자들은 이렇게 말하는데, 정말이지 시시때때로 옳은 소리만 하는 이 사람들이 조금 짜증난다.

포그햇은 우리가 예상했던 것보다 좀 더 오래 머물다 떠났다. 우리는 6주 정도를 점쳤지만, 8주 후에도 포그햇은 여전히 우리 곁에 있었다. 9주 무렵, 전화선이 다시 끊겼고, 나는 마감이 다가왔기 때문에 조이와 사무실을 바꾸었다. 나는 집에서 일을 하기 시작했고 조이는 염소의 헛간으로 내려갔다. 나는 예전부터 죽 아침형 인간이었지만 시골 생활은 이른 아침의 기상을 더욱 황홀하게 만들어준다. 대체로 나는 4시쯤 일어난다. 근사한 시간이다. 온 우주가 고요하고, 개들도 고요하다. 아니, 대체로 고요하다.

어느 날 나는 평소보다 조금 일찍, 모두가 잠든 한밤중에 일어나 책상 앞에 앉았다. 그런데 내가 책상에 앉는 순간, 무언가가 내 다리를 스치는 느낌이 들었다. 나는 아래를 내려다보며 포그햇이 위를 올려다보는 모습을 보았다. 나는 틀림없이 포그햇이 내 다리를 물려던 참이라고 생각하고, 최대한 빨리 다리를 홱 비켰다. 하지만 포그햇은 나를 물지 않았다. 대신 앞으로 몇 걸음 다가와 다시 한 번 내 다리에 몸을 비볐다. 나는 그 순간 내가 무슨 생각을 하고 있었는지 똑똑히 기억한다. 너무 이른 시간이야, 만일 여차해서 내가 물리기라도 하면 이 시간에 조이가 나를 차에 태우고 응급실에 가야 할 텐데 조이는 그러고 싶지 않을 거야, 하지만 포그햇은 분명 내가 자기를 쓰다듬어 주길 바라고 있는걸. 나는 몇 분을 망설인 다음 포그햇의 등에 손을 얹고 이 시간이 무사히 지나가길 바랐다. 그런데 포그햇은 나를 공격하기는커녕, 내 손에 온 체중을 다 싣고 내 쪽으로 몸을 기대는 것이었다. 나는 포그햇을 계속 긁어주었다. 포그햇은 계속 나에게 기댔다. 10분쯤 흘렀을까, 포그햇은 자리를 떠났고, 다음 날 아침 다시 다가와 더 많은 손길을 원했다. 셋째 날, 포그햇은 내 품에 안겼다. 넷째 날, 포그햇은 거의 하루 종일 내 품에서 떠나지 않았다. 다섯째 날, 포그햇은 내 몸 위로 올라와 내 코를 핥았다. 우리 관계가 급격히 가까워졌다고는 하지만, 내 눈에서 불과 몇 센티미터 떨어지지 않은 곳에 포그햇의 이빨이 도사리고 있다는 건 이만저만 걱정스러운 일이 아니었다. 하지만 이번에도 포그햇은 평화로운 태도를 유지했다. 포그햇은 잠시 나를 핥더니 등을 대고 누워서 만족스러운 듯 가르랑 가르랑 소리를 내기 시작했다. 포그햇은 두 시간 동안 내리 가르랑거렸고 내장 기관이 기능을 멈추기 시작했을 때에야 비로소 소리를 멈추었다.

그날 오후 포그햇은 내 품에서 영원히 잠들었다. 우리는 얼마 후에 포그햇을 묻었다. 포그햇의 무덤은 비니의 무덤 옆이다. 날이 추워지면 둘이 꼭 끌어안을 수도 있을 테니까. 장례를 마치고 조이와 나는 아무 말 없이 집으로 걸어 돌아왔다. 현관에서 조이가 나를 포옹했고, 이번에는 이 말을 덧붙였다. "걱정하지 마. 아침이면 모든 게 더 좋아질 거야." 아주 많은 일들에서 그렇듯이 이번에도 조이가 완벽하게 옳았다.

위대한 벵골인, 라빈드라나스 타고르는 이런 말을 했다. "제국의 흥망성쇠를 통해 … 그의 꿈과 영감에 형체를 부여하는 방대한 양의 상징들을 창조함으로써 … 창조의 수수께끼를 풀 마법의 열쇠를 주조함으로써 … 이 모든 과정을 통해 인간은 영혼의 완전한 깨달음을 향해 세대에서 세대로 행진하고 있다. … 그렇다, 그들이, 모든 순례자들이 한 사람도 빠짐없이 다가오고 있다. 그들은 세계를 고스란히 물려받아, 그 어느 때보다 의식을 확장하고 점점 더 높은 합일을 추구할 것이다." 나는 차츰 그의 의견에 동조하고 있었다.

그러므로 동물들도 자신이 언젠가는 죽으리라는 걸 아는지 모르는

지, 죽음에 관해 기꺼이 어떤 의식을 치르는지 그렇지 않은지는 더 이상 내가 궁금하게 여기는 사안이 아니다. 나는 개에게는 영혼이 없다는 데카르트의 사상에 감히 반대할 자신은 없지만, 개들도 우리와 똑같은 영적 체험 능력을 완벽하게 갖추고 있으며, 그런 체험을 적극적으로 찾고 있는 것만큼은 분명한 사실인 것 같다. 개들이 신을 믿느냐 믿지 않느냐 하는 문제에 대해 우리는 선뜻 대답하기 어려울 테지만, 한 가지는 확실하다. 만일 우리가 동물 복지에 대해 윤리적 결정을 내리기 위한 근거로서 동물과 인간의 유사성을 찾고 있다면, 잠깐 멈추어서 특별히 진지하게 생각해야 할 점이 있으니, 그것은 바로 개와 인간, 그리고 어쩌면 다른 무수한 종들을 모두 똑같이 신성한 존재로 여겨야 한다는 사실이다.

내가 마지막으로 코요테의 길에 간 날은 이고르가 세상을 떠난 날이었다. 그때가 2009년 4월, 그러니까 우리가 치마요에 정착한 지 거의 3주년이 되는 때였지만, 이 이야기는 약 1년 전인 2008년 2월 다른 기념일, 그러니까 아합의 사망 1주기부터 시작된다. 나는 아합을 기억하기 위해 무언가를 하고 싶었다. 나는 그를 통해 거의 모든 것을 배우고 익혔으며, 그가 내 친구의 현관문 앞에 모습을 드러낸 순간부터 내 인생도 새롭게 시작되었다. 그는 내 최고의 친구이자 나를 생전 처음 무한 게임 속으로 뛰어들게 만든 이유이기도 했다. 나는 그에게 고맙다는 인사를 전하고 싶었다.

그래서 개들을 전부 데리고 그가 묻힌 '엄지손가락'을 찾아가기로 결심했다. 이곳은 늘 가까이 다가가고 싶으면서도, 발견하게 될지 모를 무언가가 두려워 한동안 멍하니 바라보기만 하던 또 하나의 목적지였다. 오랜 바람과 날씨로 인해 엄지손가락을 내민 거대한 주먹 모양의 사암砂巖이 형성되었다. 전문적인 용어로 이런 모양을 '요정의 굴뚝', '텐트바위', '기형의 바위기둥'이라고 하는데, 어떤 이름도 그 크기를 정확하게 표현하지 못한다. 아합이 묻힌 엄지손가락은 60미터 높이의 돌무더기 위에 90미터 높이의 붉은 바위가 세워진 거대한 바위다. 멀리서 보면 이 행성을 탈출하기 위해 우주선을 찾고 있는 엄청나게 거구인 히치하이커의 마지막 흔적처럼 보인다. 그러나 나는 가까이에서 보고 싶었다.

쌀쌀하고 청명한 일요일 아침이었다. 나는 벨라, 버킷, 이고르, 그리고 퍼피콕 — 크리스마스 무렵 나타나서 절대로 나갈 생각을 하지 않는 유기견 셰퍼드다 — 을 데리고 갔다. 처음 한 시간은 넓은 산길 위에 펼쳐진 넓은 평원을 지나갔다. 두 번째 한 시간은 가느다란 물길을 지나 바위 틈새로 물이 흐르는 좁은 협곡으로 이동해 이내 미로처럼 복잡한 길에 들어섰다. 양쪽으로 홈이 나 있는 막다른 길이어서 한참이 지나서야 빠져나갈 길을 찾을 수 있었다. 가파른 언덕 꼭대기에서 길이 끝났고, 이곳에 오르자 처음으로 엄지손가락을 제대로 볼 수 있었다. 하지만 이제 좀 볼 수 있으려나 싶은 것도 잠시, 엄지손가락은 순식간에 자취를 감추고 말았다.

한동안 눈발이 내리기 시작하더니 갑자기 펑펑 쏟아져 내린 것이다. 기껏해야 3미터 전방 정도나 겨우 내다볼 수 있었다. 협곡 전체에 강풍이 몰아쳤다. 모퉁이를 돌아 어느새 넓은 물길 입구에 다다랐을 땐 강바닥 전체가 출렁이고 있었다. 어찌 보면 바람에 소용돌이치는 눈발에 불과할지도 모르지만 내 눈에는 그렇게 보이지 않았다. 이후 내 머리에서는 중국 진시황 무덤 속에 세워진 테라코타 병사들의 이미지가 떠나질 않았다. 진흙으로 만들어진 8천 명의 병사들이 일제히 긴 낮잠에서 깨어나 갑옷을 입고 무기를 들고 치열한 전투에 나설 준비를 하는 것만 같았다. 그러나 전투는 없었다. 바람은 순식간에 몰아쳤던 것처럼 언제 그랬냐는 듯 잠잠해졌고 유령은 사라졌으며 거대한 침묵이 다시 찾아왔다. 사막이 내는 진짜 목소리. 언제나 그곳에서 울리는 속삭임. 주변의 모든 존재 아래로 흘러 우리 귀에 들리지는 않지만 아마도 언젠가는 듣는 법을 배우게 될 메시지.

그날 우리는 아무 소리도 듣지 않았다. 귀를 쫑긋하며 들었어야 했을 것을. 오히려 우리는 산 속 깊숙이 들어갈수록 연신 발을 쿵쾅거리며 단단한 바위층에 발자국을 남겼다. 한 시간을 더 걸은 후에야 높다란 돌무더기 하단에 도착했는데, 정말 희한하게도 그렇게 몰아치던 강풍이 우리가 도착하자마자 기세를 누그러뜨렸다. 태양은 구름 사이로 빼죽 고개를 내밀었고, 덕분에 나는 또 하나의 웅장한 신비를 처음으로 제대로 바라볼 수 있었다. 그 즉시 나는 깨달았다. 위로 가까이 가려는 시도는 내가 해서는 안 될 일이었다는 것을. 그것은 불온하고 위태로운 시도였으며, 전체의 균형을 불가능하게 만드는 일이었다. 돌무더기 아래에 서서 목을 뒤로 길게 빼고 온통 바위로 둘러싸인 이곳, 깊고 깊은 태고의 시대에 둘러싸인 이곳을 바라보고 있으려니, 뱃속에서부터 좋지 않은 느낌이 스멀스멀 기어올라오기 시작했다. 어쩐지 수 억겁 이전에 쓰인 어떤 계약을, 누군가가 까맣게 잊고 있던 또 다른 약속을 내가 침해하고 위반한 것만 같은 기분이 들었다.

눈보라를 무시했던 것처럼 나는 약속을 무시했다. 여기까지 왔는데 돌아설 순 없었다. 내친 김에 우리는 계속해서 위로 올랐다. 경사가 무척 가파르고 바위가 쉽게 바스러져서, 10분이나 더 걸려서야 간신히 정상에 올랐다. 우리가 엄지손가락에 도착했을 때, 아직 시퍼렇게 젊은 내 살갗이 태고의 돌을 만지는 순간, 다시 폭풍이 불어왔다. 살을 엘 것 같은 매서운 추위가 닥쳤고, 바람이 휘몰아쳤으며, 눈은 사정없이 퍼부었다. 시야가 흐려졌다. 내 옆에 있는 개들만 간신히 볼 수 있을 정도였다. 내 앞쪽 어딘가에 골짜기의 바닥이 넓게 펼쳐져 있다는 걸 감으로 알 수 있었다. 자세히 보고 싶었지만, 그렇다고 이 눈보라를 뚫고 내려가고 싶지는 않았다. 그래서 그 자리에 쭈그리고 앉아 강풍이 잦아들길 기다렸다.

나는 절벽 끝 작은 바위턱을 택해 바람을 피해 쭈그려 앉았는데, 자리에 앉는 순간 뱃속의 기분 나쁜 느낌이 더 심해졌다. 처음엔 내가 너무 흥분해서 아드레날린이 분비되어 이러나 싶었다. 내 위로 수많은 거대한 암석들이 불쑥불쑥 모습을 드러내는 바람에 약간 현기증이 나는 건지도 모른다고 생각했다. 그런데 위장이 좀 더 세게 진동하더니 이내 아주 강하게 떨리는 게, 마치 누군가가 내 배에다 대고 강렬한 콩가(conga, 아프리카 춤에서 발달한 쿠바 춤) 리듬을 두드리는 것 같았다. 구역질이 날 것 같았다. 이곳이 어디든, 더 이상 이곳에서 뭘 하고 싶은 생각이 싹 달아났다. 그리고 그건 개들도 마찬가지였다.

보통 내가 산 속 깊은 곳 어딘가에 앉아 있을 때면, 개들은 나에게 달려와 내 손을 핥고 — 안전기지와 관계를 맺는 그들 나름의 방식이다 — 탐색을 중단한다. 그렇게 5분, 보통은 10분쯤 있다가 돌아가곤 한다. 그런데 그날은 내가 자리에 앉았는데도 개들이 나를 핥지 않았고, 자꾸만 나하고 부딪치는 것이었다. 먼저 퍼피콕이 초조해하며 내 앞을 달려가더니만 내 등에 자기 엉덩이를 철썩 갖다 붙이고는 뗄 생각을 하지 않았다. 나는 녀석이 아직 신참이라 그러려니 생각했다. 그런데 잠시 후 벨라가 똑같이, 아니 퍼피콕보다 더 세게 내 등에 딱 달라붙었고, 트루차스 피크를 지나고부터는 고지대나 절벽의 바위턱이 나타났다 하면 바짝 경계태세를 취했다. 버킷은 나하고 부딪치지는 않았지만 대신 혼자 낑낑거리며 내 다리 아래로 숨으려고 들었다. 이고르만이 자리를 떠나 주위를 둘러보았는데, 2분쯤 후에 혼비백산해서 돌아오더니만 전속력을 다해 달려 내려가는 것이었다.

나는 무엇이 그토록 이고르를 질겁하게 만들었는지 잠시 궁금했지만, 그야말로 잠시뿐이었다. 다음 순간 이고르는 내 다리 사이로 뛰어들려 했다. 30킬로그램이 넘는 거구의 개가 시속 30킬로미터의 속도로 달려드는 바람에, 나는 쭈그려 앉던 자리에서 저만큼 나동그라졌다. 곧이어 버킷과 이고르가 합심해 나를 향해 돌진했다. 그들에게 무슨 일이 있었는지는 모르겠지만, 나는 옆으로 돌아서 허공 위로 붕 떠올라 뒤편 바닥에 떨어졌다. 그러는 사이, 처음엔 한쪽 어깨가 그 다음엔 목과 머리가 바위에 부딪쳤다. 나는 뒤로 공중제비를 넘어 비탈 아래로 굴러 떨어졌다. 새로 내린 눈 덕분에 그나마 뼈는 부러지지 않았다. 이후 2주 동안 몸 왼쪽으로 주르륵 멍 자국이 나 있었는데, 마치 누군가 대형 해머로 토성 고리를 박아놓은 것 같았다. 하지만 당시엔 고통을 느낄 겨를이 없었다.

버킷과 이고르는 각각 내 양쪽으로 불시착했고 이제 우리는 다 같이 비탈 아래로 굴러 떨어지고 있었다. 우리는 한동안 끝도 없이 굴러떨어졌지만, 마침내 정신을 차리고 다시 일어섰다. 그런데 내가 자리에서 일어섰을 때, 벨라와 퍼피콕이 내 양 옆을 향해 달려오는 모습이 보였고, 둘 다 맹렬한 기세로 달려오는 바람에 나는 또다시 그들과 정면으로 부딪쳤다. 이제는 어디 피할 데도 없었다. 우리는 다

같이 뒤범벅이 된 채로 바닥을 통통 튀기면서 아래로 죽 굴러떨어졌다. 마침내 바닥까지 다 내려왔지만 여전히 속도를 늦추지 못해 마른 물길을 계속해서 지나왔는데, 그제야 이고르가 보이지 않는다는 걸 알아챘다. 분명히 조금 전까지만 해도 내 옆에 있었는데. 가만, 그런데 조금 전이 언제지? 2초 전? 10초 전? 1분 전? 나는 그 자리에 서서 이고르를 불러보았다. 대답을 기다렸지만 아무런 반응이 없었다. 다시 한 번 불러보았다. 이번에는 협곡을 달려 올라갔다 내려오며 다시 이고르를 불렀고 대답을 기다렸지만, 여전히 이고르는 보이지 않았다. 이고르의 발자국을 따라 왔던 길을 되돌아가려 했지만, 눈이 사정없이 퍼붓고 있어 이고르의 발자국은 남아 있지 않았다. 전에도 한 번 이고르가 행방불명이 되었다가 집에 찾아온 적이 있었다. 어쩌면 이번에도 그럴지 모른다고 기대했다.

하지만 이고르는 집에 없었다. 그래서 조이와 나는 다시 엄지손가락을 향해 산을 올랐다. 폭풍은 점점 심해졌다. 아침 무렵에 내린 눈만 해도 50센티미터는 쌓였을 것이다. 그렇지만 지금 우리는 폭설로 천지가 하얗게 뒤덮여 어디가 어디인지 분간하기 힘든 이곳에서 흰색 개를 찾아다니고 있었다. 처음 올랐던 길을 되짚어 올라가는 데 두 시간이 더 걸렸지만 아무런 흔적을 찾지 못했다. 집에 돌아왔을 때 또 다른 일이 우리의 신경을 곤두서게 만들었다. 불테리어들은 원래 추위에 아주 약하다. 추위를 막기에는 털이 무척 가는 데다 통증 내성이 상당히 높아서, 아주 나중에야 자기들이 얼어 죽을지 모른다는 걸 깨닫기 일쑤다. 우리는 기온이 영하로 뚝 떨어진 날씨에 저녁까지 종일 산을 뒤지고 다녔다. 그리고 결코 이고르를 찾지 못했다.

끔찍한 밤이었다. 불안, 무력함, 적절한 경고가 있었음에도 불구하고 애써 무시했다는 느낌이 나를 괴롭혔다. 우리는 개들에게 마지막 기억을 사랑으로 채워주겠노라 약속했었다. 그런데 지금 나는 이고르가 이 추위에 혼자서 잔뜩 겁에 질린 채 가족을 그리워하며 죽어가고 있을 거라는 상상을 하고 있었다. 이건 내가 약속한 것과 정반대가 아닌가. 다음 날 아침 조이는 내가 염소의 헛간에 있는 책상 앞에 앉아 있는 걸 발견했는데, 사실 나는 그곳에 걸어간 기억이 전혀 없었다. 아무튼 그건 중요한 게 아니고. 조이가 나를 찾아 내려온 건, 마을에 전단지를 뿌려야겠다고 말하기 위해서였다.

"농담하냐. 이 마을에 전단지를 뿌린다고? 그나마 우리의 마지막 희망은 이 마을이 개들에 대해 눈곱만큼도 신경을 쓰지 않는다는 거 아니었어?"

그러나 내 생각이 틀렸다. 틀려도 아주 완전히 한참 틀렸다. 우리가 가는 곳마다 사람들은 개들에 대해 관심을 보였다. 처음 보는 이들이 우리가 전단지 만드는 걸 도왔다. 마을의 패거리들이 우르르 집에서 나와 우리의 일을 거들었다. 어떤 사람들은 다시 집으로 돌아가 친구에게 전화를 걸어 주변을 잘 살펴봐달라고 부탁했다. 또 어떤 사람들은 자기네 집 애완동물이 행방불명이 됐다가 몇 주 만에 아무 탈 없이 집에 돌아왔다는 이야기를 전해주었다. 심지어 헤로인 중개상들은 우리에게 수색대를 보내주기도 했다. 나는 기적을 바라고 있었다. 아직 이고르는 나타나지 않았지만, 틀림없이 찾을 수 있을 것 같았다.

그러던 어느 날, 마침내 이고르를 찾았다.

우리가 전단지를 돌리고 집에 돌아왔을 때, 도로에서 8킬로미터쯤 아래에 사는 한 남자가 자동응답기에 메시지를 남겼다. 남자의 말로, 이고르가 그의 집 정문 바로 맞은편에 보이는 절벽 위에 서 있었다고 했다. 우리는 당장 트럭에 올라 타 남자의 집을 향해 전속력으로 차를 몰았다. 그리고 남자의 집에 도착한 즉시, 그가 말한 절벽 위에서 이고르를 발견했다. 나는 트럭을 세우고 재빨리 뛰어내렸다. 그런데 이고르는 우리를 보고도 꼼짝을 하지 않는 것이었다. 오히려 고개를 좌우로 흔들며 시선을 아래로 떨구었고 몸을 떨기 시작했다. 나는 어떻게 해야 할지 몰라서 무릎을 꿇고 앉았다. 이고르는 한참 동안 나를 바라보더니 마침내 나를 향해 다가왔다. 여전히 고개를 숙이고 꼬리를 깊숙이 감춘 채. 무슨 큰 잘못을 저질러서 굉장히 미안해하는 것 같았다. 그래, 뭐, 미안해할 수도 있지. 그렇지만 결코 예전의 그가 아니었다.

이고르는 앞발에 동상을 입었고 배와 등 전체에 베인 상처가 나 있었다. 그리고 완전히 기진맥진해져서, 피로가 완벽하게 회복되려면 사흘은 푹 자야 했다. 그런데 잠에서 깨어났을 때 이고르는 다른 개가 되어 있었다. 처음엔 우리가 산간 오지를 걸을 때마다 주변을 마구 배회하다가 앉을 만한 자리를 찾으면 그곳에서 엄지손가락을 응시하곤 했다. 어쩐지 좀 으스스한 기분이 들었지만 이해할 수 있었다. 그러고는 금세 또다시 주변을 배회했다. 그는 무리들에게도, 그리고 나에게도 서서히 흥미를 잃기 시작했다. 나는 스틸츠와의 경험을 되살리길 바라는 마음에 다시 절벽을 달려 올라가 이고르를 유혹해보려 했다. 효과가 없었다. 도대체 저곳에서 무슨 일이 있었는지 모르겠지만, 단순히 신경화학물질로 고치기에는 엄청난 일이 있었던 게 틀림없었다.

그런데 이고르의 사교 생활에 슬그머니 변화가 찾아오기 시작했다. 버킷은 이고르와 가장 친한 친구로 둘은 몸싸움을 하며 노는 걸 좋아했는데, 언제부터인지 이고르가 자제력을 잃기 시작했다. 이고르는 버킷을 다치게 했고, 너무 세게 패대기를 쳤고, 있는 힘껏 물었다. 나도 물렸다. 어느 날 내가 염소의 헛간으로 내려가고 있는데 이고르가 뒤에서 달려오더니 내 허벅지를 콱 무는 것이었다. 아무리 봐도 장난 같지는 않았다. 이고르는 내 살갗에 상처를 내고 해를 입혔다. 의도적이 아니고서야 이럴 수가 없었다.

그 주 후반에 같은 일이 다시 일어났다. 이번에도 역시 우연이 아니었다. 나는 안락의자에 앉아 있다가 일어나서 집 안으로 들어가려고 걸음을 옮겼다. 그때 이고르가 불쑥 나타나서는 내 팔을 덥석 잡더니 내 손을 깨물었는데 이번에는 지난번보다 상처가 훨씬 심했다. 다음 날 내가 조이와 함께 잠자리에 들려는데 — 그때 이고르와 다른 개들은 조이의 옆에 누워 있었다 — 갑자기 이고르가 나에게 달려들었다. 이고르가 내 몸을 덮치기 전에 조이가 이고르의 목덜미를 붙잡았지만, 나는 오랜만에 개가 무서워졌다.

어떻게 해야 좋을지 몰랐다. 대체 이고르에게 무슨 일이 있었던 것일까. 두 사람에게 이 이야기를 했는데, 둘 다 같은 말을 했다. 황무지는 이곳과 다른 세계이며, 어쩌면 우리는 엄지손가락 부근에서 무언가를 만났을 거라고.

"무언가를 만났다고?"

"그래, **무언가**."

그리고 나는 무언가가 무엇인지 알고 있었다. 하지만 무언가가 무엇인지는 내가 대답할 수 있는 질문이 아니었다. 어쩌면 내 주술사는 이 질문에 답을 할 수 있을지도 몰랐다. 그래서 켄 로빈슨에게 다시 전화를 걸어 자초지종을 이야기했다.

"흐음." 내 이야기를 다 들은 후 그가 입을 열었다. "땅의 신령을 만났군요."

"네에." 내가 말했다. "그래요, 맞아요. 저는 땅의 신령을 만났어요."

그는 좋은 담뱃잎을 바치면 상황을 수습할 수 있을 거라고 생각했다. 나는 조금도 망설이지 않았다. 그의 말대로 담뱃잎을 바쳐보려고 했다. 이 판국에 무슨 짓인들 못하겠는가.

조이와 나는 각자 좋아하는 개들이 있다. 의도한 건 아니지만 이 개들에게 많은 도움을 받는다. 다른 개들이 전부 들고 일어나 우리를 돌아버리게 할 때, 소파가 죄다 뜯어지고, 쓰레기통은 뒤집어져 있고, 온 집 안이 개똥 천지가 되고, 신경이 나달나달해져서 인내심이 바닥을 드러내는 날이면, 우리는 각자가 좋아하는 개들을 향해 손을 뻗는다. 이 개들은 우리가 이 게임을 시작한 이유를 상기시켜준다. 아합은 언제나 나를 이끌어주는 불빛이었고, 아합이 죽은 후로 버킷이 그 자리를 대신했다. 오티스가 죽은 후로는 박살난 주둥이가 조이의 가장 큰 사랑을 받았다. 그런데 이제 이고르의 다음 공격 대상자가 다름 아닌 박살난 주둥이였다.

우리가 다 같이 거실에서 시간을 보내고 있을 때 내 친구 한 명이 집에 찾아왔다. 나는 조이와 개들을 거실에 두고, 친구를 맞이하기 위해 대문으로 향했다. 그런데 돌아와보니 조이가 울고 있었다. 박살난 주둥이는 몸을 떨고 있었고 거실 전체에 피가 뚝뚝 떨어져 있었다. 내가 자리를 비운 사이에, 이고르가 벌떡 일어나 박살난 주둥이에게 달려든 것이다. 이고르는 박살난 주둥이의 얼굴을 물었는데, 앞니를 이용해 뼈가 드러날 정도로 뺨을 뚫어놓았다. 불테리어들은 턱의 힘도 대단하지만 목의 힘도 그에 못지않게 무척 강하다. 이고르는 이 두 힘을 이용해 박살난 주둥이를 공중에 번쩍 들어 올려 앞뒤로 마구 흔들기 시작했고, 박살난 주둥이의 목을 물려고 했다. 2초, 아니 5초만 더 지났어도 이고르는 계획을 성공했을 것이다. 다행히 그러기 전에 조이가 둘을 떼어놓았지만, 그건 끝의 시작에 불과했다.

온몸이 흰색인 불테리어를 낳으려면 근친교배를 해야 하는데, 그 때문에 흰색 불테리어들은 간질에 걸리기 쉽고, 간질로 인해 분노 증후군 — 간질 발작과 유사하지만 몸을 떠는 대신 미친 듯이 화를 낸다 — 을 일으키는 경향이 있다. 엄지손가락에서 무슨 일이 있었는지 몰라도, 그 일로 인해 이고르는 완전히 딴판이 되었다. 예전의 이고르로 되돌려놓는다는 건, 다시 말해 그의 분노 증후군을 치료한다는 건 도저히 불가능했다. 이 병은 점진적으로 증상이 드러난다. 발작이 오래 지속되고 난폭한 성격이 점점 악화된다. 이처럼 악화되는 난폭한 성격 때문에 조이는 멕시코에서 한동안 체면이 좀 깎인 적이 있었다. 그러니 효험은 무슨 놈에 효험. 양질의 담뱃잎은 이 상황을 조금도 누그러뜨리지 못했다.

우리는 담당 수의사에게 전화를 걸어 다음 날 아침 안락사 시간을 정했고, 또 한 번의 아주 끔찍한 밤을 맞았다. 나는 아침 일찍 일어나 이고르를 데리고 우리의 마지막 '다섯 마리 개들의 운동 시간'에 나섰다. 애초에 이고르를 위해 만든 운동 시간이었다. 퍼피콕과 벨라와 버킷을 데리고 갔다. 그날 우리는 코요테의 길을 다시 달렸다. 나는 이 길이 마법을 부려주길 바랐다. 이 길이 모든 것을 바꾸어주길 바랐다. 이고르와 나는 두껍게 얼어붙은 눈처마에서 뛰어 내려 한데 부둥켜안고 뒹굴면서, 이제는 모든 것이 달라졌지만 영원히 변치 않을 원시의 모습을 — 한 남자와 개 한 마리가 뒹굴며 노는 — 몇 초간 재현했다. 하지만 그 순간은 곧 지나가버렸다. 그날 그곳에 마법 같은 건 일어나지 않았으며, 우리를 맞이한 건 오직 실망뿐이었다.

우리가 산에서 다 내려왔을 즈음, 나는 너무나 슬퍼서 마음이 진정되지 않았다. 나는 천천히 걸음을 옮겼다. 차마 이고르를 볼 수가 없었다. 이윽고 더 이상 걸을 수조차 없었다. 나는 땅바닥에 주저앉아 두 손에 얼굴을 묻었다. 그런데 다시 고개를 들었을 때 퍼피콕이 보이지 않았다. 퍼피콕은 지금까지 한 번도 달아난 적이 없었다. 나는 퍼피콕을 부르고 또 불렀고 찾고 또 찾아다녔지만, 시간은 점점 늦어지고 있었고 수의사는 곧 집에 도착할 터였다. 나는 퍼피콕이 황무지로 사라진 것보다 이고르가 다른 개들 주위에 있는 것이 더 위험하다는 데 생각이 미쳤다. 그렇지만 이 상황에서 어떤 결정을 내려야 하나? 여기 남아서 퍼피콕을 찾으러 가야 할까? 아니면 이고르를 죽이기로 한 약속을 지켜야 할까? '종을 막론하고 최대 다수를 위해 최고의 선을 행하도록 노력하라'는 싱어의 말이 옳은지도 모르지만, 때로는 뭘 해도 선하지 않을 때가 있다.

황무지를 빠져나와 한참을 터덜터덜 걸었다. 개 한 마리를 안락사시키기 위해 깊은 산을 하이킹하고 와서, 다른 개를 찾기 위해 돌아서서 다시 산 속으로 들어가야 한다는 건 동물들과 함께할 때만 느낄 수 있는 비통함이다. 그러나 나는 이 비통함이 나를 죽이지는 않으리라는 걸 잘 알고 있었다. 엿 같은 날을 보내고 있지만, 언젠가는 끝이 날 터였다. 동물 구호는 죽음의 게임인지도 모르지만, 과연 그게 전부일까? 오늘 무슨 일이 있었든, 나는 내일 아침 눈을 뜨면 개 몇 마리를 더 구하려 할 테고, 그다음 날도 마찬가지일 것이다. 조이가 옳았다. 이것이 우리가 하는 일이다. 그래, 개 구호 활동이 일종의 사이비 종교라면, 나는 이제 어엿한 광신자가 됐다.

내가 막 여기까지 깨달았을 무렵, 드디어 퍼피콕을 찾았다. 퍼피콕은 황무지 맨 가장자리를 서성거리다가 노간주나무 덤불 옆에 서서, 개들이 뼈다귀를 묻을 때처럼 마치 무언가 감출 것이 있는 것처럼 행동했다. 다른 개들은 크게 신경 쓰지 않는 것 같았지만, 나는 척추가 뜨끔거리고 목 뒤의 머리카락이 쭈뼛 곤두서는 느낌이었다. 나는 열 발자국 앞으로 다가서서 덤불 뒤쪽을 훑어보다가 놀라서 입이 떡 벌어지고 말았다. 그곳에 앉아 있는 것은, 내 앞에서 채 열 발자국도 안 되는 곳에 앉아 있는 것은, 다름 아닌 코요테, **바로 그** 코요테, 그러니까, 코요테의 길에서 본 그 코요테였던 것이다.

협곡을 사이에 두고 떨어져 있지 않고 이렇게 가까이에서 실물을 보고 있으니, 코요테는 45킬로그램은 충분히 넘을 만큼 몸집이 컸다. 얼굴은 넓적하고, 어깨는 떡 벌어졌으며, 털은 두 가지 색이 어우러졌는데 상층은 거칠고 두꺼운 잿빛이고 그 아래는 그보다 얇은 황갈색이었다. 자태는 근사했지만 어쩐지 조금 이상해 보였다. 개와 늑대와 코요테가 하나로 합쳐진 듯한 잡종처럼 보였다. 뭐랄까, 모든 갯과 동물의 기수 같다고나 할까. 어쨌든 그가 달아나지 않은 덕분에 우리는 서로를 가까이에서 볼 수 있었다. 아니, 사실 그는 우리를 무서워하는 기색이 조금도 없었다. 무서워하기는커녕, 얼굴 가득 활짝 웃음을 지어 보이더니 뒷다리로 몸통을 곧게 세워 똑바른 자세로 앉더니만 — 여러분을 놀리는 게 아니다 — 뒷다리로 깡충, 그러니까 캥거루처럼 깡충깡충 뛰기 시작하는 것이었다.

동물들이 하는 별의별 짓을 다 보아왔지만 이렇게 희한한 행동은 보다 보다 처음이었다. 나는 이럴 땐 어떻게 반응을 해야 좋을지 몰라서 그저 입만 헤벌린 채 서 있었다. 코요테는 커다란 턱을 벌리고 혓바닥을 쭉 내밀고는 커다란 반달을 그리면서 온 황무지를 발끝으로 사뿐사뿐 뛰고 있었다. 나중에 퍼듀 대학교 인간과 동물의 유대 협회Center for the Human-Animal Bond 회장인 앨런 벡Alan Beck은 코요테가 깡충깡충 뛰는 것은 대체로 고개를 숙여 인사하는 것을 대신하는 행위라고 설명했다. 이것은 그들이 놀이를 시작하는 방식이다. 잠시 후 코요테가 뛰기를 멈추었다.

코요테가 멈추었을 때 우리는 모두 길게 줄지어 서 있었다. 코요테가 제일 끝에, 그 반대편 끝에는 이고르가. 코요테는 퍼피콕과 몇 발자국 떨어지지 않은 곳에서 멈추었지만 퍼피콕을 지나 내 쪽으로 다가오기 시작했다. 그리고 나를 지나치고, 벨라와 버킷을 지나쳐, 이고르 앞에서 멈추었다. 둘은 몇 센티미터 떨어져서 끝도 없이 한참을 서 있었다. 그러더니 코요테가 이고르에게 가까이 다가가 몸을 기대고 이고르의 목에 머리를 얹었는데, 언젠가 나는 늑대들이 무리 안에서 이와 똑같은 행동을 하는 걸 본 적이 있었다. 둘은 한 20분쯤 그 자세로 서 있더니, 나로서는 전혀 감지하지 못할 무언의 신호로 이 예식을 마쳤다. 코요테는 세 번 크게 껑충 뛴 다음 저 멀리 풍경 속으로 사라졌고, 그가 가버리고 없다는 걸 깨달은 순간 코요테는 이 깊은 숲 속에 출몰하는 또 하나의 유령이, 더 이상 아무도 믿지 않지만 그러면서도 의혹을 완전히 거두지는 못하는 또 하나의 전설이 되고 있었다.

트릭스터(trickster, 원시민족의 신화에서 주술과 장난 등으로 질서를 어지럽히는 초자연적인 존재), 변신술사, 사물을 변형시키는 존재. 대부분의 문화에서 코요테를 보는 관점은 이렇다. 코요테는 마법을 지키는 존재, 죽음을 데리고 오는 자, 부활의 관문이다. 많은 이들이 코요테는 그 존재만으로 구체적인 교훈을 전달한다고 말한다. 테드 앤드루스는 이렇게 설명한다. “코요테는 지혜와 어리석음의 균형을, 이 둘이 조화를 이루는 방법을 가르친다. 많은 사회의 민간전승에서 코요테의 이미지를 지혜로운 바보로 여겨왔다. 코요테는 겉으로는 얼간이처럼 보이지만, 알고 보면 그 말과 행동이 대단히 지혜로운 개체이다. 자신의 인생과 인생에서 일어나는 갖가지 사건에서 아직 지혜를 발견하지 못했는가? 그렇다면 코요테가 도움을 줄 것이다."

나는 도움이 필요했다. 몇 시간 후에 이고르가 죽었다. 조이는 잘 견뎌냈고 나도 이틀 후에는 다시 제자리로 돌아올 수 있었다. 그렇지만 버킷은, 흐음, 버킷은 전 같지 않았다. 그야말로 별별 이론을 다 동원해봤지만 이고르의 죽음을 담담하게 받아들이는 데에는 아무런 도움이 되지 않았다. 아니, 하다못해 머리로 이해하기조차 힘들었다. 거울 신경세포가 일체감을 설명하고 몰입 상태가 변신술을 설명해줄 수 있을지는 몰라도, 땅의 신령을 이해하는 데에는 별 도움이 되지 않는다. 무엇으로도 이고르를 살릴 수는 없었다. 코요테에 대해 말하자면, 뭐랄까, 코요테는 내일의 신비로 남겨두어야 할 것이다. 그러나 과거가 미래를 판단할 근거라면, 결국 무언가가 이 수수께끼를 풀도록 도와주리라. 그렇지만 그 아래에는 또 다른 수수께끼가 감추어져 있을 테지. 언제나 또 다른 수수께끼가 기다리고 있으니까. 그리고 자연계의 위대한 선물은 다름 아닌 이 신비라는 선물이니까.

어쩌면 '해결 방안'이 충분히 마련되면, 우리는 동물의 왕국과 우리의 관계를 다시 생각하게 될 것이다. 어쩌면 조만간 그렇게 될지 모른다. 결국 우리의 도덕성과 우리의 과학기술이 우리의 문제를 감지할 것이다. 우리는 몇몇 이야기들을 더 이상 믿지 않듯, 법정에서 아이들을 돌로 쳐 죽이는 것이 반항을 벌하기 위한 좋은 방법이라고 말하는 성경의 내용을 더 이상 믿지 않는다. 불평등한 생태학에 대한 필요 역시 줄어들었다. 과학자들은 몇 년 안에 줄기세포에 의해 성장한 육류로 육식동물의 허기를 달래게 될 거라고 말한다. 오늘날 재료 과학은 갖가지 난관을 완벽하게 해결했고, 인공 피부 덕분에 토끼를 더 이상 성형술의 시험대에 올리지 않도록 법안을 통과시킬 일만 남았으며, 우리는 전국적으로 실시되는 암컷의 난소적출 및 중성화수술법 — 개를 죽이지 않는 보호소로 전환하기 위한 첫 번째 단계로 널리 인정되고 있는 방법 — 을 기피하는 사육 집단과 휴전을 맺고 있다. 하지만 꼭 이렇게 기다려야만 할까?

얼마 전 과학자와 철학자들이 이에 대해 연구했고, 그 결과 우리와 가장 가까운 생물학적 동족들이 법적인 권리를 누릴 자격이 없는 이유에 대해 아무런 근거를 찾지 못했으며, 그리하여 스페인 법정은 고등 유인원에게 그 권리를 승인했다. 오늘날 스위스는 모든 유기체의 '존엄성'을 법으로 보호하고 있다. 그리고 어디를 둘러보더라도, 누구의 증언을 들어보더라도, 우리는 동물의 세계에서 인생의 의미를 추구한 사람치고 아쉬움을 남긴 채 돌아온 사람을 발견하지 못할 것이다. 나는 상상력의 부재라고 생각하지만, 많은 사람들이 우리가 대안적인 관점에서 동물의 복지를 고려하지 못하는 건 의지력 부족과 나약한 허영심 탓이라고 주장한다. 주술사들은 인간과 동물이 같은 언어를 말하던 시절을 이야기한다. 글쎄, 우리가 다시 그 시절을 찾을 수 있을지는 모르겠지만, 이제까지 내가 경험한 모든 것을 생각하면 그 시절을 꼭 찾고 싶다.

어쩌면 이 딜레마에서 벗어나는 가장 좋은 방법은 지금까지의 성적표를 다시 확인하는 것일지도 모르겠다. 메리 울스턴크래프트는 1792년, 그녀의 저서 《여성의 권리 옹호*A Vindication of the Rights of Womans*》에서 우리가 다음과 같은 내용을 상기해야 한다고 주장했다. "남성의 추상적인 권리가 논의와 설명에 적합한 것이라면, 같은 맥락에서 유추해볼 때 여성의 추상적인 권리 역시 그 같은 평가에서 결코 뒤지지 않을 것이다." 지난 미국 대통령 선거에서 대선 후보에 올랐다가 결국은 국무장관이 된 한 여성(힐러리 클린턴을 말한다)을 지켜본 우리에게 이 말은 매우 시기적절하다. 그녀는 불과 얼마 전까지만 해도 성과 인종 모두 공직에 오르기에 부적합하다고 여겨온 아프리카계 미국 여성(콘돌리자 라이스 전 미국 국무장관을 말한다)의 자리를 대체하였다. 그녀가 속한 민족은 2세기 전만 해도 감금되고 속박되고 사육되었다. 그리고 오늘날 버락 오바마가 미국의 대통령이 되었다. 우리가 개들을 우리의 동반자로 취급하기 시작할 때 앞으로 어떤 일이 전개될지 나로서는 알 수 없다. 그렇지만 성적표에 드러나는 것만큼은 알고 있다. 우리가 평등을 위해 노력할 때마다 놀라운 결과를 얻어왔다는 사실을.

감사 인사

사람들: 에이전트 폴 브레스닉, 편집자 캐시 벨든, 그리고 블룸스버리 출판사의 모든 관계자들에게 다시 한 번 진심으로 감사드립니다. 개들에게 큰 도움을 주신 엘리스 듀랜트, 티파니 하우거, 매데너 베넷, 그리고 트리나 해든 박사님께도 감사드립니다. 이 모험에 커다란 도움을 주신 조슈아 로버, 버크 샤플리스, 릭 타이스, 조 도널리, 새디어스 코투발라에게도 감사드립니다. 대단히 똑똑한 많은 과학자들이 이 작업을 함께하면서 저를 무척 참을성 있게 대해주셨습니다. 앨런 벡, 로리 그린, 마르코 야코보니, 마크 베코프, 퍼트리샤 매코넬, 퍼트리샤 라이트, 스티븐 게린, 짐 올즈, 릭 그레인저, 앤드루 뉴버그에게 이 자리를 빌려 감사의 인사를 드립니다. 끝없는 아량을 베풀어주신 캐슬린 램지, 많은 지지를 보내주신 부모님과 형제들, 그들의 가족들, 특히 대단한 내 아내에게 감사드립니다. 당신들이 없었다면 아무것도 해낼 수 없었을 거예요.

개들: 아합, 오티스, 코르키, 이고르, 비니, 제이크, 기젯, 데이미언, 벨라 추파카브라, 퍼피콕, 버킷, 박살난 주둥이, 스쿼트, 포니걸, 마우스, 엘튼, 리오, 샤이샤이, 휴고, 다그마, 파라, 헬가, 우키, 레오,

주윤발, 폭군 미샤 선사禪師, 솔티, 플라워, 블루, 제브, 줄리아, 포그햇, 럭스 다이아몬드, 애플 라이트스피드, 스틸츠, 리겔, 스프라켓, 부치, 스칼렛, 지기, 피그, 마르코, 윌리, 조이, 치스피타, 터틀, 뉴턴, 버그, 먼치, 엘모. 이들이 없었다면 저는 분명 방황하며 살고 있을 거예요.

란초 데 치와와는 미국세법 501(c)3의 적용을 받는 비영리단체로 등록되어 있습니다. 우리 웹사이트 www.ranchodechihuahua.org를 통해 기부하실 수 있습니다.

옮긴이의 말

하나를 깊게 이해하면 세계가 확장되는 걸까. 개 구호 활동에 대한 책이라고 해서 개에 대한 이야기를 하려니 생각했다. 그런데 번역을 다 마칠 즈음, 나는 어느새 나를 둘러싼 세계와 우주를 생각하고 있었다. 너무 거창한가. 그런 것 같지는 않다. 왜냐하면, 없던 세계와 우주가 갑자기 나타난 것이 아니라, 원래 있던 세계와 우주를 어렴풋이 느끼게 된 것이니 말이다. 번역 작업 한 번 한 걸로, 그것도 개에 대한 책을 번역해놓고 세계와 우주를 생각하다니, 너무 호들갑스러운 게 아닐까 조심스럽지만, 몇 번을 생각해봐도 결코 호들갑이나 과장은 아니다. 사실, 세계니 우주니 하는 단어의 무게가 무겁게 느껴질 뿐이지, 멀거나 크게 생각할 필요는 없을 것 같다. 작게는 내 주변의 공기와 바람, 나무와 햇볕, 지저귀는 새와 무심히 골목을 지나가는 길고양이, 주인과 산책을 나온 개, 그리고 내 주변의 친구와 가족들이 모두 내 세계이고 우주니까.

이렇게 생각을 진척시킬 수 있었던 건 저자 스티븐 코틀러의 해박한 지식과 깊은 통찰력, 개를 대하는 순수한 마음과 진심 어린 사랑 덕분이다. 그는 정신적으로나 육체적으로 문제가 있는 개들을 데리고 와 보호하는 일을 한다. 40평생 개는커녕 사람하고도 지속적인 관계를 맺어본 적이 없던 그가 '사랑하는 여자가 좋아하니까'라는 단순한 이유에서 개 구호 활동에 동참했다. 평범하고 작은 시작이었다. 그런데 시간이 지나면서 아내 못지않게 개들을 끔찍하게 사랑하게 됐고, 그래서 개에 대해 많은 것이 알고 싶어졌다.

인간은 하고 많은 동물 가운데 왜 하필이면 유독 개와 친하게 되었을까 고민하다 인간과 개의 공진화 역사를 탐구했고, 아픈 개라면 온몸을 던져 희생하는 아내 조이의 헌신을 보면서 이타주의가 만들어지는 근거를 철학적, 윤리적, 생물학적, 종교적 차원에서 궁리했다. 마침내 개들의 무리 속에서 드디어 이타주의의 원형 같은 모습을 발견하고, 이타주의와 유대감이 순환되는 관계임을 확인했다. 그리고 여기에서 발전해 일체감, 합일, 몰입으로 탐구를 이어갔다. 큰 개들이 치와와 같은 작은 개들을 보호하는 모습을 보면서 공동체 형성과 집단생활의 조화를 규명하고, 그 과정에서 그토록 귀찮아하던 치와와들을 몹시 사랑하게 됐다. 개를 사랑하게 되면서 더 이상 개와 인간을 구분하지 않는 경지에 이르렀고, 그럼으로써 인간과 동물을 구분하려 발버둥친 인간의 역사를 거슬러 올라가 데카르트에서부터 피터 싱어에 이르는 이론들을 망라했다. 그리고 결국 인간의 우월함을 강조한 기독교 윤리에 의해 자연이 파괴되고, 자연의 일부인 인류 또한 고통을 받게 된다는 사실을 이론적으로 확인하게 됐다. 코틀러의 사색은 이제 보다 심오한 방향으로 옮겨간다. 개, 나아가 동물의 신성성에서부터 출발해 심층 생태주의가 주장하는 인간과 동물의 평등성, 만물일체, 신비주의… 도대체 이 작가의 사유가 어디까지 가는 걸까, 궁금하기도 하고 두렵기도 했다. 하나를 다 소화해내기도 전에 다음 주제가 튀어나왔다. 그만큼 작가가 오래도록 깊은 탐구와 사색을 거쳤다는 의미다.

이렇게 한 여자에 대한 사랑으로부터 시작된 탐구와 사유는 차츰 자신의 세계와 우주를 넓혔고 인생을 바라보는 관점을 다르게 했다. 그리고 이 모든 탐구와 사유의 총합은 결국 사랑과 연민, 그가 강조한 공감 능력이다. 이렇게 도돌이표를 그릴수록 세계와 우주는 점점 크게 확장된다.

그런 면에서 개들의 삶을 소개한 이 책이 나를 둘러싼 세상을 사랑할 수 있는 마음을 갖게 해주고, 인생을 어떻게 살아야 할지를 생각하게 해준다고 생각한다. 자고 일어나면 매일같이 수많은 사건사고들이 일어난다. 아이들은 아이들대로 어른들은 어른들대로 평화롭게 살기 힘든 세상이다. 이런 판국에 사랑 타령에 세계의 확장이니 인생의 의미니 운운한다는 게 한가로운 소리처럼 들릴지도 모르지만, 바로 이것에서부터 시작해 조금씩 넓혀가야, 우리가 마음 깊이 간직하고 있지만 있는 줄도 모른 채 묻혀 있는 태고의 평화를 만날 수 있을 것 같다. 저자의 주장대로 조금씩 노력해나갈 때만이 우리가 바라던 평화롭고 평등한 세계를 만날 수 있을 것 같다.

서민아

인간은 개를 모른다

초판1쇄 발행 | 2013년 9월 6일
개정판1쇄 발행 | 2018년 1월 5일

지은이 | 스티븐 코틀러
옮긴이 | 서민아
펴낸이 | 이은성
펴낸곳 | 필로소픽
편집 | 이상복, 황서린
디자인 | 드림스타트
주소 | 서울시 동작구 상도2동 206 가동 1층
전화 | (02) 883-3495
팩스 | (02) 883-3496
이메일 | philosophik@hanmail.net
등록번호 | 제379-2006-000010호

ISBN 979-11-5783-097-8 03840

필로소픽은 푸른커뮤니케이션의 출판브랜드입니다.

이 도서의 국립중앙도서관 출판시도서목록(CIP)은 서지정보유통지원시스템 홈페이지(seoji.nl.go.kr)와
국가자료공동목록시스템(www.nl.go.kr/kolisnet)에서 이용하실 수 있습니다. (CIP제어번호: CIP2017031110)